La passion de grandir

Conception graphique de la couverture: Nancy Desrosiers
Illustration: Image Bank/Greg Spalenka

DISTRIBUTEURS EXCLUSIFS:

- Pour le Canada et les États-Unis:
  LES MESSAGERIES ADP*
  955, rue Amherst, Montréal H2L 3K4
  Tél.: (514) 523-1182
  Télécopieur: (514) 939-0406
  * Filiale de Sogides ltée

- Pour la Belgique et le Luxembourg:
  PRESSES DE BELGIQUE S.A.
  Boulevard de l'Europe 117
  B-1301 Wavre
  Tél.: (10) 41-59-66
       (10) 41-78-50
  Télécopieur: (10) 41-20-24

- Pour la Suisse:
  TRANSAT S.A.
  Route des Jeunes, 4 Ter
  C.P. 125
  1211 Genève 26
  Tél.: (41-22) 342-77-40
  Télécopieur: (41-22) 343-46-46

- Pour la France et les autres pays:
  INTER FORUM
  Immeuble ORSUD, 3-5, avenue Galliéni, 94251 Gentilly Cédex
  Tél.: (1) 47.40.66.07
  Télécopieur: (1) 47.40.63.66
  Commandes: Tél.: (16) 38.32.71.00
       Télécopieur: (16) 38.32.71.28
       Télex: 780372

Muriel et John James

La
passion
de
grandir

*Itinéraire spirituel vers
la découverte de soi*

*Traduit de l'américain
par Louise Drolet*

le jour,
éditeur

Données de catalogage avant publication (Canada)

James, John, 1946-

La passion de grandir: itinéraire spirituel
vers la découverte de soi

Traduction de: Passion for life.
Comprend des réf. bibliogr. et un index.

ISBN 2-8904-4499-6

1. Vie spirituelle.   2. Réalisation de soi (Psychologie) -
Aspect religieux.   3. Psychologie et religion.
4. Analyse transactionnelle.   I. James, Muriel.   II. Titre.

BL624.J4314   1993   248.4   C93-096870-0

© 1993, Le Jour,
une division du groupe Sogides,
pour la traduction française

L'ouvrage original américain a été publié
par Dutton, une division de Penguin Group,
sous le titre *Passion for Life*
(ISBN: 0-525-24988-5)

Dépôt légal: 4ᵉ trimestre 1993
Bibliothèque nationale du Québec

ISBN 2-8904-4499-6

Aux professeurs, étudiants, collègues, clients, amis et membres de notre famille qui ont engagé un dialogue authentique avec nous.

Remerciements

Outre les hommes et les femmes décrits, cités et reconnus dans ce livre, beaucoup d'autres nous ont rendu service. Clients, professeurs, étudiants, collègues et amis nous ont encouragés à écrire cet ouvrage. Certains d'entre eux ignorent peut-être le rôle crucial qu'ils ont joué dans notre vie et dans l'élaboration de notre théorie, en particulier:

Javier Alborna	Ian James
Chauncey Blossom	Jean Johnson
Kaye Burke	Sherman Johnson
Jacquie Butler	George Kandathil
Clayton Cobb	Kathleen et Ben Kaulback
Arnold Come	Robert Leslie
Dale Cooper	Pat Loughary
Ann Dilworth	Charles McCoy
Arthur Foster	Gail et Lynne Miller
Michiko Fukazawa	Shunji Nishi
Jan et Locke Gibbs	Ruby Peregrine
Victor Gold	Werner Rautenberg
Bill Harvey	Hans Reudi-Weber
Harland Hogue	Maria Teresa Romanini
Sy Horowitz	Louis Savary
Duncan James	

Nous remercions tout particulièrement Betty Fielding et Sue Hughes qui nous ont offert leur soutien et leur affection en lisant et en commentant une grande partie de notre manuscrit. Et comme «une image vaut mille mots», nous remercions aussi les photographes, les artistes et les concepteurs-graphistes qui ont insufflé vie aux nôtres.

Nous exprimons notre profonde gratitude à nos conjoints, Ibis Schelsinger-James et Ernest Brawley, qui nous ont soutenus de leurs idées, de leur inspiration, de leurs encouragements et de leur tolérance tout au long de ce projet. Sans eux, celui-ci n'aurait pu voir le jour.

Nous remercions de tout cœur notre agent John Brockman, son associée Katinka Matson, de même que Gary Luke et Matthew Sartwell pour avoir cru en nos idées et en la valeur qu'elles pouvaient avoir pour d'autres.

Merci également à nos milliers de collègues de l'Association internationale d'analyse transactionnelle, qui compte des membres dans quatre-vingt-trois pays, pour avoir passé des heures à écouter nos idées et notre théorie sur le soi profond et l'esprit humain.

Nous vous offrons aujourd'hui ce livre dans l'espoir que les concepts qu'il renferme intensifieront votre passion de vivre. Dans cette perspective, nous espérons, chers lecteurs, avoir de vos nouvelles.

Introduction

Peu avant le point du jour, de faibles lueurs apparaissent dans le ciel. Pendant que la terre tourne sur son axe, ses nombreuses créatures s'étirent et s'éveillent graduellement. Puis la lumière s'intensifie, et les oiseaux annoncent le jour naissant. Nos esprits endormis quittent peu à peu le monde des rêves et des fantasmes pour se concentrer sur un univers qui exige des choix intelligents, un univers assoiffé d'amour.

C'est parce que nous éprouvons une grande passion pour la vie que nous devons faire ces choix. La passion de vivre, c'est plus qu'un sentiment nébuleux d'optimisme et d'amour de la vie. C'est un engagement à vivre qui nous pousse à donner ce qu'il y a de mieux en nous et à contribuer au bien-être des autres. C'est une détermination à se battre pour ce en quoi nous croyons et à lutter contre la souffrance, l'injustice et le gaspillage des ressources naturelles. C'est la décision de transcender les barrières qui inhibent nos efforts. C'est un engagement à être et à faire plus que tout ce que nous aurions pu imaginer.

Se passionner pour la vie, c'est être enthousiaste et s'engager à fond dans ce qui est et ce qui peut être. C'est comme s'éveiller et se sentir plein d'énergie. C'est comme tomber amoureux et exulter. C'est comme être prisonnier et recouvrer brusquement la liberté.

Ce livre présente une théorie propre à encourager cette attitude, qui dépasse la compréhension du soi physique et psychologique pour toucher un concept plus vaste de l'esprit humain ou du soi spirituel. Il explique le fonctionnement de l'esprit humain lorsqu'il est libre ainsi que la façon de le comprendre quand il ne l'est pas et de le développer plus complètement.

Le soi spirituel interagit avec les soi physique et psychologique, et possède ses propres qualités et pouvoirs uniques, qui découlent de sept aspirations fondamentales et universelles. On retrouve celles-ci chez les humains de toutes les époques et de tous les pays et pourtant, chaque individu en fait l'expérience d'une manière unique et personnelle. Bien que diverses conditions influencent l'intensité et l'expression de ces aspirations, elles cherchent constamment à se manifester d'une manière ou d'une autre. Lorsqu'elles sont actives et s'expriment librement, nous éprouvons une véritable passion de vivre.

Dans cet ouvrage, nous ne nous intéressons pas au passé autant qu'au présent et au futur; nous ne mettons pas l'accent sur la pathologie mais plutôt sur la santé; nous ne nous concentrons pas sur les problèmes de l'être humain, mais sur ses potentialités, y compris son potentiel créateur, son éthique personnelle et ses buts, qui sont déterminés par les aspirations positives de l'esprit humain.

Toutefois, bien des gens se sentent mal à l'aise face au mot «esprit» ou à ses dérivés. Au début des années soixante-dix, les termes «esprit», «spirituel» et «spiritualité» prirent un nouveau sens. Jusque-là, ils semblaient réservés aux organisations religieuses, qui ne s'entendaient pas toujours sur leur signification. Cependant, un grand nombre de personnes, qui cherchaient quelque chose de plus que ce qu'offraient les religions traditionnelles, en élargirent le sens. Des personnes areligieuses parlaient de leur vie en termes humanistes ou transpersonnels afin d'exprimer leur quête de signification et d'absolu. Même si leurs définitions étaient parfois aussi évasives que celles des théologiens, elles n'en jetèrent pas moins une lueur précrépusculaire.

Aujourd'hui, à la lumière de ce crépuscule, il est clair que bien des gens aspirent à explorer les dimensions spirituelles de la vie et à trouver les mots et les concepts nécessaires pour parler de leur expérience et de leur degré de compréhension. Dans *La passion de grandir*, nous tentons de formuler cette théorie ainsi qu'un langage qui servira à en discuter.

L'élaboration de la théorie

L'identification et la vérification de cette théorie de l'esprit humain et de ses sept aspirations fondamentales ont exigé plus de vingt années d'études, de recherches et d'observations soigneuses.

Au fil des ans, nous avons enseigné et vérifié cette théorie dans le cadre d'ateliers, de séminaires et de conférences dans bien des pays et auprès de personnes ayant une culture et des intérêts professionnels différents.

Soucieux d'accroître nos connaissances pendant la rédaction de ce livre et de vérifier l'universalité de notre théorie, nous avons fouillé les bibliothèques de plusieurs collèges de théologie, ainsi que celles de l'Université Stanford et de l'Université de Californie. Les références présentées à la fin du livre offrent un grand nombre des ressources que nous avons consultées et les idées les plus proches de notre sujet.

Bien que nos conclusions soient inspirées des travaux de bien des auteurs, trois hommes ont joué un rôle des plus significatifs dans notre travail: Martin Buber, Viktor Frankl et Eric Berne. Certains de leurs principes de base sont imbriqués dans nos théories.

Les écrits de Martin Buber nous ont, pendant bien des années, fourni un fondement philosophique qui nous a aidés à mieux comprendre le potentiel des relations dialogiques et les sphères dans lesquelles nous risquons de rencontrer le Toi éternel. Bien que nous ne l'ayons pas connu personnellement, ses concepts nous ont profondément émus.

La théorie de la logothérapie, dont Viktor Frankl est le père et qui met en relief la recherche d'un sens à la vie et le pouvoir provocant de l'esprit humain, nous a aussi profondément influencés. Nous sommes reconnaissants de ce que, dans les années soixante, Viktor Frankl ait été l'un des orateurs invités à une série de conférences parrainées par notre institut dans la région de San Francisco; en retour, nous avons présenté notre théorie sur l'interaction de la logothérapie et de l'analyse transactionnelle à son institut de Vienne.

La théorie de l'analyse transactionnelle, élaborée par Eric Berne, a aussi solidement étayé notre compréhension de la personnalité. Nous avons tous deux étudié avec Eric Berne, l'avons fréquenté pendant de nombreuses années et avons englobé des éléments de sa théorie dans beaucoup de nos écrits. Dans *La passion de grandir*, nous recourons à l'analyse transactionnelle et la dépassons même afin d'explorer les pouvoirs de l'esprit humain dérivés du noyau du soi spirituel.

La notion préliminaire d'esprit humain apparut pour la première fois en 1973 et fut par la suite épurée dans plusieurs autres publications[1]. *La passion de grandir* élargit la portée de ces idées initiales et les approfondit.

Un mot des auteurs

Nous aimerions glisser quelques mots ici sur nous deux et sur ce que représente le fait de travailler ensemble comme mère et fils. Dans une société où les liens familiaux sont souvent brisés ou effilochés, certains s'interrogent sur la dynamique du travail conjoint entre membres d'une même famille. Pour nous, cela est une véritable bénédiction.

Il y a des années que nous voulions terminer nos recherches et écrire ce livre, et nous sommes enchantés du résultat. Plusieurs éléments de notre vie nous ont conduits à écrire ce livre ensemble. Disons tout de suite que le fait d'habiter à quelques kilomètres seulement l'un de l'autre, dans une petite banlieue de San Francisco, nous a permis de nous rencontrer, de discuter, de nous disputer et d'écrire avec constance et commodité.

Nous possédons en outre une certaine expérience universitaire commune. Nous sommes tous deux diplômés de l'Université de Californie et avons fait une maîtrise dans divers collèges théologiques de Berkeley. Moi, John, j'ai suivi le modèle traditionnel et je suis entré à l'université après mes études secondaires. Moi, Muriel, j'ai commencé mes études supérieures dans la trentaine, après quinze années passées à travailler et à élever mes enfants. En cours de route, cependant, nous avons eu quelques professeurs communs, ce qui nous a inculqué une base identique pour comprendre et débattre quelques-uns des points essentiels présentés ici.

Nous avons aussi participé à des projets conjoints. Ainsi, pendant plusieurs années, nous avons dirigé ensemble l'Oasis Center, un centre d'éducation et de counseling pour adultes, un centre de jour et un foyer résidentiel pour adolescents et un institut de formation destiné à des professionnels de nombreux domaines. À l'heure actuelle, nous dirigeons le James Institute, un centre d'éducation, de psychothérapie et de formation professionnelle situé à Lafayette, en Californie. Pendant l'été, il nous arrive souvent de coanimer des ateliers intensifs d'une semaine. Entre nos projets conjoints, nous remplissons nos fonctions d'orateurs, de formateurs, de psychothérapeutes et de consultants, chacun de notre côté.

En écrivant ce livre ensemble, nous nous sommes affrontés au sujet de chacune des idées qu'il renferme. Nous avons discuté de la véracité globale ou partielle de chaque principe et de nos divergences occasionnelles attribuables à nos différences d'âge, de sexe, d'éducation, d'intérêts et d'expérience.

Par conséquent, ce livre ne renferme pas uniquement une théorie, mais il reflète aussi ce que nous avons appris en nous posant mutuellement les questions que nous vous posons aujourd'hui. Assis à la table de la cuisine, jour après jour, nous n'avons pas lâché prise. Nous n'avons pas donné notre accord pour en finir au plus vite. Nous avons choisi de nous questionner directement l'un l'autre, et en cours de route, nous en avons appris davantage sur les aspirations de l'esprit humain et sur la passion de grandir.

Certes, nous n'avons pas fini d'apprendre et de comprendre, et vous non plus. Ce livre n'est qu'une toute petite étape dans l'évolution constante, depuis des siècles, de la compréhension du pouvoir de l'esprit humain.

John James et Muriel James
Lafayette, Californie

CHAPITRE 1

Une voie d'amour

Être humain, c'est secouer sans cesse les barreaux de la cage de l'existence en criant: «À quoi ça sert?»
ROBERT FULGHUM[1]

Une faim universelle

Avez-vous déjà vécu un moment sublime au cours duquel tout vous a paru si magnifique que vous vous demandiez comment prolonger ce moment? Ou le recréer? Ou vous êtes-vous déjà demandé après une dure journée de travail si vos efforts comptaient vraiment: «À quoi ça sert tout ça?» Vous avez peut-être connu une relation décourageante qui vous portait à vous demander: «N'y a-t-il rien d'autre que cela?»

Une soif universelle imprègne l'univers. C'est la soif de retirer davantage de la vie, de donner plus en retour, de s'engager davantage et de donner plus de sens à sa vie. C'est la soif de l'âme qui cherche «quelque chose de plus».

Tout le monde cherche quelque chose de plus. Certains cherchent un sentiment de valeur personnelle et des moyens de se sentir uniques et importants dans ce qu'ils sont et font. D'autres cherchent «une place au soleil» où ils se sentiront chez eux et en sécurité. D'autres encore aspirent à une relation intime ou à une plus grande liberté dans leur relation amoureuse. Certains veulent une bonne santé et une plus grande vitalité, la chance d'apprendre quelque chose de nouveau, d'être créatif ou de s'amuser davantage, parce que ces expériences rendraient leur vie plus significative.

Parfois ce désir de quelque chose de plus nous pousse à regarder au-delà de notre routine quotidienne, à sortir de situations stagnantes et sans issue. À d'autres moments, ce désir est déconcertant et distrayant parce qu'il met en lumière les lacunes de notre vie. Pourtant, malgré ce malaise, il persiste et peut finir par être ressenti comme ce qu'on nomme une faim spirituelle.

Le mot *spirituel* peut revêtir différentes significations selon les gens. Pour certains, il signifie s'intéresser aux questions religieuses, nourrir des aspirations élevées ou désirer un sentiment d'union avec Dieu. Pour d'autres, il se rapporte à un aspect spécial de la vie que l'on n'expérimente pas normalement dans le quotidien. En allemand, deux mots mettent en évidence ces acceptions différentes: *geistlich* se rapporte aux questions spirituelles abordées dans une optique religieuse et *geistig* aux questions spirituelles abordées sans orientation religieuse. Pour nous, le terme *spirituel* se rapporte à *la nature essentielle ou centrale de la vie — à des questions fondamentales* — qui ont une dimension religieuse aux yeux de certaines personnes mais non de tous.

Quelle que soit son orientation, quand on est conscient de sa faim spirituelle, on devient plus attentif à ce qui est le plus important et on se concentre sur l'essentiel plutôt que le superficiel, sur la nature fondamentale de la vie plutôt que sur ses reflets apparents. On écoute ses aspirations profondes plutôt que de se laisser distraire par les tâches ou les événements de la journée.

La faim spirituelle peut être aussi dévorante que la faim physique: on a l'impression d'être affamé et on cherche des moyens de se remplir. Saint Jean de la Croix a parlé de «la nuit obscure de l'âme». La faim spirituelle peut aussi prendre la forme d'un malaise léger et tenace qui survient quand tout semble baigner dans l'huile, mais que, pour une raison ou une autre, on est insatisfait et on désire plus.

Pour éviter ce malaise, il nous arrive souvent de ne pas tenir compte de notre faim spirituelle ou de la nier. Certains la nient parce qu'ils refusent de croire en quoi que ce soit de spirituel; ils associent ce mot avec l'ignorance ou avec des pratiques religieuses en lesquelles ils ne croient pas. On peut reconnaître sa faim mais ne pas en tenir compte parce que d'autres choses nous semblent plus pressantes. Toutefois, le corps exprime souvent ce que l'esprit ne veut pas voir. Une santé médiocre, l'ennui, l'apathie, un sentiment persistant de solitude et une profonde dépression peuvent être des symptômes de faim spirituelle que l'on nie ou feint d'ignorer.

Dans le tourbillon de la vie moderne, les conditions de haute technologie de l'univers se modifient constamment, l'incertitude et le chaos règnent partout, les valeurs sont souvent remises en question et la vie semble parfois absurde. Les relations sont souvent fragiles, les pressions économiques, constantes. Le désir d'avancer est si exigeant que la vie devient facilement déséquilibrée ou ossifiée. Quand cela arrive, nous éprouvons, au plus profond de nous-même, une soif intense de donner un sens à notre vie. Regardez autour de vous. Partout, vous verrez des gens spirituellement affamés. Comme s'ils attendaient le lever du soleil, espéraient le jour où ils pourront combler leurs aspirations fondamentales.

Le début de la quête

Le vif désir de donner un sens à sa vie, de mener des activités plus stimulantes et de nouer des relations plus profondes nous pousse à entreprendre une quête spirituelle. *Une quête spirituelle est une quête dans laquelle nous visons passionnément des buts qui ont une signification à nos yeux et améliorent notre vie.*

Beaucoup de quêtes spirituelles commencent par un ardent désir de comprendre Dieu ou une puissance supérieure, ou d'entrer en contact avec ses ressources intérieures profondes. Toutes sortes de gens se sont lancés dans ce genre de quête spirituelle. Les aborigènes d'Australie font des «voyages dans le désert»; les Indiens d'Amérique du Nord se lancent dans des quêtes de la vision. Dans de nombreuses cultures, on a effectué et on continue d'effectuer des pèlerinages ou des retraites.

Toute forme de crise personnelle qui perturbe la vie comme une explosion et nous incite à devenir conscient peut servir de catalyseur à une recherche spirituelle. Un accident ou une grave maladie peuvent jouer ce rôle. La conscription subie dès la fin du secondaire, un viol, une grossesse précoce ou une douloureuse rupture, tous ces événements qui nous laissent avec le sentiment de ne pas être désiré, avec un sentiment de désespoir ou de confusion, produisent souvent cet effet. Quand on a l'impression de se noyer dans le chagrin ou la souffrance et qu'on essaie désespérément de surnager, on crie parfois: «Pourquoi est-ce que ça m'arrive? Pourquoi moi?» Ce cri peut être le signe d'une quête de signification.

La quête spirituelle peut également commencer par des expériences positives. Le respect que l'on éprouve en contemplant la majesté des monts Kilimandjaro, Fuji-yama, Everest ou Cervin peut servir de déclencheur. L'admiration muette que suscitent en nous certaines œuvres humaines peut aussi nous lancer dans une quête spirituelle; le Parthénon, la chapelle Sixtine, les ruines du Machupicchu nous mettent en contact avec la beauté, le mystère et la signification du passé et nous poussent à poursuivre nos recherches.

Il se peut que la seule vue des autels dressés devant chaque temple maya au Tikal, du Mur des lamentations à Jérusalem, des ablutions matinales des Indiens dans le Gange, des pèlerins en route vers La Mecque ou des fidèles qui prient avec ferveur au Vatican nous serve d'inspiration et nous pousse à entreprendre notre propre quête spirituelle.

Celle-ci peut aussi être déclenchée par un événement prodigieux telle la naissance d'un enfant ou au moment où nous prenons conscience de notre potentiel et des dons que nous pouvons cultiver et offrir aux autres. Quelle que soit la façon dont elle est amorcée, chaque quête spirituelle est unique, peu importe son but.

Une voie d'amour

Le défi inhérent à toute quête spirituelle consiste à trouver une voie d'amour et à la suivre. Chacun de nous chemine sur un grand nombre de sentiers dans le voyage de la vie. Il y a le sentier où l'on avance en grandissant et qui apporte les joies et les défis reliés à la famille, aux amis et à l'école. Il y a la voie que l'on prend quand on cesse d'être dépendant des autres pour se fier davantage à soi-même. Il y a les sentiers que l'on parcourt en tenant la main de ceux qu'on aime et la carrière qu'on poursuit avec lassitude ou exaltation.

Chaque voie prend une direction précise; chacune nous pousse à clarifier nos valeurs et à découvrir nos préférences. En cours de route, nous nous heurtons souvent à des problèmes qui nous invitent ou nous forcent à opérer des changements inattendus. Nous nous lançons dans des directions tout à fait imprévues et des actions jamais imaginées. Parfois nous constatons que notre chemin ne mène nulle part.

Il existe de nombreuses voies dans la vie, de nombreuses façons de vivre. L'anthropologue Carlos Castaneda offre le conseil suivant à ceux qui se tiennent à une croisée de chemins qui les oblige à faire un choix: «Examine chaque voie attentivement, puis pose-toi la question suivante, cruciale: "Ce chemin a-t-il un cœur?" Si c'est le cas, c'est un bon chemin; sinon, il est inutile[2].»

Une voie d'amour est une ligne d'action qui nous incite à réagir avec passion, à agir sur la base d'un engagement affectif et intellectuel positif envers une personne ou une chose. Il nous incite à mettre notre énergie et notre enthousiasme au service d'une activité ou d'une cause qui signifie quelque chose pour nous.

Une voie d'amour nous invite à élargir nos horizons, à dépasser nos activités égoïstes et à agir d'une manière plus éthique, plus aimante et plus compatissante. Elle fait appel à ce qu'il y a de mieux en nous. Elle nous invite à être plus que ce que nous sommes et à faire plus que ce que nous avons fait jusque-là. Une voie d'amour est une voie qui nous encourage à évoluer, à nous dépenser au maximum et à ne pas nous contenter d'une vie léthargique et sans but.

Suivre une voie d'amour peut signifier s'engager personnellement envers une personne même si cela requiert du temps et de l'énergie, et rapporte peu. Ou défendre ce que l'on croit moral et juste sans se soucier des critiques ou de la gêne. Ou encore jouir de la vie au lieu de n'en voir que le côté sérieux. Cette voie peut nous pousser à exercer une profession axée sur la guérison, à créer des œuvres dont la beauté nourrit l'âme, à concevoir des façons d'atténuer certains aspects fastidieux de la vie, à protéger l'environnement ou à défendre les droits de la personne.

Ces voies sont orientées vers des buts humanistes; elles peuvent être reliées à des croyances religieuses sans que cela soit nécessaire. Toutefois, comme le désir de suivre une voie d'amour émane du cœur même de l'esprit humain, on peut cheminer sur cette voie dans le cadre d'une quête spirituelle. C'est ce que fit la zoologiste Jane Goodall, dont la recherche longue et intense commença dès l'enfance par le profond intérêt qu'elle porta aux animaux. Cet intérêt se mua en passion de comprendre les chimpanzés en les observant dans leur habitat naturel. En apprenant à les connaître, elle découvrit qu'ils communiquaient entre eux d'une manière très complexe, possédaient des structures sociales et des habitudes de chasse, pouvaient se servir d'outils et, comme les humains, avaient des personnalités uniques. Poursuivant pendant près de trente ans sa quête sur une voie d'amour, elle tenta d'empêcher les nombreux groupes de touristes qui visitent le parc national Gombe en Tanzanie de perturber le mode de vie des chimpanzés[3].

Pour certaines personnes, une voie d'amour conduit à une recherche de Dieu. En fait, la plupart des grandes religions sont fondées sur la vie et les intuitions d'un être qui a entrepris cette sorte de recherche spirituelle, à l'encontre parfois des croyances religieuses de son époque. Moïse, Bouddha, Jésus et Mahomet furent les quatre maîtres les plus significatifs.

La tradition veut que Moïse, alors qu'il cheminait sur sa voie d'amour vers 1260 av. J.-C. environ, ait délivré les Hébreux de leur esclavage en Égypte pour les conduire dans le désert de la péninsule du Sinaï. C'est là que, forts de leur liberté nouvellement acquise, ils apprirent à s'autodéterminer.

Siddhârta Gautama, qui fut plus tard appelé Bouddha, choisit de quitter sa sécurité familiale et ses possessions matérielles pour rechercher quelque chose de plus. Ses voyages et ses méditations le conduisirent à l'illumination, un état qui découle du fait de voir le monde tel qu'il est et non tel qu'on le voudrait.

De nombreux récits de la vie de Jésus décrivent les efforts de celui-ci pour demeurer sur une voie d'amour. Dès l'âge de douze ans, Jésus se rendit au temple de Jérusalem pour s'entretenir avec les sages. Pendant son séjour dans le désert, il lutta avec la tentation et réaffirma sa mission d'enseigner l'amour.

À l'instar des autres grands chefs religieux qui le précédèrent, Mahomet voyait d'un œil critique les pratiques religieuses de son temps. Il chercha Allah (Dieu) dans la solitude d'une grotte de montagne jusqu'à ce qu'il ait une vision dans laquelle l'archange Gabriel le déclara prophète. Cette vision et les révélations subséquentes de Mahomet devinrent le fondement du Coran, le livre sacré de l'Islam.

Les chefs religieux comme ceux-là sont très rares, mais à l'instar de Moïse, chacun de nous doit traverser une mer Rouge pour passer de l'esclavage à la liberté. Chacun de nous, comme Bouddha, aspire à quelque chose de plus et a besoin de temps pour réfléchir à ce qu'est ce «quelque chose de plus». De même que Mahomet, nous espérons une vision claire qui nous donnera le puissant sentiment d'avoir une mission à remplir, un but à atteindre dans la vie. Et, comme Jésus, nous luttons pour comprendre la nature de l'amour afin de pouvoir le partager avec d'autres.

Beaucoup sentent la nécessité d'intégrer leurs croyances religieuses à leur vie et à leur travail afin de suivre une voie d'amour. C'est précisément l'objectif que visait Charles Schulz, l'auteur des bandes dessinées *Peanuts*, célèbres dans le monde entier. Schulz réussit à dépeindre la condition humaine dans des bandes dessinées qui mettent en vedette un chien et un groupe d'enfants de cinq ou six ans.

Snoopy, le beagle, rêve toujours de gloire comme beaucoup d'entre nous; Lucy représente un esprit provocant qui cherche agressivement à contrôler les autres et croit que lui seul a raison. Charlie Brown reflète la partie de nous qui est innocente face à la vie et qui, pourtant, souffre de solitude, se sent insuffisante et est parfois tournée en dérision. Or chacun de nous peut, de temps à autre, se mettre martel en tête ou souffrir d'insécurité comme Charlie Brown pendant sa quête de quelque chose de plus. Et à l'instar de Linus, qui s'accroche à sa doudoune et suce son pouce, il peut nous arriver de nous cramponner à un élément que nous croyons sécuritaire. Ce message apparaît clairement dans une bande où l'on voit Linus à genoux qui prie en disant: «La sécurité, c'est savoir qu'on n'est pas seul[4].»

Que l'on croie ou non en Dieu ou en une puissance supérieure, la sécurité peut découler du fait de savoir que l'on n'est pas seul dans sa quête spirituelle. Nous cherchons *tous* quelque chose de plus, une direction que nous nous sentons appelé ou poussé à suivre.

Entendre l'appel

Une voie d'amour est une voie que l'on se sent appelé à suivre. Ce sentiment d'être appelé peut émaner de la paisible voix intérieure de nos propres aspirations ou d'une voix forte et insistante qui nous défie à travers les actualités ou depuis une chaire; à travers les imprécations

Différentes voies

Certaines destinations sont inconnues

Certaines voies
sont agréables

Certaines voies
sont inexplorées

Des voies d'amour

Certaines voies
élargissent
nos horizons

Certaines voies ont une
signification
particulière

Certaines voies
mènent à la
recherche de Dieu

des opprimés ou les gémissements d'un enfant. Frank Borman, après s'être rendu sur la Lune à bord d'*Apollo 8*, fut ému par un appel provenant de la Terre:

> *Quand tu seras enfin sur la Lune et que tu regarderas la Terre tout en bas, toutes les différences et les traits de nationalité seront confondus et tu comprendras que ceci n'est peut-être vraiment qu'un seul univers et pourquoi diable ne pouvons-nous pas apprendre à vivre ensemble comme de braves gens*[5]?

Chercher des façons de «vivre ensemble comme de braves gens» est un appel que nous avons besoin d'entendre. Cet appel peut exiger l'éradication de la pauvreté des ghettos urbains, de la corruption des organismes gouvernementaux ou de la drogue dans nos écoles. Il peut exiger que nous fassions le ménage dans notre propre vie. Nous avons peut-être besoin d'en apprendre davantage sur nos conflits intérieurs et notre confusion, d'abandonner nos dépendances, de résoudre nos différends avec les êtres qui nous sont chers et d'établir de nouvelles façons d'entrer en relation. Ou cet appel peut demander que nous prenions soin de notre santé physique.

Nous pouvons être appelé à nous affranchir et à exploiter nos potentialités, à nous tourner vers l'excitation de l'apprentissage, le défi de la créativité ou la joie des relations authentiques. Nous pouvons être appelé à créer une œuvre de beauté, comme un jardin qui nourrit l'esprit ou une œuvre utile, comme une maison qui offre confort et sécurité. Nous pouvons être appelé à guérir les malades ou à partager notre joie avec les êtres que nous aimons.

Nous pouvons même entendre des appels plus désespérés et chercher des façons de réagir aux cataclysmes naturels, à la faim dans le monde, à l'exploitation politique ou économique, au terrorisme ou à la guerre. Peut-être nous porterons-nous au secours de certaines espèces en voie d'extinction en entendant le cri du faucon pèlerin, le barrissement de l'éléphant d'Afrique ou le chant de la baleine bleue. Ou nous pouvons être appelé à sauver la planète — ses océans, ses déserts et ses forêts tropicales — de la pollution et de la destruction.

Tous les astronautes sans exception sont revenus de l'espace décidés à protéger notre terre aux couleurs chatoyantes. Le cosmonaute Yuri Artyukhin exprima ainsi ce désir:

Peu importe la mer ou le lac sur lequel on observe une
nappe de pétrole, ou le pays où éclate un incendie de forêt,
ou le continent où se lève un ouragan. Nous veillons sur la
terre tout entière[6].

Veiller sur la terre tout entière est une démarche spirituelle qui
nous oblige à résoudre des problèmes en apparence insurmontables.
On ne peut le faire qu'en suivant une voie d'amour.

❦ *Reconnaître une voie d'amour*

Certaines personnes aiment faire cavalier seul. D'autres aiment savoir où elles vont. Voici des exercices facultatifs destinés à
vous aider à appliquer d'une manière plus personnelle les idées
présentées dans ce chapitre.

❦ *Commencez par méditer.* Pour cela, il faut s'asseoir calmement et se concentrer sur un sujet particulier. Lisez chacune des citations ci-dessous et réfléchissez à ce qu'elle signifie pour vous personnellement ou aux questions qu'elle soulève dans votre esprit.

N'évalue jamais la hauteur d'une montagne avant
d'avoir atteint le sommet. Tu verras alors qu'elle n'était
pas haute du tout.

DAG HAMMARSKJÖLD[7]

Poser des questions ne me suffit pas; je veux savoir com-
ment répondre à la question qui semble contenir tout
ce à quoi je fais face: pourquoi suis-je ici?

ABRAHAM HESCHEL[8]

Dieu dit à l'homme comme il a dit à Moïse: «Retire tes
chaussures de tes pieds» — Retire le vêtement qui enferme
ton pied et tu sauras que l'endroit où tu te tiens en ce mo-
ment est un endroit sacré.

MARTIN BUBER[9]

Le sentiment de paralysie provient non pas tant de la taille gigantesque du problème mais de la taille chétive de l'intention.

NORMAN COUSINS[10]

Dès l'instant où une personne dont les paroles signi-fient beaucoup pour les autres ose suivre une voie d'amour et de courage, beaucoup lui emboîtent le pas.

MARIAN ANDERSON[11]

❦ *Vouloir davantage.* Le désir d'avoir plus est universel, et pourtant il varie souvent d'une personne à l'autre. Que désirez-vous en plus grande quantité?

Votre désir témoigne-t-il de votre passion de vivre ou est-ce simplement un désir d'avoir plus de confort?

❦ *Une voie d'amour.* Songez aux moments où vous avez eu l'impression de suivre une voie d'amour dans le passé. Que faisiez-vous? Qu'est-ce qui conférait à cette expérience une telle importance à vos yeux?

Suivez-vous une voie d'amour actuellement? Si tel est le cas, touche-t-elle à vos relations avec les autres, à votre carrière, à une forme d'action sociale ou à votre développement physique, intellectuel, affectif ou spirituel?

Vous êtes-vous senti appelé à transformer votre vie dernièrement? Ou avez-vous le sentiment d'avoir un travail important à faire? Si c'est le cas, quel est ce travail et qu'attendez-vous pour le faire?

❦ *Entreprendre une quête spirituelle.* Êtes-vous engagé dans une sorte de recherche spirituelle en ce moment? Dans ce cas, votre recherche a-t-elle une orientation religieuse ou non religieuse? De quelle nature est-elle et que cherchez-vous? Vous sentez-vous passionnément engagé dans cette quête?

❦ *Des questions avec ou sans réponse.* Écrivez les questions que vous vous posez à propos de votre quête spirituelle. Marquez celles qui sont prioritaires à vos yeux. En poursuivant votre lecture, vous voudrez peut-être y revenir de temps à autre afin de voir si vous y trouvez des réponses.

CHAPITRE 2

Voyez l'esprit humain!

Les personnes importantes sont celles qui — aussi peu connues soient-elles — sont influencées par la continuation de l'esprit vivant et en sont responsables.
MARTIN BUBER[1]

Plus puissant que l'épée

Nous avons tous une chose en commun: le pouvoir de contrôler une grande partie de notre vie. C'est ce qu'entendait Napoléon lorsqu'il disait: «L'épée et l'esprit sont les forces les plus puissantes du monde, mais l'esprit est la plus puissante des deux[2].» Qu'est donc cet esprit pour être si puissant?

Le mot *esprit* s'emploie de multiples façons pour désigner un principe de vie. On dit souvent des personnes qui ont de la vivacité qu'elles sont spirituelles. En affaires et dans les sports, on applique ce terme à une attitude de groupe pour parler d'«esprit d'équipe». Dans les tribunaux, on oppose souvent la «lettre de la loi» à l'«esprit de la loi». Charles Lindbergh traversa l'Atlantique à bord du *Spirit of St. Louis* en 1927. Il était doté de l'esprit aventureux qui caractérise bien des pionniers.

Dans un autre ordre d'idées, l'esprit d'une époque est l'une des forces les plus déterminantes de la destinée d'un peuple. Ainsi, aux États-Unis, l'*esprit de 1776* symbolisa une période révolutionnaire pendant laquelle le désir de liberté politique fut très fort et l'esprit du peuple se mobilisa pour atteindre cette liberté. De même, l'esprit de la *perestroïka* provoqua en 1989 des changements radicaux dans ce qu'on appelait alors l'Union soviétique.

L'esprit d'un individu, de même que celui d'un peuple, est un pouvoir étonnant à voir.

Ce chapitre porte sur l'esprit humain: comment le reconnaître et quel est son lien avec notre personnalité et d'autres sources de pouvoir. Bien que nous perdions parfois le contact avec la partie spirituelle de notre être, son pouvoir provocant peut s'exprimer d'une manière merveilleuse et remarquable.

L'esprit humain

L'esprit humain est la force motrice vitale qui peut nous amener au-delà des limites normales de la vie vers un sentiment de plénitude et de sainteté. En tant que force vitale, il vit en chacun de nous; en tant que force motrice, il nous pousse à agir.

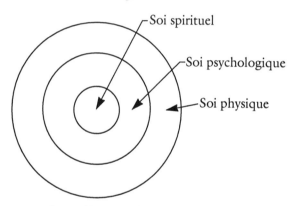

Les soi interactifs

L'esprit humain exprime les énergies provenant du soi spirituel, qui est le soi le plus profond, le noyau central de notre être. Il agit à travers notre corps et notre personnalité, et parfois malgré eux. De même que nous avons tous un soi physique et un soi psychologique, nous possédons tous aussi un soi spirituel. Ces trois soi ne sont pas distincts: ils sont interactifs et font partie de l'ensemble de notre être.

Que nous soyons conscient ou non de notre soi spirituel et ouvert ou non à son pouvoir, celui-ci réside au cœur de notre être. C'est une réalité permanente qui sous-tend toute l'existence humaine et fait partie de notre héritage inné.

Le soi spirituel est *universel* parce qu'il est commun à tous les humains. Pourtant, il est aussi *personnel* puisque chacun de nous l'exprime d'une façon unique. De même que nos corps sont tout à fait différents les uns des autres, depuis leur structure moléculaire jusqu'à leur aspect physique, chacun de nous exprime son soi spirituel à sa façon.

Certains croient que l'existence de l'esprit humain est purement hypothétique, tandis que d'autres pensent qu'il suffit d'y croire. D'autres encore sont convaincus que l'esprit humain, ou soi spirituel, est très réel en dépit de sa réalité non physique. Nous croyons, pour notre part, qu'il est possible d'expérimenter, de comprendre et d'exprimer l'esprit humain, que l'on appelle parfois «âme».

Comme la gravité, on ne peut voir ni toucher le soi spirituel, mais on peut le connaître. Nous savons que la gravité exerce son influence constamment et sur toutes les créatures — nous comptons sur elle pour garder notre univers en ordre et nos pieds sur le sol — et pourtant, la plupart d'entre nous sont incapables d'en décrire le fonctionnement ou la nature exacte. De même, le soi spirituel nous influence à chaque instant. Les façons dont nous exprimons notre esprit profond reflètent les pouvoirs du soi spirituel et font l'objet de ce livre.

Les psychologues et le soi spirituel

Bien des Occidentaux considèrent la partie spirituelle de notre être comme une notion archaïque et «non scientifique». La plupart des programmes de formation en psychologie et en médecine ne tiennent pas compte des concepts d'âme et d'esprit. En général, on s'attend à ce que les médecins s'occupent du corps, les psychologues, de la psyché, et le clergé, de l'âme ou de l'esprit.

Dans le passé, ces «spécialistes» se sont souvent cassé du sucre sur le dos. Les spécialistes de la psyché niaient l'importance du corps tandis que les experts du corps ou de la psyché rejetaient la notion d'esprit humain ou de spiritualité. Sigmund Freud, par exemple, affirmait que ce que l'on appelait «spiritualité» était en fait une sexualité réprimée[3].

Toutefois, les écrits de plusieurs pères de la psychologie moderne présentent des exceptions notables. Ainsi, Carl Jung a écrit: «Comme chaque être, j'ai été moi aussi scindé de la divinité infinie[4].» Alfred Adler croyait que l'âme était un organe psychique et la personne, une unité luttant pour atteindre la plénitude[5]. Selon Viktor Frankl, on atteint la plénitude quand on intègre les parties somatique, physique et spirituelle de son être. L'existence humaine, selon lui, est spirituelle[6]. Et selon Gordon Allport, «une personnalité mûre nourrit toujours une philosophie unificatrice de la vie, même si elle n'est pas nécessairement de type religieux, ni formulée en mots, ni tout à fait complète[7]».

Chacun de ces théoriciens croyait en une dimension spirituelle de la vie et pourtant, aucun n'a franchi le pas suivant qui consistait à élaborer une théorie sur l'esprit humain et la façon d'expérimenter et d'exprimer ses pouvoirs. Dans ce livre, nous franchissons ce pas. Nous formulons une nouvelle théorie reliée à la psychologie qui dépasse celle-ci pour atteindre une compréhension plus fondamentale du soi profond.

Tandis que la plupart des théories psychologiques sont axées sur les blocages, les impasses ou les lacunes des gens, la théorie du soi spirituel part du principe que les aspirations humaines fondamentales sont des forces motrices positives. Ces aspirations spirituelles sont toutes essentiellement saines. Elles varient en intensité selon le moment et dépendent des priorités de chacun; pourtant, quand elles sont libérées, la vie devient plus significative et plus vitale.

Cette théorie de l'esprit humain touche les aspects les plus profonds de la motivation humaine, y compris notre potentiel créateur, notre éthique personnelle et les autres buts qui donnent un sens à la vie. Autrefois, de nombreux psychologues ignoraient au juste comment affronter les préoccupations spirituelles ou religieuses des gens. Et les personnes ayant un passé religieux ou spirituel sont souvent incapables de comprendre le lien entre la psychologie et les tourments spirituels.

Notre théorie comble cette lacune et éclaircit certains mystères dans chaque domaine. À ceux qui s'intéressent à la psychologie, elle explique les dimensions spirituelles de la vie et à ceux dont l'orientation est religieuse ou spirituelle, elle permet de mieux comprendre les miracles de l'esprit humain en interaction avec les innombrables miracles de l'univers et de la vie.

La nature de la personnalité

L'analyse transactionnelle est une théorie de la psychologie qui peut nous aider à comprendre la nature de la personnalité. Elle a été élaborée par le psychiatre Eric Berne qui, à l'instar de la plupart des psychologues, s'est concentré sur le pouvoir de la personnalité en négligeant d'autres sources de pouvoir. Nous avons développé sa théorie.

En vertu de la théorie de base, la personnalité consiste en trois états du moi, que l'on appelle familièrement l'Enfant, l'Adulte et le Parent. Chaque état possède son système cohérent de sentiments, de pensées et de croyances qui correspond à un modèle cohérent de comportements[8]. Eric Berne emploie un diagramme comportant trois cercles superposés illustrant la structure de la personnalité. Le cercle du bas correspond à l'«Enfant» et représente l'enfant unique qui vit en chaque personne. Le cercle du milieu représente la partie de la personnalité capable de penser et d'analyser; c'est l'«Adulte». Le cercle du haut représente les attitudes et comportements du parent et d'autres figures d'autorité que chaque personne intègre à sa personnalité à un âge très précoce. On l'appelle le «Parent».

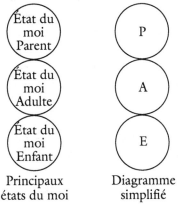

Principaux   Diagramme
états du moi   simplifié

Structure de la personnalité

Chacun possède en lui un Enfant qui reflète son héritage génétique et tous les élans naturels des bébés. Chaque enfant fait en naissant l'expérience spirituelle du mystère de la vie. Quand on regarde un bébé, on peut voir son petit corps et son visage traverser des moments de paix profonde. On peut voir son émerveillement quand il commence à regarder autour de lui, à distinguer la lumière et les ombres, le ciel et les oiseaux, et les sourires de ceux qui l'aiment. Ce regard émerveillé est un reflet du soi spirituel qui, en chacun de nous, se manifeste dans l'état du moi Enfant.

L'Enfant en nous veut naturellement ce qu'il veut quand il le veut, c'est-à-dire tout de suite en général. Dans les familles saines, les enfants apprennent à retarder la gratification de leurs désirs au profit de bénéfices à long terme. Ils apprennent à être polis et à penser aux autres, à collaborer et à partager, à apprendre et à travailler, à rivaliser et à réussir. Autrement dit, ils s'adaptent à leur environnement.

Nos efforts d'adaptation sont souvent très utiles car ils nous permettent de survivre et de vivre en société avec un certain degré d'acceptation. D'autres le sont moins quand, par exemple, les enfants se suradaptent à l'autorité parentale et disent toujours «oui» quand ils ont envie de dire «non». La suradaptation risque d'étouffer le pouvoir de l'esprit humain.

Une forme courante d'adaptation propre à la prime enfance touche les croyances religieuses de la famille ou de la culture. Très tôt, bien des enfants apprennent que la voie spirituelle passe par la participation à des rites religieux, par la recherche de Dieu à travers le culte ou la prière. D'autres, que l'univers est un et sacré, et qu'il est plus important de respecter la terre entière que d'exécuter des rites religieux. D'autres encore sont conditionnés à feindre d'ignorer ou à rejeter tout ce qui peut avoir une connotation spirituelle.

Dans l'état du moi Enfant, nous pensons, ressentons et agissons comme quand nous étions enfant. Nous débordions alors de vitalité et d'enthousiasme, étions triste et replié sur nous-même, furieux et révolté, complaisant et poli. Voici certaines expressions propres à l'Enfant: «j'aimerais», «je veux», et «je ne veux pas». La partie enfantine de notre personnalité nous permet d'être émotif, spontané et extraverti, de toucher, de sentir et de goûter les gens et les choses.

Cet Enfant intérieur est précieux quand on y recourt pour exprimer son affection et sa sexualité, sa curiosité et sa créativité, son ravissement et sa joie, et pour se protéger. Il est normal pour cet Enfant de prétendre qu'il est fort tout en recherchant amour et protection auprès d'une puissance supérieure, et d'offrir les prières confiantes de l'enfance.

C'est probablement l'Enfant en nous qui goûte les moments sublimes qui surviennent parfois pendant les exercices du culte ou d'autres rituels religieux ou les expériences extraordinaires qui apportent un sentiment océanique d'unité.

Toutefois, à l'âge adolescent ou adulte, il peut nous arriver de remettre en question et de rejeter nos croyances enfantines ou d'essayer de les voir sous un nouveau jour. Pour ce faire, nous faisons appel à l'état du moi Adulte, à la partie de notre personnalité qui est orientée vers la réalité ainsi que vers la cueillette et l'organisation objectives de l'information. L'Adulte suppute les probabilités. Il demande souvent qui, quoi, pourquoi, où, quand et combien, non comme un parent qui voudrait porter un jugement ni comme un enfant égocentrique, mais par souci de clarté et pour obtenir des données exactes qui lui serviront à prendre des décisions.

L'Adulte nous permet de prendre des décisions objectives et significatives, dans l'«ici et maintenant», qui ne sont pas fondées sur les croyances découlant des sentiments et adaptations de l'Enfant ni sur les traditions et préjugés du Parent.

Être adulte, ce n'est pas comme se trouver dans l'état du moi Adulte. Bien des adultes agissent comme des enfants ou comme des dictateurs; même les petits enfants possèdent un état du moi Adulte. Dans cet état, nous observons, calculons, analysons et prenons des décisions fondées sur des faits et non sur des caprices. L'Adulte est unique en chacun parce que chacun possède un bagage de connaissances et d'expériences différent.

L'Adulte ne prend pas toujours de bonnes décisions parce qu'il ne possède pas toujours suffisamment de données pour cela. Pourtant, dans l'état du moi Adulte, nous travaillons aussi objectivement que possible avec les faits que nous possédons.

L'Adulte s'intéresse particulièrement au comment et au pourquoi des choses; il nous permet d'étudier la portée plus profonde des enseignements sacrés. En outre, nous pouvons faire appel à lui pour tenter de comprendre nos intuitions religieuses spontanées ou nos expériences transcendantes. C'est aussi cette partie de notre personnalité qui élabore les principes moraux et reconnaît la dignité de tous les humains. L'Adulte moral cherchera des moyens de résoudre les problèmes de l'humanité et de percer les mystères de la dimension spirituelle de la vie.

L'état du moi Parent reflète les attitudes et les comportements empruntés aux autorités externes, en particulier aux parents. Cependant, toute figure parentale significative peut être intégrée à l'état du moi Parent pendant l'enfance, y compris les grands-parents, les frères et sœurs aînés ou d'autres membres de la famille, et même des gouvernantes, des voisins et des professeurs.

Pour l'Enfant intérieur, l'état du moi Parent prend la forme de messages enregistrés qui rejouent sans cesse. Ces messages renferment les impératifs et les interdictions, les exhortations et les attentes, les conseils et les règles concernant les sentiments, les pensées et les comportements que nos figures parentales nous ont présentés comme modèles. Les traditions familiales, culturelles et religieuses se transmettent aussi d'une génération à l'autre à travers l'état du moi Parent. Bien des parents enseignent à leurs enfants des traditions religieuses vieilles de plusieurs siècles.

Naturellement, les messages du Parent sont parfois contradictoires. Ainsi, alors qu'elle se prépare à assister à une importante réunion, une personne peut entendre en même temps deux messages: «Dis ce que tu penses» et «Ne réplique pas». Ou si l'un des parents est catholique et l'autre juif, par exemple, les enfants risquent de recevoir des messages divergents concernant la religion. Un grand nombre de nos conflits internes reflètent les pensées et comportements opposés de nos figures parentales.

Les parents peuvent encourager l'expression de nos aspirations profondes ou les critiquer. Ainsi, notre Parent intérieur peut dire: «Suis ton cœur et agis conformément à ce que tu crois» ou «Ne sois pas bête et cesse de perdre ton temps». Ce que nous nous disons exerce une influence profonde sur nos sentiments intérieurs et nos comportements extérieurs.

Extérieurement, nous exprimons notre Parent à travers des comportements critiques et dominateurs ou des gestes affectueux et encourageants, semblables à ceux que nous percevions chez nos figures parentales étant jeune. Dans l'état du moi Parent, nous sommes porté à exprimer des opinions semblables à celles de nos parents, telles que: «Les enfants ne répliquent pas à leurs parents.» Ou nous pouvons apporter aux autres les encouragements que nous prodiguaient nos parents: «Ne t'en fais pas, tout ira très bien.» Nous pouvons aussi porter un regard critique sur les personnes qui affichent des valeurs et des traditions culturelles différentes en disant: «On ne peut pas se fier à ces gens-là.»

Pour le meilleur ou pour le pire, les fortes personnalités de Parent sont légion au sein des organisations qui attachent une grande importance aux doctrines et aux dogmes. Les personnes à l'esprit fermé agissent surtout à partir de l'état du moi Parent et traitent souvent les autres comme des enfants. Elles peuvent s'ériger en autorités qui croient posséder toutes les solutions aux problèmes d'autrui ou afficher avec arrogance des opinions arrêtées et se désintéresser des sentiments, pensées et croyances des autres.

Les personnes qui manifestent les qualités positives du Parent se remarquent surtout dans les organisations comme les hôpitaux. Elles se soucient des autres et offrent conseils et soutien en faisant parfois appel aux aptitudes apprises de leurs parents. Elles sont profondément engagées à concrétiser leur foi et à aider les autres à trouver des façons de tirer le meilleur parti possible de leur démarche spirituelle. Les gestionnaires, les professeurs, les conseillers et les personnes qui sont prêtes à défendre d'une manière constructive ce en quoi elles croient affichent souvent des attributs positifs provenant de leurs figures parentales.

À un moment donné, une partie de la personnalité peut être plus active que les autres. Quand l'état du moi Parent est activé, une personne peut éprouver un vif désir d'aider les autres. Dans l'état du moi Adulte, elle a des chances de ressentir un puissant besoin de comprendre et d'exercer son libre arbitre. Par contre, si l'état du moi Enfant entre en jeu, elle aura davantage envie de s'amuser, d'être libre et de transcender la routine quotidienne.

Les personnalités bien équilibrées possèdent trois qualités essentielles qui les rendent efficaces. Elles sont affectueuses et justes (qualités du Parent), elles aiment le plaisir et l'humour (qualités de l'Enfant) et elles cherchent à comprendre et à se perfectionner (qualités de l'Adulte). Elles sont attirantes et sensibles, responsables et capables de jouir de la vie. Chez les personnes saines, les trois états du moi se fondent en une formule harmonieuse et unique qui les empêche d'être excessivement émotives, critiques ou arrogantes, et exclusivement sérieuses et logiques.

Le soi profond

Tous les états du moi sont susceptibles de se transformer quand le soi spirituel s'exprime à travers eux. Quand l'analyse transactionnelle vit le jour, les trois cercles représentant la personnalité s'inscrivaient dans un ovale évoquant le corps. En 1973, un élément important fut ajouté à cette théorie sous la forme d'une colonne centrale symbolisant l'esprit humain du soi profond[9].

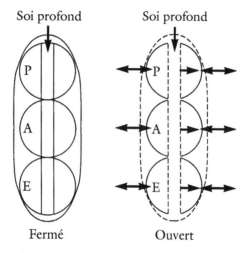

Les états du moi et le soi profond

Le soi profond abrite le soi spirituel et s'exprime d'une manière positive et prometteuse. Idéalement, nos trois états du moi de même que notre corps physique devraient être ouverts au soi spirituel, cette force positive qui anime l'esprit humain. Quand notre Parent est ouvert au soi profond, nous exprimons les qualités positives d'amour et d'affection qui caractérisent les meilleurs parents. Quand notre Adulte réagit aux pouvoirs du soi profond, nous prenons des décisions réalistes qui tiennent compte des sentiments et du bien-être des autres et visent à protéger l'environnement plutôt qu'à l'exploiter. Et quand notre Enfant est sensible aux énergies du soi profond, nous nous exprimons à travers les charmantes qualités enfantines que sont la tendresse, la vivacité et la curiosité. La gaieté et l'amour égaient et renforcent nos relations.

Quand nous sommes en contact avec le soi spirituel, le pouvoir qui émane du soi profond peut transformer notre personnalité. La personne qui aspire à mourir peut soudainement trouver la force de lutter pour vivre, celle qui se sent prisonnière et insuffisante peut trouver le pouvoir de fuir les circonstances et son image de soi négatives.

Notre pouvoir intérieur peut aussi transformer notre corps physique. Le renoncement au tabac, à l'alcool et à la drogue exige souvent un éveil spirituel. Quand le pouvoir du soi profond est bloqué, on se sent impuissant et peu maître de sa vie. Quand il est ouvert, on peut goûter la dimension spirituelle de tout ce qui fait partie de l'existence.

Sources cosmiques et sacrées de pouvoir

La dimension spirituelle de la vie est aussi associée à deux autres sources de pouvoir: l'esprit cosmique et l'esprit sacré. *L'esprit cosmique est la force créatrice qui se manifeste dans l'ordre de l'univers et l'unité sous-jacente des choses.* Les physiciens, les astronomes, les biologistes et d'autres savants font souvent allusion à cet ordre cosmique. Albert Einstein, par exemple, était impressionné par les lois de la nature qui, disait-il, «ne suivent aucun dogme et aucun Dieu conçu à l'image de l'homme», mais reflètent plutôt «le sentiment religieux cosmique» et «une intelligence telle que, par comparaison, toutes les pensées et actions systématiques des humains n'en sont qu'un pâle reflet[10].»

Jusqu'à tout récemment, on croyait que les lois cosmiques de la nature étaient éternelles et immuables. Cette vision déterministe et newtonienne ne laissait aucune place aux changements résultant de la volonté et de l'intention humaines. En 1920, toutefois, le concept de nouvelle physique ou de mécanique quantique modifia peu à peu la façon dont les physiciens et les autres scientifiques voyaient le cosmos qui, du coup, perdait son caractère prévisible. En effet, les scientifiques avaient découvert que les processus subatomiques obéissaient au hasard et pouvaient être influencés par l'intervention humaine[11]. La façon dont nous endommageons la couche d'ozone qui protège la terre ou abattons les forêts qui renouvellent l'air que nous respirons prouve que l'intervention humaine peut modifier notre planète et influencer par le fait même l'esprit cosmique.

La plupart d'entre nous expérimentent l'esprit cosmique d'une manière subjective à travers leur propre expérience de la nature et de la vie plutôt que d'une manière scientifique et objective. L'ordre et l'unité de l'univers peuvent nous laisser pantois. La lumière transparente qui fait miroiter un lac, la lueur du coucher de soleil à travers les arbres, le croissant de lune qui fait rêver ne sont que quelques-unes des merveilles de l'esprit cosmique. Voici ce que pense le théologien Paul Tillich:

> *Dans les étoiles et les pierres, les arbres et les animaux, la croissance et la catastrophe; dans les outils et les maisons, la sculpture et la musique, les poèmes et la prose, les lois et les coutumes; dans les parties du corps et les fonctions du cerveau, les relations familiales et les groupes de bénévoles, les chefs historiques et l'identité nationale, les idéaux et les vertus, nous pouvons rencontrer le sacré*[12].

De nombreux naturalistes et amoureux de la nature ont parlé de cet ordre et de ce sentiment d'unité. John Muir, l'un des pionniers de la consécration de la Yosemite Valley en tant que parc national, exprime cela de manière très succincte: «Essayez de distinguer n'importe quel élément comme tel et vous verrez qu'il est attaché au reste de l'univers[13].»

De nombreuses cultures croient fondamentalement en cette unité de tout ce qui vit. Ainsi, pour les Indiens navahos, «le divin est présent partout. Chaque force naturelle, chaque trait géographique, chaque plante, animal ou phénomène météorologique possède un pouvoir surnaturel unique[14]». Les Navahos traditionnels s'efforcent de vivre en harmonie avec tous les éléments de la nature. Ils exploitent la Terre Mère avec modération, cherchant à la perturber le moins possible. Ils respectent les animaux et les plantes, ne tuant les uns et n'arrachant les autres qu'en fonction de leurs besoins; quand ils sont obligés de couper ou de tuer, ils remercient l'esprit de la plante ou de l'animal qui nourrit leur peuple.

La culture des Navahos illustre une façon de vénérer l'univers et d'attribuer une signification spirituelle aux forces tant cosmiques que naturelles. Depuis la nuit des temps, la plupart des cultures, lettrées ou non, ont cherché à comprendre et à expliquer la présence spirituelle qui sous-tend l'existence. On a prêté un esprit aux objets tant animés qu'inanimés et recherché un contact avec ces esprits à travers les maisons des esprits, les totems, les poupées kachina, les peintures sur sable, les boucliers, les masques, les effigies, les fétiches, les rituels et les prières.

Pour certaines personnes, la nature elle-même est sacrée. Pour d'autres, il existe une force plus grande que la nature qu'elles associent à une puissance divine. Elles évoquent cette puissance en parlant d'esprits, de dieux ou d'un Dieu qu'elles vénèrent. Ainsi, la plus ancienne religion du Japon, le shintoïsme, est fondée sur la croyance aux *kami*, mot japonais qui signifie *dieux* ou *esprits*. Un mythe shintoïste raconte que l'ère des *kami* commença quand le cosmos émergea du chaos et qu'il existe aujourd'hui jusqu'à huit millions huit cent *kami*[15].

L'hindouisme est une tradition encore plus ancienne qui est, elle aussi, ancrée dans la croyance en de nombreux esprits et divinités masculines et féminines. Les plus importants sont Shiva et Vishnu. Vishnu est le dieu bienveillant qui s'incarne sous diverses formes afin de rectifier l'ordre de l'univers tandis que Shiva est le créateur et le destructeur de l'univers. La déesse Devi ou Shakti est une autre divinité importante que l'on invoque pour mobiliser ses propres énergies créatives. On dit parfois que les anciens peuples de l'Inde étaient «ivres de Dieu» parce qu'ils voyaient la vie dans une perspective spirituelle plutôt que dans une optique historique ou économique. Pour eux, Brahman, le Soi dans toutes ses formes de vie, représentait l'ultime réalité.

À l'instar des Hindous, les anciens Grecs et Romains croyaient en l'existence de plusieurs dieux: dieux puissants vivant sur le mont Olympe, grandes déités des sports et des cultes d'État et petites déités domestiques. Ils prêtaient des traits à la fois humains et surhumains à ces dieux et déesses qu'ils croyaient capables d'influencer le temps, d'embrouiller amis et ennemis par la ruse, de s'apaiser par l'offrande de sacrifices et de prendre à volonté des traits humains ou animaux.

Dès le Ier siècle avant Jésus-Christ, les empereurs romains se considéraient comme des dieux et des déesses, et étaient déifiés avant ou après leur mort. Jules César fut le premier Romain à bénéficier de cet honneur douteux, suivi d'Auguste César, de sa femme et de sa famille.

Le concept d'un Dieu unique fit une brève apparition sous l'égide du pharaon égyptien Akhnaton, qui s'identifiait à Rê, le dieu Soleil. Beaucoup ont avancé l'hypothèse que cette forme pré-coce de monothéisme influença Moïse, qui aurait été élevé à la cour du pharaon vers 1260 av. J.-C. En vertu de l'Ancien Testament, Moïse aurait apporté aux anciens Juifs la croyance en Yahvé, seul Dieu des Hébreux. La croyance en Dieu en tant que déité nationale se transforma graduellement en foi en un Dieu unique, créateur et chef de tous les humains. Ce monothéisme est central dans les traditions judaïque, chrétienne et islamique.

En outre, le concept d'un Dieu source de pouvoir s'inscrit dans la même tradition. Dans l'Ancien Testament, par exemple, le prophète Michée crie d'un ton provocant: «Moi, au contraire, je suis plein de force et du souffle de Yahvé[16].» Dans le Nouveau Testament, l'apôtre Paul écrit aux Corinthiens: «N'oubliez pas que vous êtes le temple de Dieu et que l'Esprit de Dieu habite en vous[17].» Traditionnellement, on croyait que cet esprit inspirait les personnages charismatiques comme les saints, les prophètes, les maîtres et les guérisseurs.

En vertu de l'Ancien Testament, l'esprit fut envoyé par Dieu lors de l'acte de création pour préserver la vie humaine. La sagesse, le discernement et les prophéties étaient les trois expressions les plus courantes de l'esprit de Dieu. La fonction de chef du peuple de Dieu passait aussi pour une manifestation de cet esprit.

Selon le Nouveau Testament, c'est par l'esprit de Dieu que Jésus aurait été baptisé, guidé et habilité à faire son travail. Ce même esprit se manifestait dans l'Église naissante sous forme de glossolalie, ou capacité de «parler en langues». Des rituels comme l'imposition des mains sont encore vus aujourd'hui comme des signes sacramentels de la présence du Saint-Esprit et comme un transfert de pouvoirs de guérison ou d'autorité spirituelle. Beaucoup font aussi l'expérience du Saint-Esprit dans des moments d'adoration, de prière, d'inspiration et d'intuition spontanée.

La plupart du temps, l'expression «Saint-Esprit» se rapporte à «l'esprit de Dieu» qui peut être présent et actif dans la vie spirituelle des gens. Le théologien Paul Tillich le voyait comme une présence spirituelle qui flotte autour de nous comme l'air que nous respirons, qui est toujours là bien que nous n'en soyons pas toujours conscient[18].

Cet esprit porte plusieurs noms. Certains l'appellent Dieu, d'autres Tao, Christ, Brahman, Wakan-Tanka, Âtman, Bouddha,

Jéhovah, le Grand Esprit ou l'Esprit du monde. D'autres encore emploient des expressions telles que Puissance supérieure, Réalité ultime, Énergie vitale, Conscience cosmique, Créateur, Divinité, Soi suprême ou Raison d'être. Devant la richesse des noms qui servent à évoquer l'esprit, le psychiatre Carl Jung conclut, vers la fin de sa vie, que les noms que nous employons ont peu de signification car «ils ne sont que les feuilles et les fleurs changeantes du tronc de l'arbre éternel[19]».

Quels que soient les mots que nous employions, la croyance aux esprits cosmique et sacré en tant que sources de pouvoir est presque universelle; ceux-ci insufflent force et espoir dans nos vies. L'astronaute James Irwin s'émerveillait ainsi à son retour de l'espace:

> *La terre nous faisait penser à un ornement d'arbre de Noël suspendu dans la noirceur de l'espace [...] cet objet si beau, si chaleureux et si vivant avait l'air si fragile, si délicat qu'on avait l'impression qu'il suffisait de le toucher du doigt pour qu'il se casse en mille morceaux. Cette vision ne peut faire autrement que changer un homme et lui faire apprécier la création de Dieu et l'amour de Dieu[20].*

Être coupé de l'esprit

Un nombre croissant de gens se rendent compte qu'ils ont négligé, nié ou se sont coupés de la partie spirituelle d'eux-mêmes et d'autres sources de pouvoir dont ils auraient pu disposer. Ils ont perdu leur curiosité et leur capacité d'émerveillement devant la dimension spirituelle de la vie. C'est un peu comme s'ils se tenaient au bord d'un cours d'eau limpide, assoiffés mais ignorant comment et où apaiser leur soif. Cinq causes sont à l'origine de ce phénomène courant.

Réagir à l'esprit

Sentir
l'esprit cosmique

Évoquer le
Saint-Esprit

Communiquer
avec l'esprit humain

Percevoir l'esprit humain

Le pouvoir
provocant de
l'esprit humain

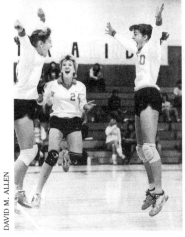

Libération de l'esprit
d'équipe

De l'esprit
à tout âge

Premièrement, certaines personnes sont coupées de cette dimension parce qu'elles *ne connaissent pas son pouvoir*. Elles laissent passer de nombreux moments sublimes sans savoir ce qu'elles ratent. Ces personnes mènent souvent des vies routinières, travaillant et regardant la télévision, indifférentes au monde extérieur. Elles sont cloîtrées, vivent dans des limites étroites et sont souvent si enchaînées à leurs responsabilités qu'elles ne désirent rien de plus. Ou encore elles jouent un rôle actif dans le monde mais ne profitent pas de la vie. Craignant le risque, elles traversent la vie comme des zombis en suivant la voie de la facilité.

Deuxièmement, une personne peut être coupée du soi spirituel parce qu'elle *s'est déjà lancée dans une quête spirituelle qu'elle a abandonnée*. Elle a goûté à la passion de vivre mais, pour une raison ou une autre, elle a été déçue ou s'est dissociée de cette passion. Cette dissociation est courante quand survient un événement imprévu qui nous montre que nous ne pouvons pas maîtriser les gens ni les circonstances. Elle se produit aussi quand des personnes, des croyances ou des traditions autrefois significatives pour nous perdent leur importance ou leur vérité.

Troisièmement, une personne peut être coupée de l'esprit parce que, tout en croyant en l'existence du soi spirituel, elle *doute de jamais pouvoir accéder personnellement à la force spirituelle*. Parce qu'elle se sent coupable, à tort ou à raison, elle peut croire qu'elle a été abandonnée ou rejetée pour des fautes irrémissibles. Ou que la force spirituelle est imprévisible et qu'on ne peut pas compter sur elle.

Quatrièmement, une personne peut être séparée de son être spirituel parce qu'elle a *suivi un mauvais chemin*. Elle a emprunté une voie sans amour qui a émoussé ses sens. La consommation abusive de nourriture, d'alcool ou de drogue, l'abandon de ses amis, les pratiques malhonnêtes et le refus d'assumer ses responsabilités au sein de la communauté sont des symptômes d'un esprit émoussé et engourdi. Les habitudes et les modes de vie négatifs inhibent notre pouvoir intérieur.

Cinquièmement, une personne peut ne pas sentir le soi spirituel parce qu'elle vit dans des *conditions déshumanisantes* ou en est entourée. Être sans domicile fixe ou vivre dans une maison insalubre, être en chômage ou exercer un emploi dégradant ou amoral, être prisonnier d'une relation excessivement épuisante ou qui bloque sa croissance personnelle, toutes ces causes peuvent nous distraire ou nous empêcher d'apprécier les merveilles et le potentiel de l'esprit humain.

Pourtant, tant que nous sommes en vie, l'esprit est là. «Si vous n'entendez pas la radio chez quelqu'un, soutenait Eric Berne, cela ne veut pas dire qu'il n'en a pas; il en a peut-être une excellente, mais il faut l'allumer et la laisser se réchauffer avant de pouvoir l'entendre clairement[21].» Même quand le volume de l'esprit est bas et que l'on n'y prête pas attention, on peut encore entendre une petite voix intérieure qui pose des questions sur la vie et sur la nature humaine. Pour hausser le volume, il faut faire appel au pouvoir provocant qui réside en soi.

Le pouvoir provocant de l'esprit humain

Quand les gens sont contraints, intimidés ou maltraités — que ce soit à la maison, au travail ou dans la rue — ils manifestent souvent un esprit rebelle en luttant pour leur liberté. Ils font de même quand ils se battent contre les structures autoritaires qui répriment la liberté d'expression ou d'autres droits humains fondamentaux. Le cri «Je serai libre!» émane des profondeurs de l'esprit humain.

Viktor Frankl, un psychiatre viennois qui survécut à l'horreur des camps de concentration nazis de la Deuxième Guerre mondiale, remarqua, en observant ses camarades de détention, que certains ne cessaient de lutter pour survivre tandis que d'autres baissaient les bras. Les premiers possédaient un esprit provocant auquel ils s'accrochaient même devant la probabilité de la mort[22]. Frankl inventa l'expression «pouvoir provocant de l'esprit humain» pour décrire la détermination et la ténacité que nous pouvons invoquer pour affronter les difficultés de la vie. Les gens se battent pour respirer quand ils suffoquent, pour trouver de la nourriture quand ils sont affamés, pour recouvrer la santé quand ils sont malades, pour trouver l'amour quand ils sont seuls. Ils prennent position avec défi. C'est ce pouvoir agressif de l'esprit humain qui peut nous permettre de nous accrocher à une valeur ou à une relation à laquelle nous croyons et à prendre position devant l'adversité.

Ce pouvoir provocant ne fait pas que s'opposer à quelqu'un ou à quelque chose. Il ne se contente pas de résister, d'attaquer ou d'affronter les autres avec opiniâtreté. Le pouvoir provocant de l'esprit humain se manifeste quand on prend position *en faveur* d'une chose. Quand ils luttent pour une cause — que ce soit dans le secteur public ou dans des cercles privés, dans des grandes villes ou de petites communautés, au sein de sociétés privées ou d'organismes gouvernementaux —, les gens mobilisent ce pouvoir provocant pour contracter des alliances stratégiques, créer des blocs de pouvoir et rallier le soutien public.

La soif de vivre, et de vivre dans la liberté, est si universelle qu'elle imprègne toute notre existence. L'esprit humain est vraiment plus fort que l'épée et il peut égayer et améliorer notre vie.

La fusion des esprits

Nous vivons parfois des moments sublimes au cours desquels il se produit une fusion des esprits cosmique, sacré et humain. Tout semble unifié. Ce sont là des expériences mystiques au cours desquelles, pendant un instant, nous nous oublions et ne faisons qu'un avec tout ce qui existe. Il n'y a plus de frontières, plus de distinctions de temps et d'espace.

Ces moments sublimes où tout semble ne faire qu'un peuvent survenir n'importe quand et n'importe où: quand on est sidéré par la magnificence des vagues de l'océan, les ondulations créées par le vent dans un champ de blé, la première neige de l'hiver ou les premières fleurs printanières; que l'on plonge son regard dans le Grand Canyon ou que l'on observe un vol d'oiseaux depuis un banc de parc. Dans ces moments-là, nous avons parfois l'impression de nous fondre dans une forme d'esprit qui nous dépasse, un esprit cosmique.

La majesté de certaines œuvres humaines peut nous faire vivre de semblables moments. Quand nous écoutons les *Quatre saisons* de Vivaldi, c'est la musique de l'univers que nous entendons soudain. En regardant le soleil se coucher derrière le Golden Gate, nous sommes frappé par la beauté de ses lignes. En humant l'odeur du pain chaud, nous apprécions soudain les petites choses qui font que la vie vaut la peine d'être vécue. Dans des moments comme ceux-là, la musique d'un compositeur, le dessin d'un architecte ou l'odeur d'un four à pain peuvent nous transporter sur un autre plan existentiel et nous pouvons rendre grâce à Dieu pour ce moment.

Nous pouvons aussi éprouver un sentiment d'unité quand nous assistons à la naissance d'un enfant ou sommes touché par la grâce de l'amour. Quand notre animal familier nous accueille, que nos plantes réagissent à nos soins, que le soleil brille et que les oiseaux chantent, nous pressentons également les merveilles du cosmos et son caractère sacré.

Ces moments transcendants peuvent survenir quand nous ouvrons nos cœurs à la prière ou à la méditation. Ou ils peuvent se produire inopinément. Quand nous lisons un texte inspirant, comme le Psaume 8 de la Bible, notre esprit peut être profondément touché. C'est manifestement ce qui est arrivé au psalmiste qui, stupéfait devant la beauté d'une nuit étoilée, vit le lien entre les esprits cosmique, sacré et humain et écrivit:

Quand je vois tes cieux, œuvre de tes doigts,
la lune et les étoiles que tu as fixées,
qu'est donc l'homme pour que tu penses à lui,
l'être humain pour que tu t'en soucies?
Tu en as presque fait un dieu:
tu le couronnes de gloire et d'éclat.

Ces moments pendant lesquels nous nous fusionnons avec une puissance supérieure ne s'oublient pas facilement. Ils nous rappellent ce en quoi nous croyons et comment nous voulons vivre. Ils nous invitent à rechercher d'autres moments semblables où nous pourrons ressentir l'unité de toutes choses et le miracle de l'esprit humain.

❦ Reconnaître son esprit profond

Voici des exercices facultatifs qui vous aideront à entrer en contact avec les dimensions spirituelles de votre vie.

❦ *Commencez par méditer.* Prenez quelques minutes pour réfléchir à ce que chacune des citations ci-après pourrait signifier pour vous.

S'interroger sur le sens de la vie est l'expression la plus authentique de l'état humain.

VIKTOR FRANKL[23]

On peut parler silencieusement aux arbres et aux nuages et aux vagues de la mer. Silencieusement, ils nous répondent à travers le bruissement des feuilles et la course des nuages et le murmure de la mer.

PAUL TILLICH[24]

La mer n'a pas de récompense pour les avides ou les impatients. [...] Il faut reposer vide, ouvert, aussi neutre que la plage, et attendre que la mer vous offre ses présents.

ANNE LINDBERGH[25]

J'ai dit à l'amandier: «Ami, parle-moi de Dieu» et l'amandier a fleuri.

NIKOS KAZANTZAKIS[26]

Ne t'arrive-t-il jamais, toi qui es là-haut dans le ciel,
Ne t'arrive-t-il jamais de te lasser
de voir les nuages entre toi et nous?

ANCIEN INDIEN NOOTKA[27]

Donne à tes compagnons de route tout ce que tu peux de ta vie intérieure, et reçois comme un don précieux tout ce qu'ils te rendront d'eux-mêmes.

ALBERT SCHWEITZER[28]

❧ *Croyances personnelles.* Bien des gens se débattent avec différents concepts de Dieu tandis que d'autres nourrissent des croyances claires. Et vous? Comment compléteriez-vous les phrases ci-dessous?

Dieu est:

Dieu n'est pas:
Quelles sont vos croyances sur l'esprit cosmique?
L'esprit cosmique, c'est:

L'esprit cosmique, ce n'est pas:
Qu'est-ce que l'esprit humain pour vous?
L'esprit humain, c'est:

L'esprit humain, ce n'est pas:

❦ *Votre esprit humain.* Concentrez-vous maintenant sur votre esprit humain. L'approuvez-vous? Êtes-vous curieux, critique, indifférent face à lui? Ou quoi d'autre? Pourquoi?

❦ *Le cosmique et le sacré.* Nos expériences de l'esprit cosmique, de l'esprit sacré et de l'esprit humain parfois se confondent, parfois se distinguent les unes des autres. Rappelez-vous les moments où vous avez éprouvé un sentiment d'émerveillement devant l'esprit cosmique ou sacré. Quels souvenirs vous ont fait vivre ces moments sublimes?

❦ *La provocation dans votre vie.* Défier, c'est soit s'élever avec ténacité *contre* une personne ou une chose, soit prendre position *en faveur* d'une personne ou d'une chose. La provocation peut être sage ou idiote. Pensez à une situation où vous avez utilisé votre pouvoir de provocation et répondez aux questions ci-dessous:

Situation dans laquelle j'ai utilisé mon pouvoir de provocation:
Comment ai-je exprimé ce pouvoir?
Que s'est-il passé?

❦ *Un vœu par étoile.* Dans bien des cultures, il est coutume de faire un vœu quand on aperçoit une étoile filante. Pour cet exercice, visualisez une étoile filante, puis faites un vœu. Recommencez deux fois en exprimant deux autres vœux.

Quand vous aurez terminé, trouvez les liens entre vos vœux et votre esprit. Puis tentez de discerner quel état du moi chaque vœu mettait le plus en évidence.

CHAPITRE 3

Les passions de l'âme

En te fiant au goût de l'eau claire,
Remonte le ruisseau jusqu'à sa source.

THOMAS MERTON[1]

Un défi constant

De même que les plantes ont vivement besoin de lumière et d'eau, nous éprouvons toujours intérieurement un irrésistible désir de grandir. Qu'elles poussent dans de luxuriantes prairies, dans d'arides déserts ou sur des sommets sauvages et venteux, les plantes cherchent toujours à grandir.

En un sens, nous sommes comme des plantes puisque nous aussi aspirons à grandir, sans égard à ce que nous sommes ni à l'endroit où nous vivons. Si nous vivons dans le luxe, nous pouvons être séduit par le confort ou y renoncer en partie afin d'être à la hauteur du défi de grandir. Si nous vivons dans un milieu émotif aride comme un désert, nous pouvons soit nous flétrir soit rechercher une nourriture affective à un niveau plus profond. Si nous nous trouvons dans une situation violente et que la tempête gronde autour de notre tête, nous pouvons être déraciné ou choisir de plonger de nouvelles racines dans un lieu plus hospitalier.

Les appartements urbains bondés, aux murs minces comme du papier, où l'intimité est inexistante ou préservée grâce à des saluts polis et distants nous poussent à grandir. Les élégantes demeures entourées de coquets jardins, les bâtiments éparpillés d'une ferme, les maisons presque identiques des banlieues ou les humbles édifices situés à la périphérie des villes nous forcent à grandir.

Le défi de grandir comporte trois aspects: entrer en contact avec les aspirations qui émanent du soi profond, se fixer des buts compatibles avec la croissance de l'esprit humain et acquérir les qualités personnelles nécessaires pour atteindre ces buts. Pour relever ce défi, nous devons prendre conscience de la façon dont nous bloquons, épuisons ou restreignons nos aspirations, et apprendre comment libérer ces énergies afin de les concentrer sur notre quête spirituelle.

Les aspirations de l'esprit humain

À tout moment, de légers mouvements intérieurs ressemblant à de petites voix peuvent nous pousser du coude et nous dire: «Utilise-moi» ou «Libère-moi». Ces voix peuvent enfler au point de devenir irrésistibles. Quand cela se produit, nous éprouvons un urgent besoin d'agir.

Les aspirations universelles qui émanent des profondeurs du soi spirituel sont responsables de ces incitations irrépressibles. Elles révèlent les fonctions de l'esprit humain et cherchent à être libérées et appliquées à des buts significatifs. Bien qu'on ne puisse pas les mesurer avec précision, on peut les connaître, en faire l'expérience et les observer.

Leur capacité d'engendrer pouvoir et passion font de nos aspirations des sources d'énergie. Tels des charbons ardents, elles peuvent jeter une vive lumière et nous pousser à l'action ou s'éteindre doucement si notre moral est bas. Pourtant leur potentiel énergétique demeure constant et peut être réactivé[2].

Quand nous sommes en contact avec ces aspirations, elles nous poussent à exploiter notre potentiel et à faire face aux difficultés. Si, par contre, nous en sommes coupé, nous devenons passif et la vie nous paraît terre à terre et ennuyeuse. Ces aspirations sont si puissantes que même bloquées ou réprimées, et malgré notre passivité, elles cherchent toujours à s'exprimer.

Bien qu'elles puissent être déformées et employées à mauvais escient, les aspirations universelles de l'esprit humain sont essentiellement positives et elles embellissent la vie. Elles nous poussent à amorcer une recherche spirituelle sur le sens de celle-ci. Elles nous encouragent constamment à grandir, à être plus authentique, à prendre conscience de ce qui compte et à nous engager toujours plus avant dans une vie riche de signification.

Nous sommes né avec sept aspirations essentielles: vivre, être libre, comprendre, s'amuser, créer, nouer des liens et se transcender.

Le *désir de vivre* est l'aspiration la plus fondamentale de toute personne saine. C'est le désir non seulement de survivre mais d'être aussi bien portant que possible: avoir un cœur qui bat et un cerveau qui fonctionne, être capable de réaliser des projets et de maîtriser son environnement personnel.

Quand on est malade ou que la vie n'a plus de sens, on risque de tomber dans la léthargie ou le désespoir. Mais si on trouve de nouvelles raisons de vivre, l'espoir peut renaître et avec lui, le désir de vivre, qui procure l'énergie nécessaire pour mener une vie pleine, énergique et passionnée.

À dix-huit ans, Jill Kinmont était une belle et modeste skieuse, membre de l'équipe olympique des États-Unis. Juste avant les essais olympiques, elle tomba dans une course de slalom, se rompit le cou et demeura paralysée depuis les épaules jusqu'aux pieds. Des équipements spécialisés pour manger et une psychothérapie intensive aidèrent Jill à recouvrer l'usage minimal d'une main. Elle dut renoncer non seulement à skier, mais à prendre soin d'elle-même, et s'habituer à dépendre des autres. Ces épreuves incroyables, loin de détruire son désir de vivre, renforcèrent sa recherche du sens de la vie. L'espoir d'aider les autres un jour la motiva à endurer son calvaire. Désireuse d'enseigner aux enfants souffrant de difficultés d'apprentissage et d'autres handicaps, elle s'inscrivit à l'université, obtint son diplôme et se mit à enseigner d'abord aux enfants des quartiers cossus de Beverly Hills, puis aux petits Indiens d'une réserve paiute. Jill est un exemple émouvant du dynamisme de l'aspiration à vivre et du pouvoir de l'espoir[3].

Le *désir de liberté* physique, émotive et intellectuelle est une autre force centrale de l'esprit humain. Nous éprouvons, dès notre premier souffle, un désir de liberté physique qui nous suivra toute notre vie. Le besoin de liberté émotive et intellectuelle peut se manifester à tout moment et s'exprimer par des phrases comme: «Je veux décider pour moi-même!» Si notre liberté est restreinte ou niée par des sources extérieures ou que nous la réprimions par peur ou par anxiété, nous risquons d'y renoncer carrément ou de succomber à l'agitation et à la révolte.

Avec du courage, le désir d'être libre devient une puissante force motrice. La nécessité d'être courageux est apparente à toutes les époques et dans toutes les cultures. Dans le monde entier, on inflige des punitions cruelles et inhumaines dans les foyers, les prisons ou les hôpitaux psychiatriques. Ces punitions souillent la race humaine. Toute forme de servitude ou de restriction peut tuer le corps, l'esprit et l'âme même si elle n'y parvient pas à tout coup.

Parce qu'il défendait les droits de la personne, Jacobo Timerman, un éditeur de journal de Buenos Aires fut kidnappé en 1977 par les militaires, torturé pendant trois mois et gardé prisonnier pendant deux ans en dépit de l'ordre de libération émis par la Cour suprême de l'Argentine. Durant ces années, dix mille personnes furent exécutées sans procès par la dictature militaire de l'Argentine et quinze mille autres «disparurent» mystérieusement. Soumis à des chocs électriques, à des interrogatoires de quatorze heures, battu, enfermé dans une cellule sans fenêtre et les yeux bandés, attaché de manière à ne pas pouvoir se mettre debout, incapable de se laver pendant des mois, privé de contact humain et coupé même de toute voix humaine, Timerman survécut. Grâce à l'indignation internationale, il fut enfin libéré et exilé, mais on lui confisqua tous ses biens. Fort de son besoin spirituel de liberté, Timerman se bat encore courageusement pour les droits de la personne, en particulier la liberté d'expression, la cessation des tortures et le droit à un procès équitable[4].

Le *désir de comprendre* est un autre aspect universel du soi spirituel. Ce besoin nous pousse à rechercher la connaissance de manière à être bien informé et à prendre des décisions judicieuses au lieu de nous laisser gouverner par les autres ou les circonstances. Quand on ignore ce qui se passe ou que l'on ne comprend pas la cause des événements, on se sent frustré, confus ou même furieux. On peut prétendre comprendre ou se résigner à ne pas comprendre. Toutefois, notre désir de grandir est si irrésistible que la curiosité nous conduit inévitablement à rechercher plus de connaissances, peu importe notre âge.

À l'âge de cent douze ans, Mitsu Fujisawa décida d'obtenir son premier diplôme en s'inscrivant à l'université ouverte du Japon. Enfant, elle était colporteuse dans les rues et n'avait eu aucune chance d'étudier. En 1988, toutefois, après avoir écouté un professeur qui parlait de la longévité, elle s'inscrivit à son programme de santé et d'éducation physique. Voyez l'esprit humain et le désir de comprendre à tout âge[5]!

Le *désir de créer* oriente notre façon personnelle de penser, d'être et de faire vers des objectifs qui démontrent notre originalité. Il nous pousse également à chercher des vocations et des passe-temps qui nous permettront de combler cette aspiration. Privé d'exutoire, le désir de créer nous rend irascible, indifférent, indolent ou désespéré. Libre d'entrave, par contre, il nous pousse à créer du neuf, ce qui renforce notre amour-propre. C'est à travers l'imagination que s'exprime le besoin de créer.

L'artiste américaine que l'on surnomme affectueusement «Grandma Moses» ne se mit à la peinture qu'à l'approche de quatre-vingts ans, au moment où l'arthrite l'empêcha de vaquer aux travaux de la ferme. Bien qu'elle n'ait fréquenté l'école que quelques mois d'été dans son enfance, elle peignit plus de deux mille tableaux et devint réputée pour la netteté de ses couleurs et sa représentation des petits détails de la vie quotidienne. Elle donnait ses peintures ou les vendait pour une bouchée de pain jusqu'à ce qu'un collectionneur la «découvre». Aujourd'hui, ses œuvres ornent les murs des plus prestigieuses galeries d'art. C'est son besoin d'être créative et l'usage passionné qu'elle fit de son imagination qui permit à Grandma Moses de peindre des tableaux originaux[6].

Le *désir de s'amuser* est un besoin naturel chez les jeunes enfants, aussi naturel que celui de vivre. Il demeure présent en nous toute notre vie et nous pousse à rechercher le bonheur sauf s'il est bloqué par le programme «rien n'est amusant» ou par une fatigue chronique, les critiques, les désillusions ou une tragédie.

Pourtant, même dans des circonstances éprouvantes, l'esprit humain cherche encore des manières de s'amuser si on lui en laisse la moindre chance. La joie de vivre est la clé qui transforme les événements monochromes en riches expériences en technicolor.

Certes, il existe bien des façons de s'amuser. On peut apprécier la compagnie des autres ou préférer la solitude. L'un peut vouloir assister à un événement sportif tandis que l'autre préfère se plonger dans un bon livre ou promener le chien dans le parc. Chacun profite de la vie à sa façon. Certains moments heureux sont brefs: un merveilleux concert ou un cocktail divertissant, par exemple. D'autres plaisirs, comme une amitié étroite, durent des années.

Le comédien Bill Cosby est un être doué d'un esprit enjoué, qui profite de la vie et fait rire les autres. Ceux qui le connaissent bien affirment qu'il est tout le temps comme cela, qu'il raconte souvent des histoires cocasses et joue des tours, même hors de la scène. Son grand-père, qui lui servit de modèle en faisant des pitreries et en racontant des histoires drôles à connotation morale, stimula l'esprit naturellement gai du petit Cosby. À cette époque, le comédien adorait déjà faire des imitations et préférait les bouffonneries aux études. Aujourd'hui, il monte ses propres spectacles, ne s'abaissant jamais à raconter des blagues scabreuses ou à caractère ethnique et se concentrant plutôt sur les incidents normaux de la vie familiale qui peuvent être vus comme des expressions burlesques de l'esprit humain[7].

Le *désir de créer des liens* nous pousse à rechercher l'amour dans le cadre de relations authentiques, ouvertes et honnêtes plutôt que manipulatrices ou superficielles. N'importe quel couple ou groupe peut établir des rapports authentiques. Certaines relations deviennent si importantes que les gens sont prêts à vivre, à se battre et à mourir pour elles si nécessaire. Bien que les mauvais traitements et l'indifférence puissent engourdir ce besoin, une affection sincère le rétablit. Quand on aime, on va au-devant des autres, des plantes, des animaux ou d'une puissance supérieure.

Carl Rogers, le père de la psychologie humaniste, se concentra sur les façons de renforcer l'autonomie, l'estime de soi et l'amour. Il inventa la psychothérapie non directive et centrée sur le client qui exprimait son propre besoin spirituel d'amour et d'affection.

Pendant son enfance, Rogers avait appris à ne pas faire confiance aux personnes extérieures à la famille et à ne pas les aimer. Sa théorie, toutefois, préconisait l'attitude contraire. Il l'élabora en travaillant avec des enfants souffrant de troubles affectifs qui étaient incapables d'aimer parce qu'ils n'avaient jamais reçu l'affection de personnes dignes de confiance.

Grâce à la «considération positive inconditionnelle», Rogers démontra que l'on pouvait aider tous les patients en établissant un lien d'affection avec eux. Il créait ce lien en écoutant son client attentivement et affectueusement, en reconnaissant et en reformulant ses préoccupations et en l'encourageant à décider lui-même de l'orientation, du rythme et de la durée de son traitement[8]. Son approche fut une importante contribution à la psychothérapie et elle est largement enseignée aux professionnels désireux d'aider les autres.

Le *désir de se transcender* se définit comme la capacité de dépasser ses limites humaines, d'élever son âme et d'aller au-devant des autres, de lâcher prise comme de tenir bon, d'être ouvert à l'inconnu comme au connu. Quand nous dépassons ce qui nous semble comme nos limites, nous transcendons le quotidien pour atteindre un sentiment océanique d'unité. La peur, le scepticisme ou un simple excès d'activités bloquent souvent ce besoin qui peut cependant refluer quand on décide de s'ouvrir aux possibilités de la vie, de s'intéresser aux autres ou d'écouter la musique des sphères célestes. Les frontières se fondent alors dans le néant et on baigne dans un sentiment d'unité et d'identité avec la nature, l'univers ou Dieu.

Né en France, le théologien Thomas Merton étudia les religions protestante et orientales. Au début de l'âge adulte, il entra chez les trappistes, qui mènent une vie d'austérité, de dur labeur et de prière. Il fut objecteur de conscience pendant la Deuxième Guerre mondiale et étendit plus tard son appui aux organismes œuvrant pour la justice raciale et la paix mondiale. Réduit temporairement au silence par son ordre en raison de son esprit indépendant, il écrivit sous divers pseudonymes.

En tant que catholique profondément engagé, Merton fut honoré tant par le pape Jean XXIII que par Paul VI, mais il croyait en une perspective plus vaste — en l'unité de toutes choses — et était persuadé que les chrétiens ne devaient pas se leurrer en croyant que la grâce divine était monopolisée par un système particulier de croyances. «Dieu n'obéit aux feux de circulation d'aucune religion et un catholique, disait-il, ferait mieux de tendre l'oreille à l'œuvre du Saint-Esprit qui "souffle là où il veut[9]".»

Le Saint-Esprit et l'esprit cosmique ont beau souffler où ils veulent, les mouvements de l'esprit humain et de ses sept aspirations sont compréhensibles. Le tableau suivant illustre comment nos aspirations nous lancent dans diverses formes de quête spirituelle et déterminent les qualités indispensables pour atteindre nos buts.

Les merveilles de l'esprit humain nous incitent à tendre vers des objectifs spécifiques, et pour les atteindre, il faut des ressources intérieures précises. Il faut de l'espoir pour vivre, du courage pour être libre, de la curiosité pour comprendre, de l'enthousiasme pour s'amuser, de l'imagination pour créer, de la tendresse pour tisser des liens et de la confiance pour transcender ses limites.

Aspirations de l'esprit humain	Buts de la quête	Qualités requises
vivre	sens de la vie	espoir
être libre	autodétermination	courage
comprendre	connaissance	curiosité
créer	originalité	imagination
s'amuser	bonheur	enthousiasme
créer des liens	amour	bienveillance
se transcender	unité	ouverture du cœur

L'expression des aspirations

Chaque aspiration est intrinsèquement bonne et cherche à s'exprimer d'une manière positive. Au fond de nous, nous voulons tous vivre et être libres, comprendre et créer, nous amuser et nouer des liens. Nous voulons transcender la routine et atteindre de nouveaux sommets propres à enrichir notre vie. Bien que toute aspiration soit d'emblée orientée vers un but positif, chacune peut s'exprimer d'une manière stérile ou destructrice. Nous sommes tous libres d'exprimer nos aspirations de l'une des trois façons ci-dessous:

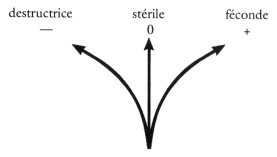

FAÇONS D'EXPRIMER UNE ASPIRATION

Les aspirations s'expriment beaucoup trop souvent d'une manière destructrice. Jim Jones, un fanatique religieux qui soumit des centaines de personnes à un lavage de cerveau pour les inciter à lui remettre tout leur argent et à déménager en Guyane avec lui, en est un cas extrême. En 1978, quand sa malhonnêteté éclata au grand jour, il exigea que ses disciples lui prouvent leur loyauté en se suicidant par le poison.

La pédophilie est aussi l'expression destructrice d'un besoin de contact mal canalisé, de même que la toxicomanie est l'expression mal orientée du désir de s'amuser. Parmi d'autres expressions négatives des aspirations, mentionnons le fait de proférer des mensonges ou de raconter des blagues sexistes, de restreindre la liberté des autres en appuyant la ségrégation tout en exigeant d'être libre soi-même, ou de s'immerger si totalement dans sa propre religion que l'on nie la validité de celle des autres.

L'atermoiement, l'isolement et l'indifférence sont les manifestations les plus courantes d'aspirations exprimées de manière stérile. On peut feindre d'ignorer les merveilles du monde et les trésors que l'on recèle en soi, temporiser et user de faux-fuyants, recourir aux prétextes et à l'exagération tout en se disant: «Peu importe» ou «Personne ne le saura». On peut demeurer indifférent aux souffrances d'autrui ou étouffer son jugement pour suivre les autres et éviter de faire des remous.

D'autres s'épuiseront au travail et rateront des expériences qui auraient pu donner un sens à leur vie. Ou ils seront tellement créatifs qu'ils s'éparpilleront dans plusieurs directions à la fois. Ou encore ils auront un tel besoin d'amour qu'ils poseront des gestes désespérés et feront fuir les autres. Ou leur colère sera telle qu'elle obscurcira leur amour. Ce sont là des distorsions stériles de notre esprit profond.

À tout moment, chacun de nous peut s'arrêter et choisir d'exprimer ses aspirations intérieures d'une manière féconde, stérile ou destructrice. Nous pouvons ne pas tenir compte du soi spirituel ou y prêter attention. Nous pouvons relever le défi de grandir. Ce choix, opéré dans l'intimité profonde de notre esprit intérieur, confère un sens à la vie.

Aspirations de l'esprit humain

La liberté d'être soi-même

Déterminé à vivre

La recherche du savoir

JOHN JAMES

Beauté créée

DAVID M. ALLEN

DAVID M. ALLEN

Jouir de la vie

Des liens d'amour

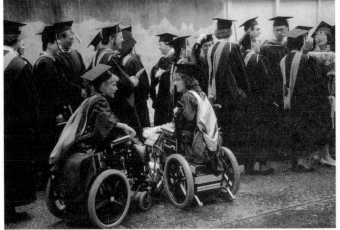

JANE SCHERR

Transcender ses incapacités

Harmonie ou conflit

Les aspirations fondamentales de l'esprit humain peuvent être en harmonie ou en conflit. Chaque fois que deux aspirations ou plus sont actives et en harmonie, elles nous poussent à agir avec force et détermination. Le désir de vivre, par exemple, est souvent associé au désir de liberté car, pour beaucoup, la vie sans la liberté ne vaut pas la peine d'être vécue, de sorte qu'ils luttent simultanément pour les deux. Certaines personnes peuvent trouver la force de fuir un pays déchiré par la guerre ou de surmonter la pauvreté et son absence de potentialités. Dans les situations menaçantes pour la vie ou pour l'esprit, le désir de vivre et le désir d'être libre collaborent passionnément.

À un autre niveau, le désir de créer des liens d'intimité et d'amour avec quelqu'un s'associe souvent au désir de créer un enfant et de goûter aux joies de la famille ou de toute autre forme d'association. Il y a aussi des moments où le désir de comprendre est si fort que l'exaltation provoquée par une nouvelle idée ou intuition peut amener un moment de transcendance.

Toutefois, nos aspirations profondes ne sont pas toujours en harmonie; elles sont même souvent en conflit quand une partie de nous veut une chose et qu'une autre veut autre chose. Si ces désirs sont puissants et de force quasi égale, ils nous bouleversent et nous plongent dans l'indécision. Sylvia Morales, une architecte à l'emploi d'un bureau d'ingénieurs, en était l'une des employées les plus productives. Comme elle s'occupait d'un projet qui exigeait du temps et la passionnait, elle fit la sourde oreille aux signaux que lui envoyait son corps. Quand elle apprit qu'elle devait subir une grave chirurgie nécessitant une longue convalescence, elle ne tint pas compte du conflit qu'elle affrontait entre son travail et sa santé et retarda sa décision jusqu'à ce qu'on dût l'admettre d'urgence à l'hôpital.

Nous pouvons tous nous heurter à ce type de conflit quand un rêve que l'on caresse depuis longtemps empiète sur d'autres désirs importants. «Je veux aller à l'école et obtenir mon diplôme, expliquait une mère, mais je veux aussi passer plus de temps avec mes enfants. Comment puis-je décider?» Dans des situations comme celle-là, même si la famille et les amis peuvent nous conseiller, c'est à nous qu'appartient la décision finale.

Les incertitudes et les vicissitudes de la vie sont telles qu'à certains moments, nous sommes forcé d'accorder plus d'attention à une aspiration qu'à une autre. Notre désir d'être libre et d'exercer notre libre arbitre peut l'emporter pendant un moment, avant d'être supplanté par le désir de nouer des liens avec une personne capable d'aimer et d'être aimée.

La place que l'on accorde à une aspiration peut changer souvent au gré des circonstances. Le secrétaire général des Nations Unies, Sithu U Thant, avait deux principales priorités: ses exercices spirituels et ses responsabilités politiques. Birman et bouddhiste, il croyait en la nécessité d'accorder une attention quotidienne à chacune de ces priorités afin de pouvoir placer ses pensées, ses propos et ses actions dans une juste perspective pour le lendemain. Voici ce qu'il écrivit:

Quand je pénètre dans mon bureau à Manhattan, vous comprendrez que je dois oublier que je suis birman et bouddhiste. L'une de mes fonctions consiste à recevoir bien des gens [...]. Or, afin de recevoir correctement mon frère humain et de bien comprendre ce qu'il veut me dire, je dois m'ouvrir à lui, je dois me vider de moi-même[10].

Souvent, il est difficile de passer d'un ensemble de valeurs à un autre. Ce qui est important un moment peut l'être moins l'instant d'après. Fort de son engagement envers les autres, Sithu U Thant exprimait le désir passionné de l'esprit humain de relever des défis et, par le fait même, de grandir.

Quand les aspirations sont bloquées

Les aspirations du soi profond cherchent naturellement à s'exprimer, mais elles peuvent être entravées par des lois et des traditions oppressives. Les lois qui restreignent la liberté d'expression, d'assemblée ou de religion, ou limitent les possibilités bloquent les énergies de l'esprit humain.

Pour comprendre ce qui se passe quand une aspiration est bloquée, imaginez une rivière tumultueuse dont le flot est obstrué par un barrage. La discrimination est l'une des façons les plus courantes d'entraver l'expression d'une aspiration. Une personne handicapée ou obèse pourtant apte ou disposée à travailler, une personne maladroite socialement mais polie et compétente peuvent attirer des jugements négatifs. Juger les gens en fonction de leur race, leur sexe, leur âge, leur religion ou leur ethnie les empêche d'exprimer leur potentiel inné.

Les lois sociales qui renforcent l'inégalité de même que la discrimination et les coutumes restrictives fondées sur la race, la religion, le sexe ou l'ethnie, sont comme des barrages érigés sur la rivière de l'énergie humaine. Elles entravent l'énergie spirituelle tant des opprimés que de leurs oppresseurs. Les «démunis» se sentent limités tandis que les «nantis» se sentent menacés tout en tentant de garder le contrôle.

Les réalités de la vie courante peuvent aussi freiner l'expression de nos aspirations profondes. La personne qui veut reprendre ses études mais n'a pas l'argent pour le faire voit son désir d'apprendre et de comprendre bloqué. Celle qui passe de longues heures au travail et n'a pas suffisamment de temps à consacrer à ses amis entrave son désir de créer des liens et de profiter de la vie.

L'énergie qui est bloquée par les critiques, les railleries ou les jugements des autres entraîne souvent des réactions destructrices. On devient de plus en plus méfiant et replié sur soi-même; ou on se sent coupable, anxieux, craintif ou esseulé, ou encore on doute de soi. En conséquence, on a tendance à contrôler, à être irascible, perfectionniste et peu ouvert aux idées nouvelles. On peut mépriser les autres et afficher une attitude d'infériorité ou de supériorité.

Même quand les aspirations de l'esprit sont bloquées par les lois et la tradition, les critiques ou les railleries, elles peuvent quand même chercher à s'exprimer d'une façon ou d'une autre. Les dissidents protesteront, les citoyens manifesteront et d'autres aspireront à quelque chose de mieux.

La lutte pour se libérer de ces blocages internes et externes est une lutte à long terme. Parfois notre désir de nous libérer est émoussé parce que nous sommes vidé.

Quand l'énergie est épuisée

Les travaux épuisants physiquement, les exigences continuelles des enfants ou des créditeurs, ou une complaisance constante *épuisent* l'énergie. Les personnes complaisantes disent: «Je cours à gauche et à droite pour tenter de satisfaire tout le monde et je me sens comme un poulet sans tête» ou «Il me reste cinq tâches à remplir et je n'ai pas le temps» ou «Le téléphone n'a pas cessé de sonner et je suis trop épuisé pour faire quoi que ce soit ce soir».

Voyager matin et soir dans une circulation dense, vivre dans un quartier peu sécuritaire, être aux prises avec des problèmes financiers ou physiques nous vident de l'énergie dont nous avons besoin. La foule, le bruit, les critiques, l'isolement, une piètre alimentation, un environnement désagréable, un mode de vie épuisant, la saleté, le désordre et la pollution intensifient notre fatigue. Être un parent ou un beau-parent, ou le conjoint d'une personne qui exige des soins constants est éreintant. Quand notre énergie est drainée, nous perdons le goût de vivre.

On peut comprendre comment se produit ce drainage d'énergie en visualisant une rivière dont l'eau s'écoule par de trop nombreux canaux d'irrigation ou rigoles. La rivière finit par s'assécher et le réservoir se vide. Il en va de même pour les humains. Les personnes soumises à de trop nombreuses exigences ou requêtes finissent par se dessécher. Cela arrive fréquemment à celles qui sont toujours très gentilles avec les autres mais ne prennent pas soin d'elles-mêmes; elles disent «oui» quand elles devraient dire «non».

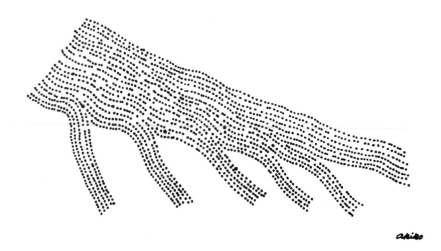

Les parents uniques qui travaillent, tiennent la maison, font les emplettes, cuisinent et prennent soin des enfants tout en essayant de réserver un peu de temps à leurs amis ou à leur partenaire amoureux sont vidés. Puis il y a les personnes qui occupent des emplois exigeants, comme le personnel enseignant ou soignant et les membres du clergé, dont l'engagement envers leurs élèves, leurs patients ou leurs paroissiens est si profond qu'ils n'osent pas dire «non». Dans un marché du travail précaire, les gestionnaires et les superviseurs sont trop souvent obligés de se plier aux exigences de leur patron et même de terminer le travail de leurs subalternes pour ne pas perdre leur emploi. Et bien des gens supportent de lourds fardeaux financiers — payer les études universitaires de leurs enfants ou prendre soin de parents âgés — au point qu'ils sont obligés de travailler de trop longues heures ou d'exercer un second emploi pour joindre les deux bouts.

Quand notre énergie est drainée, nos erreurs nous préoccupent, notre amour-propre diminue, la dépression nous guette et nous sommes tenaillé par la culpabilité, la colère, la confusion, la peur, l'inquiétude et les obsessions. Nous risquons même de tomber malade ou d'être sujet aux accidents. Dans cet état, nous sommes trop crevé ou préoccupé pour remarquer la beauté de la vie, essayer du nouveau ou avoir des réactions aimantes.

Quand l'esprit est limité

En règle générale, ce sont les sentiments négatifs comme la peur, la culpabilité et l'anxiété qui *restreignent* notre énergie. Certaines personnes n'ont pas confiance en elles, ni aux autres ni à toute forme de puissance supérieure. Elles ont tendance à se critiquer de plus en plus et à s'aimer de moins en moins, et elles finissent par se sentir angoissées.

L'anxiété est causée par la désapprobation, que celle-ci soit dirigée vers soi-même ou vers les autres. D'ailleurs, il suffit d'anticiper un blâme pour être en proie à l'anxiété. On devient anxieux également quand on juge impossible une chose que l'on croit devoir faire. Cette anxiété peut conduire à l'apathie, à la temporisation ou à pire. «Quand je suis anxieux, je suis paralysé»: voilà une réaction courante à toute forme de menace, qui inhibe gravement nos aspirations spirituelles.

Le mot latin qui désigne l'anxiété est *angustin,* qui signifie étroitesse. Imaginez une rivière rétrécie ou comprimée par de gros rochers ou un train de flottage. Le courant devient turbulent et la navigation peut devenir dangereuse.

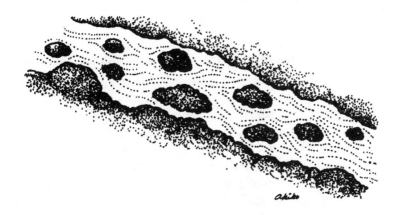

Les humains subissent un sort similaire à celui du courant quand ils sont si étouffés par l'anxiété qu'ils s'empêchent de relever le défi de la croissance personnelle en exploitant leur potentiel et en prenant des décisions. Cette retenue accroît encore davantage l'anxiété et réduit le pouvoir nécessaire à la quête spirituelle.

Ces personnes sont souvent très critiques envers elles-mêmes: «Je ne fais jamais rien de bon»; ou désespérées: «Personne ne voudra me pardonner». Ces pensées négatives sont comme de lourds rochers qui sapent leur énergie. Les accidents imprévus ou les critiques insignifiantes peuvent venir grossir les «débris» qui entravent leurs canaux énergétiques.

L'un des premiers signes d'anxiété est la tension. Les personnes anxieuses rentrent les épaules comme pour parer un coup. Au plan émotif, elles recourent à divers mécanismes de défense comme le déni, la projection et la rationalisation, et laissent leurs peurs et leurs sentiments prendre le dessus. Quand leur anxiété s'aggrave, la liberté d'être soi-même, de se fixer des objectifs et de choisir son orientation peut ressembler à un rêve impossible, et elles ont tendance à s'isoler.

Quand les aspirations du soi profond sont bloquées, épuisées ou limitées, on n'est plus en contact avec le soi spirituel et on se sent à demi mort. Mais il suffit d'une crise ou d'un chaleureux compliment pour que l'on se réveille, que l'on puise soudain dans des sources d'énergie depuis longtemps négligées et que l'on relève avec passion le défi de mener une vie riche et heureuse.

Une grande passion

Les personnes très énergiques nous intriguent: comment sont-elles devenues comme cela? Comment font-elles pour conserver ce haut niveau d'énergie? Où prennent-elles leur vitalité et leur passion de vivre? Qu'est-ce que la passion de toute façon?

La passion est une aspiration intensifiée et dirigée vers un but précis. C'est un état psychologique intense qui s'accompagne d'un puissant engagement à être ou à faire quelque chose. Le mot *passion* vient du mot latin *passio* qui veut dire souffrance. Aujourd'hui, on l'emploie plus souvent pour désigner une émotion puissante, amour ou lubricité, joie ou dévotion. Dans le langage courant, il revêt un sens plus ordinaire. Parfois on dit qu'on a une passion pour la musique, pour l'exercice et même pour la glace. Ce mot est tellement employé à toutes les sauces qu'il nous paraît nécessaire de clarifier sa signification par rapport aux aspirations profondes de l'esprit humain. *La passion de vivre est le désir, l'intérêt et la volonté intense de libérer les aspirations intérieures de l'âme.*

Pour se lancer dans une quête spirituelle, il faut être passionné. Il ne suffit pas de le désirer ou d'avoir de bonnes intentions. Il faut aimer la vie passionnément et trouver des façons d'exprimer ses passions sur une voie d'amour.

Quand nous n'exprimons pas une aspiration, c'est le plus souvent parce que nous ne l'avons pas laissée se transformer en passion. Nous sommes devenu passif. Or être passif, c'est ne rien faire pour remédier à une situation boiteuse. Certes, la passivité peut nous sauver la vie. Il n'est pas toujours sage de lutter contre certaines situations ou personnes. Toutefois, quand on ne met pas à contribution le pouvoir qui découle de ses aspirations profondes, cette passivité est souvent malsaine.

Naturellement, le degré de passion que nous consacrons à toute recherche peut changer à l'instar de notre humeur ou des circonstances. Sans égard à celles-ci, nous possédons des ressources incroyables. Imaginez un réservoir que des ruisseaux coulant des sommets enneigés et des sources souterraines alimentent sans arrêt. Le réservoir produit une rivière dont l'eau claire et invitante coule sans entrave.

Les gens passionnés ressemblent à des rivières limpides et vitales. Leur coupe déborde tandis qu'ils partagent leur joie de vivre avec les autres. Parce qu'ils concentrent leur énergie sur ce qui compte, le monde devient un endroit où il fait meilleur vivre. Avec une grande vitalité, ils cherchent une compréhension plus profonde et de nouveaux débouchés pour leur créativité. En outre, ils puisent à même leurs ressources spirituelles intérieures dans les moments difficiles. Ils attirent le même respect profond qu'ils témoignent aux autres.

Tant que l'on reconnaît la nécessité pour les merveilleuses aspirations de l'âme humaine de couler librement, on peut courir le risque de tomber amoureux de la vie. Quand on se fixe des objectifs significatifs et transforme ses aspirations spirituelles en passions, on découvre une voie d'amour qui nous invite à avancer.

Aller au-delà de soi-même

Au début, le désir d'exprimer les aspirations du soi profond est axé sur des buts personnels et apporte une certaine forme de satisfaction individuelle. Ce processus commence quand nous prenons conscience que nous sommes limité et incapable d'exprimer toutes nos énergies. À ce stade, notre discours s'émaille de «Je voudrais» et de «Je veux» qui reflètent un profond désir de changement. Ce désir de changer peut allumer des étincelles d'autodétermination et nous inciter à entreprendre une certaine forme d'action.

En s'intensifiant, notre désir peut se transformer en une décision exprimée par «Je le ferai». Or il semblerait qu'il soit plus facile de décider d'agir que de vraiment passer aux actes. Ainsi quand un désir particulier est refoulé depuis des années, il n'est pas facile à libérer, même avec de la volonté. Mais si la voie choisie est une voie d'amour significative à nos yeux, l'action nous paraîtra plus naturelle et nous réussirons probablement à la mener à bien.

Pourtant, la plupart des humains ont une vision de la vie qui dépasse de beaucoup leurs préoccupations égoïstes. Tels des cercles concentriques formés par un pavé jeté dans la mare, le désir d'exprimer l'esprit humain est un mouvement qui part de soi-même pour aller vers les autres.

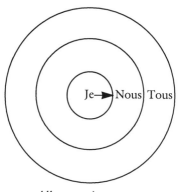

Aller vers les autres

La plupart d'entre nous veulent dépasser leur égocentrisme pour rejoindre les autres afin qu'eux aussi puissent libérer les passions de leur âme. Ensemble, nous pouvons faire plus que si nous agissons chacun de notre côté. Le «nous» peut représenter une famille qui lutte afin d'échapper à la tyrannie ou l'horreur d'une guerre, des voisins qui s'associent pour éliminer la drogue dans leur quartier ou des enseignants et des parents qui s'unissent pour améliorer leurs écoles.

Quand on s'engage encore plus profondément envers la vie, la liberté et la quête du bonheur, on peut avoir l'impression qu'il n'est pas suffisant de se concentrer uniquement sur soi-même, sa famille et ses amis. Tout le monde a des besoins. Quand nous entrapercevons ceux des autres, ils nous semblent si accablants que nous détournons les yeux et baissons les bras. À d'autres moments, une passion intérieure nous pousse à chercher des solutions aux problèmes d'autrui. Nous pouvons décider de nous battre pour la santé et la liberté des autres ou travailler afin que d'autres puissent avoir la chance d'étudier et d'exercer leur créativité. Ou vouloir que le monde entier resplendisse et que personne ne soit diminué par quiconque.

Plus nous sommes capable d'exprimer nos aspirations intérieures et de nous concentrer sur elles tout en nous souciant passionnément des autres, plus nous avons de chances d'être engagé dans une quête spirituelle. Comme l'explique le mythologue Joseph Campbell: «Le but ultime de la quête doit être de trouver non la libération ni l'extase pour soi-même, mais la sagesse et le pouvoir de servir les autres[11].»

❦ *Reconnaître ses aspirations intérieures*

Voici quelques exercices qui vous aideront à reconnaître vos aspirations afin que vous puissiez libérer le pouvoir et la passion qui leur sont inhérentes.

❦ *Méditez sur l'esprit humain.* Concentrez votre attention. Les citations ci-dessous peuvent vous aider à mieux comprendre votre passion de grandir.

En croyant passionnément à une chose qui n'existe pas encore, nous la créons. Ce qui n'existe pas, c'est tout ce que nous n'avons pas désiré avec suffisamment de force.
NIKOS KAZANTZAKIS[12]

Je connais la joie des poissons dans la rivière à travers la joie que je ressens moi-même en marchant le long de cette même rivière.

CHUANG -TZU[13]

Si nous avons le courage et la ténacité de nos ancêtres, qui sont demeurés solides comme le roc devant la force de l'esclavage, nous trouverons une façon de faire pour notre époque ce qu'ils ont fait pour la leur.

MARY MCLEOD BETHUNE[14]

La vie peut être tirée par des objectifs aussi sûrement qu'elle peut être poussée par des pulsions.

VIKTOR FRANKL[15]

❦ *Le courant de notre énergie.* L'énergie des aspirations du soi profond n'est pas toujours active. Elle peut être bloquée par des lois ou des traditions; elle peut être drainée par un excès de travail ou par la fatigue; elle peut être limitée par la colère et l'anxiété; on peut feindre de l'ignorer par scepticisme ou ignorance.

Imaginez que vous vous trouvez au bord d'une rivière qui représente votre énergie. Érigez un barrage sur la rivière afin de bloquer votre énergie. Y a-t-il actuellement dans votre vie quelque chose qui empêche votre énergie profonde de couler librement?

Visualisez la même rivière drainée ou détournée par des rigoles de sorte que son courant s'amenuise. Qu'est-ce qui draine votre énergie dans votre vie?

Regardez de nouveau la rivière et imaginez-la pleine de pierres et de rochers, de problèmes qui créent de l'anxiété et font couler votre énergie d'une manière imprévisible comme des rapides. Quels rochers vous causent de l'anxiété?

Imaginez maintenant que vous marchez sur la rive; vous êtes perdu dans vos pensées et ne voyez pas vraiment la rivière. Pourquoi est-ce ainsi?

Enfin, visualisez la rivière coulant librement. Conservez cette image pendant quelques moments. Quel message vous donne-t-elle?

❦ *Un désir frustré.* Pensez à un problème important que vous tentez de résoudre. Qu'avez-vous pensé, senti et fait à ce sujet? Terminez les phrases ci-dessous.

Voici mon problème:

Voici le désir que je n'exprime pas suffisamment:

Je ne l'exprime pas parce que:

Si je l'exprimais, je pourrais:

Les changements suivants se produiraient dans ma vie:

Mes aspirations	Énergies forte, moyenne, basse	Raisons
vivre		
être libre		
comprendre		
créer		
s'amuser		
créer des liens		
se transcender		

❦ *Aspirations et énergie.* Revoyez en pensée la semaine qui vient de s'écouler et trouvez le degré d'énergie produit par chacune de vos aspirations.

Quels modèles suit votre énergie? Y a-t-il des aspirations auxquelles vous devez accorder plus d'attention?

❦ *Objectifs.* Dressez la liste de vos objectifs. Indiquez ensuite quelles aspirations fondamentales seront les plus utiles pour les atteindre.

❦ *Arrêtez-vous et réfléchissez.* Avant d'aborder le prochain chapitre, écrivez vos questions concernant les aspirations fondamentales de l'être humain, surtout en rapport avec votre propre vie.

CHAPITRE 4

Le désir de vivre

Quand l'hiver est rigoureux
Les pins de ce pays ancien
demeurent verts toute l'année.
Est-ce parce que la terre est chaude et amicale?
Non, c'est parce que le pin possède en lui
un pouvoir vital.

Vieux proverbe chinois[1]

À toi, la vie!

De temps en temps, dans notre for intérieur ou en bavardant avec d'autres, nous nous interrogeons sur la vie et la mort. Nous nous demandons pourquoi nous sommes plein d'entrain à certains moments et pas à d'autres. Pourquoi nous ne sommes pas positif et énergique tout le temps. Pourquoi notre énergie fluctue de telle sorte que nous débordons parfois d'amour et de force alors qu'à d'autres moments nous sommes comme une outre vide.

Dans les moments où nous sommes plus songeur, nous pouvons même nous demander si notre vie est déterminée par nos gènes ou par l'environnement, par le destin, par Dieu ou simplement par la chance. La vie a-t-elle un but? Lequel? Dois-je donner un but plus important à ma vie? Nous nous demandons pourquoi nous avons parfois envie de fermer la porte, de nous cacher sous nos couvertures et d'arrêter le monde entier. Nous nous interrogeons également sur les nombreuses autres fois où nous avons envie d'ouvrir la porte et de porter un toast à la vie: «À toi, la vie!»

Ce toast laisse supposer un enthousiasme face à la vie et à ce qu'elle nous réserve. La plupart d'entre nous savent ce que c'est que d'être vraiment vivants ou au contraire, engourdis ou à demi morts. Il est naturel de vouloir sentir et exprimer sa vitalité plus pleinement.

Le désir de vivre

Le désir de vivre est ancré dans l'énergie omniprésente de la vie. La compréhension et l'utilisation harmonieuse de cette énergie vitale est au centre de la tradition chinoise qui l'appelle *chi*. Ce terme est un terme général qui désigne la force vitale de l'univers. Il existe plusieurs sortes de chi dont les plus importantes sont le tai chi et le zheng chi[2]. Le tai chi est l'énergie cosmique de l'univers, une énergie qui imprègne tout. Le brouillard, le vent et l'air contiennent tous du tai chi; nous le savons parce que les rythmes cosmiques comme les changements de saisons et de temps peuvent augmenter ou drainer notre énergie. Le vent frais qui suit un temps très humide est revivifiant de même que le soleil qui brille après des jours de grisaille. Par contraste, une tempête de sable peut saper notre énergie et nous donner des quintes de toux. La première neige est stimulante et excitante, sauf pour ceux qui ont froid et sont sans abri.

Le zheng chi est l'énergie vitale qui imprègne le corps humain et qui, lorsqu'elle coule librement, donne à la personne sa nature vibrante et sa vitalité. Le zheng chi suit les courants naturels d'énergie et de circulation sanguine et vibre le long de voies ou de canaux appelés *méridiens*. L'un des principaux objectifs de l'acupuncture et de la méditation est de concentrer et de renforcer cette énergie vitale afin de favoriser la santé.

Cette énergie vitale est influencée par nos composantes génétiques héréditaires. Par exemple, une personne peut hériter du potentiel de demeurer en bonne santé et de vivre longtemps ou de celui de développer une maladie précise.

Nous exprimons notre désir de vivre en nous efforçant de survivre, en cherchant des façons d'augmenter notre confort et en nous interrogeant sur le sens ou le but de la vie. Ce sont là des expressions d'un important continuum qui va de la survie au confort et à la signification.

Survie ———▶ Confort———▶ Signification

LE DÉSIR DE VIVRE

Nous faisons de nombreux gestes quotidiennement pour assurer notre survie physique: nous mangeons, dormons et équilibrons notre chaleur corporelle en enfilant ou en retirant des vêtements. À moins d'être atteint d'une maladie incurable ou d'être gravement déprimé, notre détermination à survivre dure toute la vie. On a beau être honnête, on peut voler pour un quignon de pain ou une gorgée d'eau si on est affamé ou gravement déshydraté. On peut être généreux et donner aux pauvres et aux sans-abri tout en manipulant le système afin d'obtenir un organe rare qui pourrait nous sauver la vie.

L'instinct de survie garde les gens en vie et leur permet d'espérer même dans les conditions les plus désespérées, comme celles où se trouva un jour le marin William Buie. Par une nuit de tempête, alors que son navire tanguait dangereusement, Buie fut pris d'un malaise et tomba à la mer. Il faisait noir, l'eau était froide et personne ne l'avait vu tomber ni n'entendait ses cris. Son navire poursuivit allègrement sa course mais le désir de vivre du marin demeura très vif car il crut qu'on finirait par le trouver. Il retira ses chaussures et son pantalon dont il noua les jambes de manière à les gonfler d'air et s'en servit pour garder sa tête hors de l'eau. Puis, pendant deux heures, pour ne pas perdre espoir, il chanta la seule chanson qu'il connût, la *Valse du Tennessee*. Fait incroyable, un marin d'un autre bateau, qui avait l'oreille fine, l'entendit et le secourut[3].

Les mouvements de l'enfant qui cherche à naître reflètent cet instinct de survie. Après avoir pris nos premières goulées d'air, nous cherchons à survivre à l'aise. Nous apprécions nos nombreux conforts, qu'il s'agisse du confort physique d'un lit douillet, du confort psychologique que procure le fait de pouvoir se confier à un ami ou du confort spirituel qui découle d'une foi profonde.

Le mot *confort* vient du latin *comfortare* qui signifie renforcer. Le pain et le lait fournissent un confort *physique;* avoir quelqu'un à qui parler nous apporte un confort *psychologique;* la clémence, l'acceptation et l'amour sont des sources de confort *spirituel.* En fait, le terme grec qui désigne le Saint-Esprit est *parakletos* qui signifie «celui qui réconforte».

Nous cherchons tous à délimiter nos «zones de confort» personnelles, soit les endroits où nous nous sentons plus en sécurité et en confiance. La maison peut être un endroit réconfortant qui nous protège des dures réalités de la vie quotidienne. Ce peut être le bureau d'un psychothérapeute où nous allons chercher des solutions à nos problèmes et apprendre notre valeur personnelle. Le sanctuaire où l'on se rend pour prier peut aussi être un lieu de confort. Une personne peut trouver du confort au travail, une autre, au faîte d'une montagne.

Les zones de confort sont parfois aussi des états d'esprit. Les gens qui se sentent aimés ont souvent plus confiance en eux; ils sont plus dévoués quand on reconnaît leurs efforts; plus heureux quand ils tendent vers des objectifs significatifs et des rêves vitaux; ils éprouvent une grande paix intérieure quand ils ont l'impression de faire un avec tout ce qui vit.

Nos zones de confort sont parfois envahies par les autres. Quiconque a été victime d'un vol avec effraction sait ce que c'est que de voir sa zone de confort violée. Nous pouvons aussi dissiper nos zones de confort quand nous glissons dans des états d'esprit négatifs. En règle générale, cela indique que le soi spirituel brûle de s'exprimer d'une manière nouvelle et plus positive.

Le désir de vivre n'est pas seulement soutenu par l'énergie cosmique et biologique, il est également mobilisé quand le pouvoir du soi spirituel est orienté vers une recherche positive de signification. Même physiquement fatigué, nous pouvons communiquer avec d'autres formes d'énergie fortifiantes. Le psychiatre Viktor Frankl parle de certains prisonniers des camps de concentration dont les chances de survie étaient plus grandes que celles de leurs camarades qui avaient perdu tout espoir et toute raison de vivre, même si tous avaient enduré les mêmes privations physiques. Frankl raconte qu'un groupe de médecins, reconnaissant qu'ils avaient besoin de stimulation intellectuelle pour éviter de s'engourdir, se rencontraient secrètement pour partager des informations médicales. Leur énergie intellectuelle et spirituelle les soutenait à un moment où leur énergie physique et leur vitalité étaient presque inexistantes[4].

La recherche d'une signification

Même s'il vaut mieux jouir d'un certain confort personnel que de lutter pour survivre, cela ne suffit pas dans bien des cas. Nous éprouvons une soif naturelle de signification qui aspire à être étanchée. Nous pouvons imaginer que notre désir de vivre et les manières dont il s'exprime s'étalent sur un continuum qui va de nos besoins biologiques fondamentaux jusqu'à nos objectifs les plus élevés, qu'ils soient centrés sur nous ou orientés vers les autres.

Même quand la survie et le confort sont incertains ou impossibles, on peut s'interroger sur le sens profond de la vie. Charlie Wedemeyer survit avec difficulté et mène une vie très inconfortable et pourtant, son rôle d'entraîneur de football dans une école secondaire donne un sens à sa vie. Depuis 1977, il souffre de sclérose latérale amyotrophique (souvent appelée maladie de Charcot), maladie qui entraîne la détérioration éventuelle de tous les nerfs et muscles au-dessous de la tête. Même si son espérance de vie, au moment où la maladie a été diagnostiquée, n'était que de trois ans, Charlie exerce aujourd'hui ses fonctions d'entraîneur depuis plus de douze ans.

Paralysé et muet, Charlie conserve un excellent moral. Il s'adresse à des groupes communautaires par l'entremise de sa femme, Lucy, qui lit sur ses lèvres et interprète ses pensées pour son auditoire. Avec son aide, il continue d'entraîner une équipe si douée qu'elle a même participé aux championnats de l'État en 1985. Quand on lui demande comment il fait pour conserver son attitude positive et son appétit de vivre, Charlie répond: «C'est très simple. Je ne serais pas ici aujourd'hui si ce n'était de Dieu.» Lucy, qu'il fréquentait déjà à l'école secondaire, renchérit: «Nous acceptons tous deux que cela puisse se terminer à un moment donné parce que nous menons une vie très heureuse[5].»

C'est quand nous prêtons une signification à nos expériences positives que notre désir de vivre est le plus intense. Les expériences de la vie courante — l'éclosion d'une fleur, l'éclair argenté du poisson dans l'eau, un lever de soleil après une semaine de brouillard, le sourire inattendu d'un étranger — peuvent donner un sens à notre vie et nous aider à persévérer dans les moments difficiles. La vie peut nous sembler soudain très attrayante quand nous regardons simplement autour de nous et reconnaissons que nous faisons partie de l'univers.

La recherche d'une signification peut aussi se faire à travers les pratiques spirituelles d'un groupe religieux. La religion, de dire Ashley Montagu, est «la grammaire de l'âme humaine». Le désir de vivre peut croître dans le calme d'une rencontre quaker ou d'un temple bouddhiste. Même une chapelle vide peut apaiser une âme tourmentée. Les mantras, tel le OM, répétés à l'unisson avec d'autres, le chant grégorien ou la prière sont des manières puissantes d'apaiser l'esprit agité et de l'aider à prêter sens et espoir à la vie.

Parfois, cependant, nous voulons plus que simplement «être». Nous voulons «faire» parce que cela donne aussi un sens à la vie. Même avec un horaire de déplacements chargé, nous pouvons passer prendre un ami ou prendre le temps, à l'épicerie, de réconforter une enfant en larmes parce qu'elle a perdu sa mère. Les petites attentions ajoutent au sens de la vie, qu'on en soit l'auteur ou le bénéficiaire.

En outre, nous voulons souvent agir sur une plus grande échelle. Nous désirons un emploi qui mettra à contribution nos dons et nos talents. Nous pouvons donner un sens à notre vie en étant créatif, en cherchant à nous instruire, en aimant et en étant aimé, en œuvrant pour une cause ou en nous mettant au service de Dieu ou des autres. Chacun de nous a ses objectifs, ses tâches, ses missions auxquels il aspire à dire oui et qui peuvent ressembler à des impératifs spirituels.

Il n'est pas rare que des patients en phase terminale et hospitalisés demeurent en vie jusqu'à ce que certaines personnes qu'ils aiment leur rendent visite. C'est comme s'ils voulaient partager certaines choses avec elles avant de mourir. Bien des gens semblent aussi prolonger leur vie en travaillant jusqu'à leur mort. Leur travail est tellement significatif pour eux que leur passion de vivre demeure vivante tant qu'ils n'ont pas mené leurs projets à terme.

Le besoin d'espérer

La soif de vivre et le désir de donner un sens à sa vie qui en découle s'intensifient quand on espère. *Espérer, c'est croire que certains désirs sont réalisables.* Avec de l'espoir, la personne assoiffée voit le verre d'eau à moitié plein plutôt qu'à moitié vide. En fait, quand on espère, on voit aussi la possibilité que le verre se remplisse. Pourtant, l'espoir est différent de l'optimisme. Être optimiste, c'est attendre que les choses tournent bien sans déployer les efforts nécessaires pour opérer des changements. L'espoir, lui, est actif dans son essence plutôt que passif.

L'espoir nous pousse constamment à agir en vue d'atteindre nos objectifs importants et moins importants. Quand nous préparons un repas, nous espérons qu'il sera savoureux. Quand nous allons à une fête, nous espérons nous amuser. Quand nous commençons un livre, nous espérons le finir. Quand nous nous sentons bien, nous espérons le demeurer, et si ce n'est pas le cas, nous espérons guérir. L'espoir imprègne notre vie et nous soutient contre vents et marées. Espérer, c'est regarder vers l'avenir avec confiance.

Nous nourrissons tous de nombreux espoirs. Nous espérons la santé ou la prospérité, l'amitié ou la célébrité, faire un avec les autres ou avec l'esprit cosmique ou sacré. La passion de vivre et de donner un sens à sa vie repose sur l'espoir.

Aspiration de l'esprit humain	But de la quête	Qualité requise
Vivre	Signification	Espoir

Le psychiatre Erik Erikson croyait que l'espoir se développe dans la prime enfance[6], au moment où le nourrisson décide, avant même de parler, s'il peut ou non faire confiance aux gens pour combler ses besoins physiques et affectifs. Souvent, les enfants négligés ou brutalisés cessent de faire confiance aux autres et voient d'un œil soupçonneux toute forme de bienveillance. Ou ils refoulent leurs sentiments et deviennent excessivement indépendants: «Je n'ai besoin de personne, je me débrouillerai seul.» D'autres développent une peur profonde. Ils paniquent quand on les critique et fuient ou se plient à toute exigence afin d'atténuer ce sentiment de panique. Souvent, les enfants négligés ou maltraités, qui ne sont pas assez aimés et qui travaillent trop, perdent tout espoir.

Par ailleurs, les enfants qui sont bien traités et dont les besoins physiques et affectifs de base sont comblés, sont naturellement portés à espérer. Si on les encourage à avoir des amis, qu'on leur enseigne comment se comporter avec les adultes et soutienne leurs efforts pour réussir à l'école, ils auront confiance en eux et nourriront des attentes positives.

Tout au long de la vie, l'espoir fluctue chez la plupart d'entre nous. Quand nos projets scolaires et professionnels réussissent, quand nous sommes comblé sur le plan de l'amitié et de l'amour, nous nous sentons naturellement fort et espérons que tout continuera de baigner dans l'huile. Mais quand notre relation amoureuse boite ou que nos études ou notre emploi nous déçoivent, nous avons tendance à nous décourager, à désespérer même.

Le désespoir surgit quand le corps et l'esprit n'ont pas ce qu'il faut pour être en bonne santé. Toute personne dont la survie physique est menacée peut désespérer. L'espoir décroît également en présence de problèmes affectifs, de crises familiales, de responsabilités épuisantes ou de changements de vie trop nombreux ou trop radicaux. Quand les fardeaux deviennent écrasants, on risque de s'effondrer physiquement, émotivement et spirituellement.

Un attachement profond à un rêve impossible entraîne aussi la désespérance. Un parent unique qui a trois enfants à nourrir et qui a toujours rêvé de faire ses études de médecine se sentira désespéré s'il ou si elle se heurte à des obstacles financiers insurmontables. La personne qui a toujours rêvé de rester mariée «jusqu'à ce que la mort nous sépare» peut aussi céder au désespoir si son conjoint demande le divorce.

Nous pouvons aussi être aux prises avec le désespoir si notre vie a peu de signification ou n'en a pas du tout. Une promotion au travail peut n'avoir aucune signification à nos yeux si nous n'aimons pas notre emploi ou si notre relation amoureuse vient de basculer dans le vide. Quand la vie n'a plus de sens, on perd tout espoir, on s'engourdit, on se maltraite et on sombre dans la dépression.

Les personnes désespérées sont incapables d'affronter les souvenirs tristes du passé, la vie courante et leurs perspectives d'avenir. Les exhortations à «prendre courage» et à «voir le bon côté des choses» ne servent à rien, ou si peu. Mieux vaut, pour soulager le désespoir de ces personnes, faire des activités avec elles et accepter leur humeur.

Il faut une violente passion de vivre pour lutter contre le désespoir dans des circonstances impossibles et pourtant, l'espoir peut activer une grande force intérieure en nous. En outre, c'est un excellent remède, un ingrédient essentiel à une vie significative. Sous l'influence de l'espoir, la dépression s'atténue et l'appétit de vivre réapparaît. On vise de nouveau à jouir de la vie malgré ses handicaps et ses contretemps. L'espoir nous aide à recoller les morceaux et à intégrer ce qui a été, ce qui est et ce qui peut être.

La santé holistique

La vitalité et l'appétit de vivre sont davantage présents chez les personnes en bonne santé. Le mot anglais *health* vient du mot anglo-saxon *hal* qui veut dire à la fois entier et sacré. Le terme *holistique*, qui, en anglais, s'écrit parfois *wholistic*, fut employé la première fois dans les années trente par Jan Christiaan Smuts, ex-premier ministre d'Afrique du Sud. Aujourd'hui, ce mot est de plus en plus populaire dans les domaines de la médecine et de la psychologie. Une approche saine de la vie met l'accent sur l'intégralité et la santé du corps, de l'esprit et de l'âme.

Les gens du monde entier sont de mieux en mieux informés au sujet de l'anatomie et des maladies. Les émissions de télévision sur la santé, les articles sur l'exercice et la nutrition et les guides de santé renferment tous des informations avidement recherchées et utilisées par les personnes qui se sentent de plus en plus responsables de leur santé physique.

La détente, une saine alimentation et un programme d'exercices sont essentiels à la santé du corps. Quand John F. Kennedy était président des États-Unis, il lança une campagne destinée à encourager les gens à améliorer leur forme physique grâce à l'exercice. Avant lui, on voyait peu de gens courir pour se mettre en forme, tandis que ce spectacle nous est familier aujourd'hui. À mesure que nous avons adopté de nouvelles valeurs et structuré notre temps de manière à faire davantage d'exercice, notre espérance de vie a augmenté, de même que notre satisfaction.

Faire de l'exercice exige que l'on sorte de la zone de confort de son fauteuil favori pour se remuer. Les exercices aérobiques apportent d'importants bénéfices tout en améliorant notre condition physique. En plongeant dans une activité physique éreintante, nous oublions nos tracas tout en permettant à notre esprit de vagabonder et de rêver au sens de la vie.

C'est chez les athlètes qui travaillent délibérément à améliorer leur santé et leur performance que la recherche du sens de la vie à travers les efforts physiques est la plus évidente. Les meilleurs acquièrent souvent une attitude gagnante en se visualisant en bonne santé et réussissant bien. L'ex-étoile et entraîneur de basket-ball Bill Russell, des Celtics de Boston, explique comment il recourait à cette technique en s'asseyant les yeux fermés et en suivant mentalement des parties. «Je me trouvais dans mon propre laboratoire de basket-ball où j'élaborais des schémas mentaux pour moi-même[7].» La championne de tennis Chris Evert emploie elle aussi cette technique de même que le golfeur Jack Nicklaus qui appelle cela «aller au cinéma[8]». La visualisation positive est un outil important pour améliorer sa santé physique et son rendement.

Le repos et la détente sont aussi importants que l'exercice pour bien des gens. Les vacances et les week-ends nous permettent de nous évader temporairement du stress et de la fatigue physiques et émotionnels, et comptent parmi les formes de soin personnel et de guérison les plus anciennes et les plus efficaces. Prendre du temps pour soi à la maison, débrancher le téléphone et mettre de côté les demandes des autres ou les exigences que l'on s'impose habituellement peut aussi nous sauver la vie et nous offrir une oasis où nous pouvons réfléchir au sens de celle-ci.

La psychothérapie et le counseling sont d'autres sources de santé physique et affective. Il existe de nombreuses théories et techniques susceptibles d'aider les gens à donner un sens à leur vie. Les disciplines modernes de la psychothérapie, qui reposent sur les principes très anciens de l'écoute empathique et la recherche de solutions, sont toutes fondées sur la confiance et la collaboration entre client et thérapeute. Dans une situation où nous nous sentons en confiance, nous pouvons clarifier nos problèmes, réduire notre stress et améliorer notre vie.

Dans l'analyse transactionnelle, par exemple, une personne apprend comment chaque partie de sa personnalité peut participer à sa quête du sens de la vie. L'Enfant, ancré dans le corps, se préoccupe en général de rester en vie, d'être à l'aise et de faire des expériences sensorielles. L'Adulte peut décider de chercher un sens à sa vie d'une autre manière, par exemple en étudiant la psychologie, la sociologie et la philosophie afin de comprendre ce qui pousse les humains à agir. Le Parent, s'il est orienté vers des buts positifs, donnera souvent un sens à sa vie en assumant des responsabilités altruistes, dans un rôle de conseiller, de guide ou de chef.

L'activité physique et la psychothérapie ne sont pas les seules voies vers la santé; l'amitié est aussi curative. Un ami proche ou un membre de la famille peut nous faire observer que nous présentons des symptômes de stress et nous proposer d'épancher notre cœur. Ou il peut nous conseiller de sortir et de nous amuser afin de briser la routine et l'ennui. Les bons amis et les membres de la famille qui nous aiment nous accompagnent contre vents et marées et donnent souvent une signification incroyable à notre vie.

Atteint d'une grave déficience rénale, Richard Leakey, anthropologue et directeur du Musée national du Kenya, prit l'avion pour Londres. La dialyse qu'il devrait subir trois fois par semaine était douloureuse et coûteuse, et elle l'empêcherait de reprendre ses activités normales. Une greffe du rein apparaissait comme la seule solution satisfaisante, mais il n'avait qu'une chance sur 20 000 de trouver un donneur dont le sang était compatible avec le sien. Le sang de son frère Philippe l'était, mais à la suite d'une grave mésentente, les deux frères ne s'étaient plus adressé la parole depuis des années. Richard hésitait à accepter ce cadeau, sachant qu'il diminuait les chances de survie de son frère si jamais il venait à souffrir de troubles rénaux. Or Philippe voulait lui donner son rein, et l'opération eut lieu. Sa propre survie et son confort personnel n'étaient pas prioritaires pour lui quand la vie de son frère était en jeu[9].

Les moments de solitude sont importants pour le bien-être et la santé de la plupart des gens. La méditation est un outil employé depuis la nuit des temps pour réduire l'agitation émotive et même contrôler les maladies comme l'hypertension artérielle ou les ulcères. Grâce à la méditation, on peut retrouver un sentiment d'orientation et donner un nouveau sens à sa vie. Il y a bien des façons de méditer mais toutes visent essentiellement à calmer l'esprit de sorte que l'on puisse entendre même le pépiement d'oiseau le plus faible. Ce pépiement peut apporter au soi un moment de plénitude.

Un déséquilibre

Souvent, le désir de vivre est gravement affaibli parce que l'on souffre d'un déséquilibre. Tel un tabouret à trois pattes dont l'une est trop courte, on se sent de travers parce qu'on est trop occupé, inquiet, cafardeux, isolé ou qu'on a perdu une relation amoureuse ou un rêve que l'on caressait depuis longtemps. On peut être déséquilibré quand on se surmène jusqu'à ce qu'un mal de tête carabiné, un mal de dos lancinant, un ulcère ou tout autre mal nous contraigne à cesser nos activités, du moins temporairement. Ou on peut s'efforcer de plaire à une personne exigeante jusqu'à ce qu'on se sente épuisé et se retire en signe de protestation. Alors seulement on se sent «justifié» de prendre du temps pour se «réparer» et retrouver sa stabilité.

Toutes sortes d'expériences peuvent nous déséquilibrer. Même un banal rhume peut gêner notre confort. Perdre un emploi par suite de compressions budgétaires ou d'une fusion, ou être licencié peut constituer une menace pour l'amour-propre et causer un choc si grave que l'on s'abîme dans la dépression ou la résignation. Très peu de gens ont la chance de posséder une réserve inépuisable d'énergie qui les aide à conserver leur équilibre.

Notre équilibre est perturbé chaque fois que les circonstances menacent notre survie, notre confort et notre espoir. Les exigences de la vie nous paraissent trop rudes et trouver une heure pour nous reposer ou prendre de l'exercice nous semble impossible. Malheureusement, beaucoup d'entre nous trouvent des excuses et ne prennent pas les moyens nécessaires pour conserver leur équilibre: «J'ai trop à faire pour prendre le temps de m'arrêter» ou «Aller à vélo est trop fatigant».

Dans des circonstances plus éprouvantes, face à une maladie grave comme le cancer, certaines personnes sombrent dans une profonde dépression et renoncent à vivre. D'autres surmontent le choc initial puis cherchent une aide médicale avec diligence. D'autres encore se tournent vers la prière pour trouver la force spirituelle qui les aidera à recouvrer la santé. Si ce n'est pas possible, elles cultivent une attitude qui les aidera à affronter leur maladie avec une grande force émotive et spirituelle.

Au lieu de cultiver leur santé émotive et spirituelle, certaines personnes recourent à une des nombreuses formes de déni qui existent pour affronter les pressions de la vie. Ou elles nient carrément l'existence du problème: «Tout le monde boit! Ce n'est pas un problème pour moi.» Ou elles nient son importance: «D'accord, je bois beaucoup, mais j'arrive toujours à travailler.»

Ou elles nient la possibilité de résoudre le problème: «Au déjeuner, je suis obligé de prendre un verre ou deux avec mes clients sinon je risque de les perdre.» Ou leur propre capacité de résoudre le problème: «Oui, je bois trop, mais c'est plus fort que moi. Je subis tellement de pressions.» Enfin, elles peuvent nier la capacité des autres de les aider: «Personne ne m'aime assez pour m'aider[10].»

Ceux qui minimisent leur hypertension artérielle, leurs troubles alimentaires, leur toxicomanie ou leurs problèmes psychosomatiques recourent au même processus de déni. Quand on emploie une forme ou l'autre de déni, on cède à des attitudes négatives au lieu de mobiliser les pouvoirs positifs de l'esprit humain.

Quand le désir de vivre est gravement déséquilibré pendant un laps de temps prolongé, les récriminations deviennent plus sérieuses: «La vie ne vaut pas la peine d'être vécue», «Je ne peux supporter cette douleur une journée de plus», «Je n'ai plus le courage de continuer». Certains peuvent même envisager le suicide parce qu'ils n'arrivent pas à résoudre leurs problèmes.

Espérer un miracle

Quand rien ne va plus, bien des gens se mettent à espérer des miracles. Cet espoir semble être une réaction naturelle de l'esprit humain aux problèmes écrasants ou en apparence insolubles. Croire aux miracles est une façon de surmonter son désespoir.

Certaines personnes ne croient pas aux miracles. Elles affirment que les prétendus miracles ne sont qu'un mélange de superstition, d'autosuggestion et d'excuses que les gens inventent pour se réconforter et guérir leurs symptômes hystériques et psychosomatiques. D'autres sceptiques croient que les miracles sont des événements naturels fortuits. On attribue souvent à Dame Chance le brusque déluge qui éteint un incendie, ou le tremblement de terre ou le raz-de-marée qui ne cause aucun dommage. On la rend responsable de tout événement espéré, mais imprévisible, qui se produit.

Le terme *miracle* s'emploie souvent d'une manière plus banale: «C'est un miracle que je sois arrivé à l'école à temps!» Il s'emploie aussi pour désigner des talents ou efforts exceptionnels:

«Son talent de chirurgien tient du miracle!» Traditionnellement, ce mot se rapporte à tout événement extraordinaire ou étonnant causé par l'intervention de Dieu ou des dieux: «J'étais persuadée que j'allais mourir jusqu'à ce que je prie et comprenne soudain que Dieu m'aiderait.» Dans le programme très efficace des Alcooliques Anonymes — programme appliqué dans le monde entier — et dans les autres programmes en douze étapes fondés sur celui-ci, une étape importante consiste à reconnaître que l'on a besoin de Dieu ou d'une puissance supérieure. La reconnaissance de ce besoin peut être une expérience mortifiante qui sert de tremplin pour donner un nouveau sens à sa vie et apparaît comme un miracle aux yeux de toutes les personnes concernées.

De nombreux groupes religieux croient aux miracles bien que les chefs religieux ne s'entendent pas sur cette notion. Mahomet disait que seul le Coran était miraculeux. Bouddha, que les seuls miracles étaient les révélations du soi profond. Et Confucius ne croyait pas aux miracles[11]. Ce qui n'a pas empêché les disciples de ces trois maîtres de leur attribuer à chacun des miracles.

La tradition judéo-chrétienne regorge d'histoires de personnes dotées de pouvoirs miraculeux. Dans la Bible, *miracle* signifie «œuvre de pouvoir». Bien que certains pensent que les miracles de la Bible soient des événements historiques qui se sont vraiment produits tels qu'ils sont relatés, d'autres les voient davantage comme des métaphores qui jettent de la lumière sur d'importantes préoccupations humaines.

Dans la tradition catholique romaine, on croit que les miracles sont le fruit de l'intervention directe de Dieu, qui travaille souvent par l'intermédiaire d'un saint, et qu'ils surviennent en réponse à la foi et aux prières. Pour qu'une guérison soit officiellement déclarée miraculeuse par l'Église, il faut prouver qu'elle a été soudaine, que la maladie était si grave que la santé du malade ne pouvait s'améliorer avec un traitement conventionnel et que les symptômes ne sont pas revenus pendant au moins un an après la guérison[12].

La croyance aux miracles est souvent fondée sur la foi, et la guérison par la foi est un phénomène largement reconnu. Les scientifiques s'intéressent depuis longtemps aux guérisons survenues à Notre-Dame-de-Lourdes. Le biologiste, sociologue et chirurgien Alexis Carrel, récipiendaire du prix Nobel, qui élabora une façon de suturer les vaisseaux sanguins au début du XXᵉ siècle, enquêta sur des guérisons dont il avait été témoin à Lourdes et découvrit que beaucoup étaient réelles.

Le docteur Bernard Grad, de l'Université McGill, conduisit des recherches similaires sur les effets de l'imposition des mains. Il s'agit là d'un ancien rituel de guérison encore largement pratiqué qui repose sur la croyance au transfert de l'énergie de guérison. Certains disent que cette énergie vient de Dieu; d'autres, qu'elle émane de la personne qui impose ses mains. En 1974, le docteur Grad avait conclu que la plupart d'entre nous ont le pouvoir de canaliser une forme de force vitale cosmique à des fins de guérison[13]. Dans le cadre de ses recherches, il découvrit que les personnes qui doutaient de ce processus pouvaient nuire au processus normal de guérison et que celles qui y croyaient et possédaient une profonde soif de vivre pouvaient souvent stimuler leur propre guérison. Depuis peu, l'imposition des mains, ou ce qu'on appelle maintenant le «toucher thérapeutique», s'enseigne dans certaines écoles d'infirmières car on a prouvé que le miracle d'une main aimante aide les patients à guérir[14].

Pensez que l'on crée ses propres miracles en cultivant une attitude positive est une autre façon de voir les miracles. Les études du docteur Carl Simonton sur le cancer montrent que les patients qui croient en la «suprématie de l'esprit sur la matière» et utilisent la visualisation ont plus de chances de guérir que ceux qui doutent de leur guérison[15]. De même, le docteur Bernie Siegel, chirurgien et professeur à l'Université Yale, s'est penché sur les guérisons exceptionnelles de patients atteints du cancer et il croit que la plupart de ceux qui souffrent de cette maladie ont éprouvé un désespoir existentiel pendant des mois et même des années. Ses recherches démontrent que les cancéreux ont plus de chances de guérir s'ils expriment leurs sentiments d'anxiété et d'hostilité. Quand on exprime ses sentiments négatifs et qu'on cherche à les comprendre au lieu de les refouler, on se remet souvent à espérer, ce qui confirme la croyance de Bernie Siegel que «dans l'incertitude, on ne perd rien à espérer[16]».

Le désir de vivre

L'énergie vitale

La quête du
sens de la vie

Se mettre en forme

Célébrer la vie

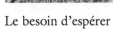

Le besoin d'espérer   Un confort quotidien

La personne chez qui on diagnostique un cancer du poumon ou de la gorge peut décider de cesser de fumer si elle a de l'espoir. Celle qui souffre d'hypertension artérielle peut, si elle espère, opérer d'importants changements dans sa vie afin de réduire son stress. La victime d'un infarctus peut, avec de l'espoir, décider de modifier ses habitudes alimentaires et de faire régulièrement de l'exercice. Les gens prennent ces mesures parce qu'ils veulent survivre et être bien portants et, au-delà de cela, mener une vie plus riche de sens. Ainsi, ils contribuent à créer leurs propres miracles et œuvres de pouvoir.

Nous avons tous entendu des histoires illustrant ce pouvoir, comme celle d'une mère de quarante-deux kilos qui trouve la force «miraculeuse» et surhumaine de soulever la voiture d'une tonne qui emprisonne son enfant. Elle ne prend pas le temps de recourir à l'autohypnose pour éviter la douleur comme pourrait le faire la personne qui va subir un traitement dentaire ou médical douloureux pas plus qu'elle n'utilise la visualisation comme si elle se préparait à exécuter une tâche difficile. Elle est simplement mue par l'espoir et par l'amour.

L'un des miracles médicaux que l'on espère aujourd'hui a trait à la découverte d'un vaccin et d'un remède contre le sida.

Nous avons de bonnes raisons d'espérer car d'autres maladies graves ont été vaincues. La découverte du vaccin, par exemple, permit de maîtriser bien des maladies. En 1796, Edward Jenner, un médecin de campagne britannique, fit énormément progresser le contrôle des maladies en découvrant un vaccin antivariolique. Quand une fille de ferme souffrant d'une infection vint le consulter, il la soupçonna d'avoir contracté la variole. Mais selon la jeune femme, c'était impossible puisqu'elle avait déjà eu la variole de la vache. Jenner décida de vérifier scientifiquement le mythe voulant que la variole de la vache constituât une protection contre la variole. Il injecta donc à des humains des bacilles provenant des lésions cutanées des vaches et découvrit qu'elles les protégeaient véritablement de la variole. Cette découverte fut baptisée *vaccin,* mot dérivé de *vacca* qui veut dire «vache».

Toutefois, il fallut attendre deux cents ans avant qu'il y ait suffisamment d'intérêt, d'informations et de vaccins pour vaincre la maladie à l'échelle mondiale. En 1967, on dénombrait encore entre dix et quinze millions de cas de variole, et deux millions de décès. Puis, l'Organisation mondiale de la santé fit campagne contre la maladie, et, en 1979, aucun cas de variole ne fut rapporté dans le monde entier. Le miracle de la capacité de la médecine de sauver des vies avait remporté la victoire.

Ceux qui s'intéressent au sida espèrent fortement que l'on fera une découverte semblable pour le traitement de cette maladie et que le remède sera peu coûteux et accessible à l'échelle mondiale.

Bien que l'appétit de vivre et le désir de mener une vie significative soient universels, la possibilité de la mort soulève des questions sur ce qui se passe après la vie. Y a-t-il une vie après la mort et si c'est le cas, à quoi ressemble-t-elle?

Corps et âme

Presque tout le monde souhaite vivre longtemps et, comme nos années sont comptées, il n'est pas étonnant que la notion d'une vie après la mort soit attirante. Voici comment l'exprimait Bismarck, le grand chancelier allemand: «Sans l'espoir d'une vie après la mort, cela ne vaut même pas la peine de faire l'effort de s'habiller le matin[17].» Pourtant, même si bien des gens croient que tout ne finit pas avec la mort, nulle preuve scientifique ne corrobore l'une ou l'autre hypothèse.

La croyance en une vie après la mort est fondée sur la croyance à l'âme car c'est elle qui continuerait à vivre. Les théologiens ont tendance à employer les termes «âme» et «esprit» indifféremment et ils les définissent comme la partie de nous qui est divine et ne meurt pas mais qui subsiste après la mort du corps.

Les philosophes ne s'entendent pas sur la nature de l'âme. Platon soutenait que rien ne pouvait détruire l'âme, qu'elle constituait la «partie la plus divine» de notre être et que bien qu'elle résidât dans le corps, elle en était indépendante. Aristote, son disciple, affirmait que le corps et l'âme ne faisaient qu'un et que, par conséquent, quand le corps mourait, l'âme mourait aussi. Seule la «raison» était éternelle.

Depuis ce temps, le débat s'est poursuivi sur un mode similaire à travers les époques. Avicenne, célèbre médecin et philosophe islamique ayant vécu au XIᵉ siècle, croyait comme Platon que l'âme était immortelle. Averroès, son contemporain, qui intégra la pensée grecque à la pensée islamique, était d'accord avec Aristote pour dire que seule la raison était éternelle.

Les anciens Égyptiens et Chinois croyaient en une âme double. Pour les premiers, l'âme *ka* survivait à la mort mais demeurait près du corps et c'est pour cette raison qu'il fallait préserver le corps en l'embaumant. L'âme *ba*, pour sa part, s'envolait au pays des morts. Les Chinois croyaient en l'existence d'une âme sensorielle qui vivait dans le corps et disparaissait à la mort et d'une âme plus rationnelle, appelée *hun*, qui ne mourait pas et était vénérée par les descendants du défunt.

Avons-nous une âme et si oui, où est-elle durant notre vie? Les anciens Égyptiens croyaient que l'âme résidait dans le cœur ou les intestins. Les Sumériens et les Assyriens prétendaient qu'elle vivait dans le foie. Platon affirmait qu'elle se trouvait dans la tête, mais Aristote était convaincu qu'elle logeait dans le cœur parce que cet organe pompe le sang qui nous garde en vie.

Une importante percée se produisit quand Léonard de Vinci disséqua le cerveau et, faute d'y trouver l'âme, proposa une nouvelle approche à la controverse. S'inspirant des travaux de ce dernier, René Descartes déclara, cent cinquante ans plus tard, que le corps n'était qu'une machine et que le cerveau était tout à fait distinct du domaine mystique de l'âme. Cette théorie se répandit sous le nom de dualisme, doctrine selon laquelle le corps et l'âme sont distincts. Ce qui fit ressurgir la question: où se trouve l'âme si elle est séparée du corps? Descartes affirmait que même s'ils étaient distincts, l'âme et le corps étaient en interaction constante, la première logeant dans la glande pinéale.

Il est intéressant de savoir que juste sous la glande pinéale se trouve une partie du tronc cérébral qui engendre la vigilance nécessaire à la conscience. Comme le corps produit des mouvements réflexes même après la mort du cerveau, on assista, au début du XIXe siècle, à un vaste débat sur l'existence d'une «âme de la moelle épinière».

On s'est demandé également si l'âme pouvait quitter le corps et errer temporairement à l'extérieur. À l'appui de cette hypothèse, de nombreuses personnes déclarées cliniquement mortes et revenues à la vie ont rapporté avoir vécu des «expériences hors du corps». Ces personnes affirment être sorties de leur corps et s'être observées d'une manière objective en quelque sorte. Des enfants sévèrement battus ou des adultes torturés auraient vécu des expériences similaires.

Des recherches visant à déterminer si l'âme ou l'esprit humain existe et, le cas échéant, quitte le corps, sont menées sur bien des fronts, y compris ceux de la médecine et de la physique quantique. Raymond Moody, médecin travaillant dans un hôpital de soins pour maladies graves, a interrogé des centaines de personnes mortes puis ressuscitées. Leurs histoires présentent une remarquable similarité: elles se voient flotter au-dessus de leur corps et se regardent avec étonnement[18]. Les recherches de la psychiatre Elisabeth Kübler-Ross démontrent que souvent les enfants mourants savent qu'ils vont mourir et se voient «monter vers la lumière[19]».

L'étude de la mort et du mourir s'appelle la thanatologie, du grec *thanatos*, qui signifie mort. Ce domaine prend une importance croissante à mesure que s'accroît le nombre de décisions à prendre concernant les greffes d'organe, les systèmes d'assistance cardiorespiratoire, l'euthanasie et les suicides commis avec une assistance médicale. On est même en train de réexaminer les définitions de la vie et de la mort.

Les diverses croyances concernant le corps et l'âme ont engendré différentes doctrines sur la vie après la mort. Il existe aujourd'hui quatre croyances courantes sur le corps, l'âme et la vie après la mort. L'une des plus anciennes est la réincarnation, que l'on retrouve chez les hindous et bien des bouddhistes. Ceux-ci croient que l'âme survit à la mort et descend dans un autre corps jusqu'à ce que son «karma» soit résolu. Le karma est la somme des mauvaises actions qu'une personne a commises durant sa vie et qu'elle doit corriger dans ses vies subséquentes afin d'atteindre le nirvana, soit l'état d'extase que connaît celui qui n'a plus besoin de mourir et de renaître. Les adeptes de la réincarnation croient qu'il y a des leçons à tirer de la résolution de nos problèmes dans cette vie-ci et qu'il vaut mieux apprendre cette leçon maintenant que de retrouver ses problèmes dans une autre vie. En vertu de cette croyance, le désir de vivre s'oriente vers la résolution des problèmes interpersonnels et vers une vie qui a un sens parce qu'elle est éthique.

Par contraste, les chrétiens et les musulmans croient en l'immortalité de l'âme. Ils prétendent qu'à la mort, les gens iront soit avec Dieu (Allah) qui peut être aimant et miséricordieux ou critique et irascible, soit au purgatoire ou en enfer, où ils seront privés de Dieu. Les adeptes de cette croyance s'efforcent souvent de vivre conformément à ce qu'ils croient être la volonté de Dieu et acceptent la mort comme une étape vers la rédemption qu'ils souhaitent.

Les existentialistes se soucient de mener une vie responsable ici-bas sans se préoccuper outre mesure d'une après-vie. De même, selon le judaïsme classique la vie a un sens pour autant qu'on respecte certains principes moraux et exercices religieux. Des personnes areligieuses s'entendent sur le fait que les êtres humains possèdent la capacité unique de déterminer leur vie par le biais de leurs décisions et de leurs actions morales et aimantes. Peut-être vivent-elles conformément au credo d'Étienne de Grellet: «Je passerai dans ce monde seulement une fois. Par conséquent, si je peux manifester de la bonté ou faire une bonne action, dites-le-moi [...] car je ne repasserai jamais par ici[20].»

Les nombreuses personnes qui demeurent dans l'indécision parce qu'il n'existe aucune preuve scientifique de ce qui se produit après la mort adhèrent à une quatrième optique, que l'on appelle souvent le «point de vue scientifique». En suspendant leur jugement, elles arrivent à vivre avec l'inconnu et manifestent également un grand appétit de vivre.

On ne peut pas prouver scientifiquement que l'âme ou l'esprit quitte le corps pendant la vie ou après la mort, mais les témoignages de plus en plus nombreux nous laissent espérer des réponses à ces questions et à d'autres questions concernant l'immortalité et le sens de la vie.

Célébrer la vie

Dag Hammarskjöld fut un grand leader des Nations Unies qui régla de nombreux incidents internationaux avec diplomatie et trouva souvent des solutions pacifiques à des conflits épineux. Toutefois, sa recherche d'un sens à sa vie et d'une raison d'être fut plutôt ardue. Pendant de nombreuses années, il désespéra, se blâma et envisagea même le suicide. Les multiples tâches politiques et financières qu'il remplissait pour sa Suède natale firent peu pour alléger son désespoir.

De façon inattendue, il fut élu secrétaire général des Nations Unies en 1953. Cette nomination constitua un point tournant pour lui. Toute sa vie, il avait recherché un idéal pour lequel il serait prêt à vivre et à mourir aussi; or la paix mondiale représentait cet idéal. Il écrivit dans son journal: «Dieu a une mission pour nous même si ce qu'il demande ne nous convient pas sur le coup[21].»

Dag Hammarskjöld découvrit enfin le sens de sa vie en travaillant pour les Nations Unies. Il mérita le prix Nobel de la paix en 1961 et peu avant de périr dans un écrasement d'avion cette année-là, il écrivit l'une de ses nombreuses prières:

Pour tout ce qui a été et est, merci!
À tout ce qui sera, oui! [22]

En révisant nos propres vies dans une perspective semblable, nous pouvons aussi peut-être dire merci pour ce qui a été, ce qui est et ce qui pourrait être. Car c'est depuis les profondeurs de notre esprit que nous sommes appelé à être à la fois entier et saint. Quand nous cherchons un sens à notre vie et une raison d'être, nous sommes engagé dans une quête spirituelle. Tels les astronautes qui ont marché sur la Lune, nous pouvons aussi faire un pas de géant pour l'humanité en vivant dans l'espoir et en célébrant la vie.

❦ Libérer notre désir de vivre

Les exercices ci-dessous vous aideront à libérer votre désir de vivre.

❦ *Méditation sur la vie.* Trouvez un endroit calme où vous ne serez pas dérangé pendant un moment. Réfléchissez au sens que pourraient prendre les citations suivantes à vos yeux.

Qu'est-ce que la vie? C'est l'éclat d'une luciole dans la nuit. C'est le souffle d'un buffle en hiver. C'est la petite ombre qui court sur l'herbe et se perd dans le coucher du soleil.

CHEF CROWFOOT[23]

*Je ne peux pas faire en sorte que l'univers m'obéisse. Je
ne peux pas obliger d'autres personnes à se plier à mes
caprices et à mes fantaisies. Je ne peux même pas faire
obéir mon propre corps.*

THOMAS MERTON[24]

*Le désir de confort, cette chose furtive qui pénètre dans
la maison comme une invitée, puis en devient l'hôte, et
puis le maître.*

KHALIL GIBRAN[25]

*Bien des gens utilisent leur corps comme s'ils l'avaient
loué chez Hertz, comme un objet dont ils se servent
pour leurs déplacements mais qu'ils ne se soucient pas
vraiment de comprendre.*

CHUNGLIANG AL HUANG[26]

*Quand je me tiendrai devant toi à la fin du jour, tu
verras mes cicatrices et sauras que j'ai été blessé, mais
aussi que j'ai été guéri.*

RABINDRANATH TAGORE[27]

*Vivez comme si c'était la seconde fois et que vous aviez
raté votre coup la première fois.*

VIKTOR FRANKL[28]

❦ *Fluctuations du désir de vivre.* Votre appétit de vivre a sans
doute été plus fort à certaines périodes de votre vie qu'à d'autres.
Rappelez-vous certains moments de votre enfance, de votre adolescence et de votre vie de jeune adulte et d'autres plus récents où
votre envie de vivre a été forte ou faible.

Moments où j'ai éprouvé une forte envie de vivre

Enfant

Adolescent

Jeune adulte

Récemment

Moments où j'ai éprouvé une faible envie de vivre

Enfant

Adolescent

Jeune adulte

Récemment

❦ *Les hauts et les bas de l'espoir.* Dans le passé, comment avez-vous agi quand vous aviez beaucoup d'espoir? Peu d'espoir?

Aujourd'hui, comment agissez-vous quand vous avez beaucoup d'espoir? Peu d'espoir?

Y a-t-il un lien entre votre désir de vivre et votre espoir?

❦ *Nier son pouvoir.* Dans cet exercice, réfléchissez aux quatre façons dont vous pouvez nier la réalité d'un trouble ou d'une condition physique qui sape votre énergie. Puis, complétez les phrases ci-dessous.

Le problème irrésolu:

Je nie ce problème ou cette condition difficile en:

Je nie l'importance de mon problème ou de ma condition en:

Je nie la possibilité de résoudre ce problème ou de modifier cette condition en:

Je nie ma capacité de résoudre mon problème ou d'améliorer ma condition en:

Je nie la capacité de quiconque de m'aider en:

Imaginez maintenant que vous avez résolu votre problème ou amélioré votre condition. En quoi votre vie serait-elle différente?

❦ *Votre programme de soins personnels.* Examinez votre condition physique et la façon dont vous prenez soin de votre corps en ce qui a trait à l'alimentation, à l'exercice, à la détente, au sommeil, à l'alcool et ainsi de suite. Voulez-vous faire un premier pas afin de modifier votre condition? Qu'êtes-vous prêt à faire? Consignez votre programme par écrit.

❦ *Votre quête de miracles.* Comment définissez-vous le mot miracle? Avez-vous déjà espéré un miracle? Par exemple, pensez à un moment de votre vie où vous ou un être cher étiez très malade et vous êtes rétabli. Y avez-vous vu une sorte de miracle? Le cas échéant, à quoi ou à qui en avez-vous attribué le mérite?

CHAPITRE 5

Le désir d'être libre

Le prix de la liberté est la responsabilité, mais c'est avantageux car la liberté n'a pas de prix.

HUGH DOWNS[1]

Le flambeau de la liberté

Être libre est l'une des plus extraordinaires sensations qui soit. Quand on se sent libre, le ciel nous paraît plus bleu, les arbres plus verts et l'air plus frais. On a plus d'énergie et d'enthousiasme. Les autres sont plus intéressants et on est plus disposé à nouer des liens avec eux. La vie est plus stimulante et on a le goût du risque. Dans des moments comme ceux-là, il se peut que nous cherchions plus activement des buts significatifs ou soyons plus conscient de nos liens cosmiques.

Pourtant la plupart d'entre nous vivent de nombreuses situations où ils ne se sentent pas libres. Le piège est soit externe et prend la forme de situations oppressantes ou déprimantes, soit interne et est constitué de l'ensemble de nos anxiétés, de nos peurs et de notre confusion.

Quand on se sent pris, il est normal que l'on se demande comment on en est arrivé là et comment se libérer. On peut chercher comment se sortir du pétrin ou comment s'affranchir véritablement pour devenir la personne que l'on veut être.

Le symbole de la liberté le plus célèbre est sans doute la statue de la Liberté qui tient le flambeau de la liberté à l'entrée du port de New York. La statue est connue dans le monde entier et surtout des millions d'immigrants qui sont passés par Ellis Island pour entrer aux États-Unis et y trouver la liberté. Lors du dévoilement de la statue en 1886, on pouvait lire l'inscription ci-dessous composée pour la circonstance par Emma Lazarus:

> *Que viennent à moi toutes ces foules de pauvres gens fatigués qui, au milieu de tant de confusion, cherchent à respirer librement. Qu'ils viennent pour que je les éclaire!*

Cette aspiration à devenir libre est une expression de l'âme; la statue de la Liberté nous rappelle ce désir universel.

Charlie De Leo, qui s'occupe de la torche de Dame Liberté depuis de nombreuses années, affirme qu'elle représente autant l'esprit sacré que l'esprit de la liberté. Pendant ses rondes quotidiennes qui l'obligent à grimper très haut sur la statue pour nettoyer le flambeau, il s'agenouille et prie pour que soit préservée la liberté[2].

Le désir d'être libre

À un niveau instinctif et intellectuel, nous savons que la liberté est un droit fondamental et qu'il est naturel pour l'esprit humain de la rechercher. Le désir universel de liberté naît dans le soi profond de chacun et nous donne l'énergie nécessaire pour nous évader des prisons réelles ou imaginaires du corps, de l'esprit ou de l'âme. Au niveau individuel, nous voulons être libre de penser et de faire ce que nous voulons, du moins dans les limites de la raison. Au niveau collectif, nous voulons être libre de nous associer avec qui nous voulons et d'exprimer ce que nous pensons.

Être libre, c'est avoir la possibilité de choisir. Le psychologue Rollo May exprime ceci de façon éloquente quand il dit que la liberté est la «capacité de s'arrêter entre le stimulus et la réaction et, pendant cette pause, de choisir la réaction vers laquelle nous voulons jeter tout notre poids[3]». Chacune de nos actions reflète le choix d'une possibilité plutôt que d'une autre.

Certains de ces choix peuvent être relativement peu importants: par exemple, choisir d'aller au cinéma au lieu de regarder la télévision, préférer un mets à un autre ou porter un style de vêtements plutôt qu'un autre. Ces types de choix ont très peu à voir avec la survie ou les buts ultimes de la vie. Ils se rapportent davantage au confort ou reflètent une préférence.

Les choix que nous opérons quand notre liberté est en jeu sont beaucoup plus importants. Nous pouvons choisir comment employer notre temps, notre énergie et nos ressources, et ces choix influencent inévitablement les autres. Par conséquent, ce que nous faisons de notre liberté est crucial.

Nous voulons tous plusieurs types de liberté dont l'une des plus importantes est la *liberté physique,* soit la capacité d'aller et de venir à notre gré, d'agir et de ne pas agir. Personne n'aime être attaché ou enfermé dans une cellule ou une pièce, sur un lit d'hôpital ou dans un fauteuil roulant. On désire s'évader des prisons de pierre et d'acier ou de la prison de son corps quand on est prisonnier de l'âge, de la douleur ou de la maladie. On lutte aussi pour sa liberté physique quand on est victime d'une catastrophe naturelle. Dans un incendie, on lutte pour trouver de l'air. Si l'on est victime d'une avalanche, on cherche à se dégager de la neige. Lors d'un tremblement de terre, on lutte pour sortir des débris. On est naturellement porté à se libérer des situations périlleuses.

Outre la liberté physique, nous désirons la *liberté émotionnelle,* soit le fait de ne pas être encombré par des sentiments négatifs de confusion, de piètre estime de soi ou de méfiance. Les personnes qui souhaitent vraiment s'affranchir sur le plan émotif déploient beaucoup d'efforts pour tenter de se comprendre et de comprendre les autres. Elles lisent des livres et écoutent des cassettes exigeant un effort personnel, et suivent des cours ou des ateliers axés sur la compréhension de la personnalité et le changement. Elles peuvent aussi s'inscrire en psychothérapie pour progresser plus rapidement.

Lorsqu'on arrive à réduire la peur et l'anxiété dans sa vie, on accroît sa *liberté intellectuelle.* On réfléchit alors avec plus de clarté et on résout bien des problèmes qui semblent insurmontables quand on est prisonnier de ses émotions. Comme on pense d'une manière plus autonome et moins servile, on préfère un type de travail permettant cette indépendance de la pensée. Les éducateurs et les parents qui croient à la liberté intellectuelle se sentent souvent appelés à enseigner aux autres comment atteindre cette liberté.

Le désir de liberté englobe également la *liberté religieuse.* Certaines doctrines religieuses exigent une obéissance totale à des dogmes et à des rituels particuliers; les cultes sataniques sont les plus évidents et les plus répugnants. Dans le monde entier, il existe des groupes religieux qui se sentent le droit de persécuter ou d'anéantir ceux qui adhèrent à des croyances différentes. Les membres de ces groupes ne sont pas libres car ils sont enchaînés à leur façon de penser qu'ils croient supérieure à toutes les autres. Les groupes arrogants qui pratiquent la discrimination sont de moins en moins populaires auprès des personnes, de plus en plus nombreuses, qui étudient leur propre religion en profondeur ainsi que les autres traditions religieuses susceptibles d'éclairer leur propre foi.

En outre, bien des groupes religieux se rassemblent librement au lieu de se repousser. Ainsi, les chefs spirituels du monde entier et de toutes les grandes traditions religieuses se réunissent une fois l'an à l'occasion de la Journée mondiale de la prière pour la paix. Ils respectent leurs différences tout en s'unissant dans un engagement commun.

Bien des gens ne souscrivent à aucune religion organisée mais souhaitent la *liberté spirituelle*. Ils aspirent à comprendre le sens de la vie, à vivre d'une manière éthique, à reconnaître les vérités universelles, à trouver la sagesse, à se sentir en harmonie avec l'univers et parfois à être proches de Dieu. Ils trouvent souvent une signification spirituelle dans la nature, l'art ou les liens interpersonnels.

La liberté prend bien des visages. Quand on accepte le libre choix des autres comme des expressions valables de l'esprit humain engagé dans diverses voies d'amour, on accroît alors sa propre liberté et on soutient le désir de tous les humains de décider pour eux-mêmes.

La recherche de l'autodétermination

Quand le désir de liberté se fait violemment sentir, il conduit à la recherche de l'autodétermination. Tous les gens y aspirent sauf s'ils sont victimes de brutalités et d'une négligence si déshumanisantes qu'ils se sont transformés en robots obéissants ou en animaux captifs et drogués. Nous tentons tous de fuir les situations qui nous limitent: les vêtements trop étroits, les pièces trop exiguës, les écoles, cultures, relations et emplois trop restrictifs.

«Je veux ma liberté!» est un cri personnel qui peut se changer en exigence collective: «Nous voulons être libres!»

Une fois libéré d'une chose ou d'une personne, il faut franchir l'obstacle qui consiste à déterminer ce que l'on fera de sa liberté. «Être ou ne pas être n'est pas la question vitale, dit le théologien Abraham Heschel, mais bien comment être et comment ne pas être[4].»

Nous voulons être libre parce que nous voulons prendre notre vie en main et décider pour nous-même. *L'autodétermination, c'est la liberté de choisir sa propre destinée ou ligne de conduite sans y être forcé par d'autres.* C'est agir à partir de décisions prises librement et parfois courageusement plutôt que de se soumettre aux caprices ou aux exigences des autres. C'est aussi agir délibérément et non pas d'une manière irréfléchie, par habitude ou parce qu'on est conditionné ou prédisposé à agir ainsi.

Quand l'autodétermination devient un but que l'on poursuit avec passion, on se donne beaucoup de mal pour l'atteindre. À l'âge de sept ans, Sathaya Tor, un Cambodgien, fut enlevé par les Khmers rouges et enfermé dans un camp de travail pour enfants faisant partie des fameux champs de la mort du Cambodge. Il dut travailler douze heures par jour avec pour toute nourriture deux cuillerées de riz. Son désir de vivre et d'être libre était si fort qu'il survécut à cette épreuve: «Je savais, quand j'étais vraiment affamé, que personne ne prendrait soin de moi. Il fallait que je le fasse moi-même[5].» C'était là une tâche incroyable pour un enfant de sept ans.

À quatorze ans, il fut enfin libéré. Sa détermination le poussa alors à émigrer aux États-Unis et plus tard, à entreprendre des études à l'Université Stanford où il continua d'élargir ses choix et d'approfondir sa vision d'une vie meilleure.

La quête d'autodétermination est souvent motivée par la vision d'une vie meilleure. Quand on opère un changement — que l'on déménage dans un autre coin du pays, que l'on change de pays ou d'emploi — c'est parce qu'on envisage une vie meilleure sur la «terre promise» de ce nouvel environnement. Il en est ainsi pour beaucoup d'entre nous; nous imaginons que la vie sera plus belle dès que nous nous serons affranchi d'une situation ou d'une personne.

Malgré notre profond désir de décider pour nous-même, il nous est parfois difficile de prendre les décisions nécessaires pour réaliser notre vision. La liberté peut nous sembler inaccessible de sorte que nous atermoyons indéfiniment ou laissons les autres décider à notre place. Nous pouvons chercher à plaire, solliciter l'approbation des autres et craindre de commettre des erreurs. Quand notre unique priorité est de rendre les autres heureux, nous abdiquons notre liberté.

Il n'est pas rare que l'on refuse de décider pour soi-même parce qu'on a été puni ou critiqué pour avoir pris de mauvaises décisions. On craint d'encourir un nouveau blâme et ne rien faire nous paraît moins risqué que de nous exposer à de nouvelles punitions.

Cependant, nous manifestons tous un esprit de décision dans certains domaines de notre vie sinon dans d'autres. Nous nous sentons libre de poursuivre certains buts tout en en évitant d'autres. Il se peut que nous fassions preuve de fermeté au travail même si nous sommes faible avec nos amis ou hésitons à nous engager dans une relation amoureuse. Dans ce genre de situation, notre indécision peut être attribuable à la peur de commettre une erreur ou de perdre quelque chose de mieux. En nous engageant dans une relation durable, nous craignons peut-être de renoncer à notre liberté d'avoir des relations amoureuses avec beaucoup d'autres personnes. Quand on s'engage dans une cause sociale, on peut être appelé à renoncer à son confort et à sa sécurité.

Étant libre, nous prenons des décisions avisées mais aussi des décisions insensées. Soit nous cultivons la passion d'être libre et de décider pour nous-même, soit nous nous carrons dans un confort passif ou nous cachons par peur. Devenir libre n'est pas facile, et nous souhaiterions peut-être avoir davantage le courage de nous affranchir et de rester libre.

Le besoin de courage

Quand on aspire à la liberté et à l'autodétermination, il faut avoir le courage de prendre des décisions et d'agir en conséquence. Le mot *courage, soit la volonté d'agir d'une manière positive en dépit de la peur,* possède la même racine que le mot *cœur*. Le courage vient du cœur, du noyau du soi spirituel, qui peut insuffler énergie et courage aux soi psychologique et physique à peu près de la même façon que le cœur pompe le sang dans tout notre corps.

Plus notre désir de liberté est vif, plus nous voulons décider pour nous-même. Or plus ce désir d'autodétermination est intense, plus nous avons besoin de courage. Ce processus peut être représenté ainsi:

Aspiration de l'esprit humain	But de la quête	Qualité requise
Liberté	Autodétermination	Courage

La plupart d'entre nous voudraient plus de courage parce qu'ils doutent d'en avoir assez. Toutefois, quand on est passionnément engagé dans la recherche de la liberté, on peut décider d'*agir* courageusement même si on ne *ressent* pas ce courage.

Être courageux, c'est comme avancer à petits pas dans l'inconnu avec l'espoir que tout ira bien. En 1969, le monde entier était rivé au petit écran alors que Neil Armstrong posait le pied sur la Lune. C'était un pas courageux. On nourrissait de grands espoirs, mais tant qu'il n'avait pas été fait, nul n'était certain que ce pas fût possible.

Le courage se reconnaît facilement chez la personne qui effectue un sauvetage périlleux ou commet une action valeureuse dont le succès est improbable. On retrouve aussi cette qualité chez la personne qui lutte pour vivre avec intégrité malgré une maladie incurable. Il faut du courage pour se poser en faveur de la vie malgré les souffrances qu'elle apporte, malgré son caractère limité et ses ambiguïtés. Du courage aussi pour supporter le supplice de la chimiothérapie ou les maux propres au vieillissement.

Le courage peut revêtir d'autres formes. La personne qui conserve sa bonne humeur en dépit des conséquences pénibles d'un accident ou d'une erreur manifeste du courage. Sont courageux les actes de la personne qui demeure fière et digne malgré sa pauvreté. Courageux aussi le parent qui prend soin d'un enfant souffrant de graves problèmes et l'étranger qui nourrit les affamés. Reprendre ses études après des années exige également du courage, de même qu'émigrer dans un autre pays ou prendre position en faveur d'une cause impopulaire. Le courage se manifeste sous bien des formes.

C'est quand il s'exprime physiquement qu'il est le plus évident. Les soldats qui bravent la mort pour protéger leurs camara-

des font preuve de courage physique. De même que les prisonniers politiques qui supportent les tortures pour défendre leurs
croyances ou leurs compagnons.

Darwin Carlisle était une enfant courageuse qui refusait de
mourir. À l'âge de neuf ans, elle fut abandonnée par sa mère dans
un grenier non chauffé où elle demeura plusieurs jours. Quand on
la trouva, elle souffrait d'engelures si graves qu'on dut lui amputer
les deux jambes.

On lui fabriqua des jambes artificielles et la fillette retrouva
un peu de liberté en apprenant à marcher. Fait étonnant, elle apprit également à faire du patin à roulettes et à aller à vélo en moins
de deux mois! Cela se produisit après que son *arrière*-grand-mère,
qui avait obtenu la garde de Darwin, l'eut encouragée à rechercher la liberté physique en dépit de son handicap[6].

Il existe des manifestations moins dramatiques du courage,
par exemple, quand quelqu'un accepte de parler en public malgré
sa peur ou qu'une personne déprimée décide de se lever chaque
matin et d'affronter la journée malgré sa détresse. Il faut du courage
aussi pour faire face aux critiques sans se tenir sur la défensive ni se
sentir écrasé. En outre, le fait de changer d'emploi, de déménager
dans un autre lieu ou de réviser son mode de vie exige du courage
psychologique.

Betty Ford était la femme du président des États-Unis quand
elle sortit de l'ombre pour parler aux citoyens américains de sa
mastectomie et encourager les femmes à afficher une attitude plus
positive à l'égard d'elles-mêmes lorsqu'elles subissaient ce type de
chirurgie. Plus tard, elle avoua sa dépendance envers l'alcool et les
médicaments et expliqua comment elle s'en était libérée[7]. Son geste
encouragea d'autres personnes à l'imiter. Puis, elle fonda un centre
de désintoxication. En suivant son puissant désir d'être libre et de
mener une vie saine sans s'abriter derrière le déni ou le silence,
Betty Ford aida d'autres personnes à se libérer.

Il arrive que la foi religieuse stimule le courage. C'est ce type
de foi que nourrit Lech Walesa durant toutes les années où il lutta
pour la liberté en Pologne. En tant que membre fondateur du
mouvement Solidarité en 1980, Walesa se croyait investi d'une
mission divine qui consistait à aider son peuple à transcender les
restrictions imposées par un gouvernement impopulaire, à lui donner la chance de travailler sous le drapeau de la liberté et à rétablir

la justice sociale. Pour avoir aidé des travailleurs à protester contre des conditions injustes, il fut emprisonné pendant un an puis gardé sous surveillance policière pendant plusieurs années. Durant cette période éprouvante, ce qui le soutint fut la découverte qu'«une foi religieuse profonde dissout la peur»; «tout ce que je fais, dit-il, je le fais parce que j'ai la foi[8]».

Prendre position et afficher publiquement ce en quoi l'on croit exige souvent un courage physique, psychologique et spirituel. Il faut du courage pour faire ce qu'il faut, en son propre nom ou pour le bien des autres. Comme l'explique le philosophe Martin Buber: «Une vie vécue dans la liberté est une responsabilité personnelle ou une farce pathétique[9].»

Le défi de la liberté

Une vie libre nous place souvent devant des réalités difficiles. La liberté est parfois effrayante. On peut être libre de changer d'emploi tout en demeurant esclave du sien par peur de faire un mauvais choix. On peut être libre de lancer un projet tout en hésitant et en temporisant par crainte d'un échec. On peut être libre de protester contre une injustice sociale tout en demeurant silencieux par crainte de subir des représailles.

La liberté peut être déroutante aussi. Il est naturel de chercher à plaire aux autres ou à forcer leur respect ou leur admiration, mais certains vont trop loin et centrent toute leur vie sur l'approbation des autres. Tels des caméléons, ils disent et font ce qu'ils pensent que les autres veulent entendre ou attendent d'eux. Quand vient le temps d'exprimer leurs propres désirs, ils sont confus et ne savent plus ce qu'ils veulent. «Je ne sais que faire. Je suis tellement habitué de servir les autres que je n'ai pas la moindre idée de ce que moi, je veux.» Pour les personnes complaisantes, la liberté personnelle peut sembler débilitante.

La liberté peut aussi être écrasante. Les enfants à qui on accorde trop de liberté, par exemple, deviennent craintifs parce que personne ne s'intéresse suffisamment à eux pour les diriger. Souvent, ils se replient sur eux-mêmes ou établissent des relations très indépendantes. Certains se sentent poussés à suivre les autres et à faire comme eux tandis que d'autres se marient tôt pour éviter d'affronter leur peur de la liberté. D'autres enfants trop libres font des bêtises pour obliger leurs parents et leurs professeurs à leur accorder plus d'attention et à exercer un certain contrôle. Les enfants qui jouissent de cette forme de liberté ont l'impression d'être lancés dans la vie sans savoir quel est leur but ni comment l'atteindre. Il en est de même pour les adultes qui subissent un divorce, perdent leur emploi ou prennent leur retraite et découvrent qu'ils ont trop de temps libre. Ils se sentent déplacés et désorientés, ignorent quoi faire ou peuvent même se sentir vaincus et sombrer dans une grave dépression.

Comme ses propres enjeux peuvent être mal accueillis pour bien des raisons, souvent, on préfère éviter la liberté. Au lieu d'opérer des choix courageux, autonomes et sains, on se limite en réagissant en opprimé et on prend l'habitude de se conformer, de contrôler, de se révolter, de se replier sur soi-même ou de demeurer indifférent.

Obéir aux attentes des autres même quand on n'est pas d'accord, c'est s'ôter sa propre liberté. Les personnes qui font cela continuellement briment leur identité personnelle. Elles négligent leurs préférences, se privent de leur liberté et renoncent à décider pour elles-mêmes.

Certaines personnes contrôlent les autres pour les empêcher d'agir de façon indépendante. Elles veulent dominer tout leur environnement et, comme des enfants qui manipulent pour arriver à leurs fins, elles exercent des pressions sur leurs relations afin de mieux contrôler la liberté des autres.

La révolte est une autre façon de limiter sa liberté. En luttant pour une chose, on en repousse une autre. Ainsi, la personne qui combat l'hypocrisie peut devenir résolument indépendante, entêtée même, et très critique envers les autres. Ou demeurant sourde aux conseils d'autrui, elle finit par s'isoler.

La personne maltraitée ou négligée pendant une longue période finit par développer de l'indifférence à l'égard des autres. Les personnes indifférentes sont incapables de faire confiance aux autres de sorte que les relations perdent toute importance à leurs yeux. Elles ne se soucient pas de la liberté des autres. Elles s'en moquent tout simplement.

La dépression est une réaction tragique au défi de la liberté. Les personnes déprimées s'isolent, réduisent leurs chances d'apprécier les autres, ne tiennent pas compte de leurs aspirations profondes et n'espèrent plus qu'on les aime assez pour venir à leur secours. Leur passion de vivre est éteinte et leur quête spirituelle, interrompue.

Le cri de la liberté sert souvent à justifier un comportement licencieux. La liberté n'est pas la permission de faire n'importe quoi. C'est la permission de poser certains gestes responsables. Un permis de conduire donne la permission de conduire, non celle de conduire imprudemment. Un parent peut permettre à son fils de sortir pour la soirée, mais cela ne lui donne pas le droit de ne rentrer qu'au petit matin. Nous jouissons tous de diverses permissions qui nous sont accordées par la tradition ou les lois, par les organismes gouvernementaux et nos parents, ou encore par nous-même. En utilisant notre liberté à mauvais escient, nous risquons de nous faire beaucoup de tort, à nous et aux autres.

Bien des gens font un mauvais usage de leur liberté et profitent de la faiblesse des autres. Chaque fois que l'on regarde autour de soi, qu'on lit les journaux ou écoute la télévision, on est témoin malgré soi de situations où des gens agissent avec malveillance. Ils brutalisent des enfants, vendent de la drogue à des adolescents, exploitent d'autres adultes à des fins égoïstes ou dérobent leurs économies aux personnes âgées. Ou encore ils emploient leur liberté contre eux-mêmes. Ils abusent de l'alcool ou des drogues, adoptent d'autres comportements compulsifs ou déclarent forfait d'une autre façon devant la vie. Manifestement, ces abus de la liberté n'entraînent pas ce sentiment du possible qui confère à la liberté toute sa valeur.

Certains blâment les mauvais esprits pour leur mauvaise conduite en disant: «C'est le diable qui m'a fait faire ça.» La progression actuelle des cultes sataniques prouve que cette phrase sert parfois à justifier des actes sadiques.

À l'heure actuelle, la plupart des grandes religions minimisent la notion de mauvais esprits. À l'instar du théologien Paul Tillich, elles parlent davantage de ce qui est démoniaque que de démons comme tels. Le terme démoniaque pris dans ce sens se rapporte à toute force qui crée la division et le chaos, quelle que soit son origine.

Que nous croyions ou non à l'existence de démons, nous pouvons reconnaître notre propre côté diabolique. Celui-ci peut se manifester de façon inopinée quand nous agissons par vengeance

ou malveillance ou avons le pouvoir de le faire. Ou notre «dé-
mon» peut surgir quand nous cédons à une dépendance qui nous
prive de notre liberté.

Dans ce cas, il faut faire un premier pas vers le changement
en prenant conscience de notre pouvoir de faire le mal comme le
bien et en reconnaissant que nous avons besoin de changer. En réagissant ainsi, nous commençons à nous libérer et à chercher une
voie davantage axée sur l'amour.

Les attitudes rigides face à la liberté

Le désir de liberté est universel et pourtant les gens y réagissent différemment selon les attitudes qui gouvernent leur vie. *Les
attitudes rigides sont des croyances, des opinions et des attentes fermes
qui régissent notre vision de nous-même, des autres et du monde.* Elles se forment avec l'expérience et deviennent des façons habituelles de penser et de sentir qui influencent nos actions. Ces attitudes
ancrées sont parfois désignées sous le nom de scénarios ou de ca-
dres de référence.

Nous arborons des attitudes rigides à propos de presque tout
dans la vie. Nous savons ce que nous aimons regarder à la télévision, comment traiter l'argent, si l'éducation est importante ou
non, quelle est la conduite appropriée, ce qui nous plaît ou nous
déplaît chez un conjoint, et à quoi employer notre temps libre.
Les attitudes rigides les plus importantes ont trait aux opinions
d'une personne concernant la conduite de sa vie et la possibilité
d'améliorer les gens ou les situations.

Quand ces attitudes sont positives et réalistes, elles nous faci-
litent la vie et orientent nos efforts dans la bonne direction. Par
contre, si elles sont négatives ou erronées, elles peuvent nous masquer d'autres réalités positives et bloquer l'expression naturelle de
notre désir de liberté et d'autodétermination. Des expressions telles que «Je ne peux pas» ou «À quoi bon?» reflètent le doute et le
découragement tandis que les «Je veux» ou «Je peux» démontrent
de la confiance et de la détermination.

On peut acquérir un sentiment de liberté intérieure et de
confiance en soi quand on remet en question les attitudes ancrées
dans son entourage. Il en fut ainsi pour le psychologue Carl Jung

dont les années scolaires furent très pénibles. En effet, Jung était tellement terrifié par les cours de mathématiques, de dessin et de gymnastique qu'il lui arrivait souvent de s'évanouir. En entendant son père dire qu'il souffrait peut-être d'épilepsie, il apprit de lui-même à éviter ces syncopes.

Jung remettait bien des choses en question, mais cela agaçait tellement ses professeurs et ses camarades qu'il décida de garder le silence sur ce qui comptait le plus à ses yeux: «le monde de Dieu». Enfant, Jung était très critique envers l'Église. Il s'était attendu à vivre un moment sublime lors de sa première communion, mais comme rien de spécial ne s'était produit, il ne communia jamais plus. Pourtant, il voulait à tout prix connaître les visées de Dieu sur lui. Sa foi en Dieu et sa perception de ses propres dons lui donnèrent la liberté de voler de ses propres ailes. Il se dégagea des attitudes rigides de son enfance et élabora une importante théorie psychologique qui englobait le respect de la dimension spirituelle de la vie[10].

Il est clair que les expériences et croyances de notre enfance ne sont pas les seuls facteurs qui jouent sur les décisions de notre vie adulte. Nous pouvons modifier nos attitudes rigides quand un événement important nous force à remettre nos croyances en question. La perte inattendue d'un emploi à un moment où les emplois sont rares peut porter un sévère coup à l'amour-propre d'une personne et lui faire perdre sa confiance en soi et son esprit de décision. Se libérer d'une dépendance peut transformer des attitudes d'autodépréciation en attitudes plus libératrices et plus valorisantes pour soi-même. Les amitiés nourrissantes peuvent aussi exercer une influence positive sur nos attitudes rigides. Et l'influence d'un conjoint au fil des ans peut avoir un impact majeur, soit positif soit négatif, sur les attitudes ancrées en nous. Parce que nous éprouvons un désir fondamental de liberté, nous pouvons modifier nos attitudes à volonté.

Les attitudes rigides d'une culture

Nos attitudes rigides sont toujours influencées par la culture dans laquelle nous vivons. Chaque culture ou groupe possède ses propres attitudes rigides, qu'il s'agisse d'un pays, d'une équipe de

Le désir d'être libre

Une invitation
à la liberté

Un obstacle
à la liberté

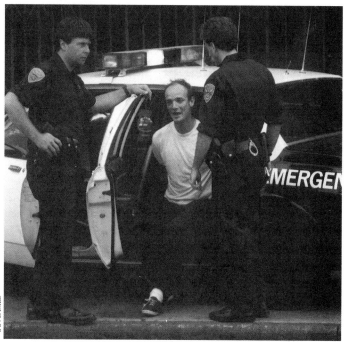

La perte de la liberté

Une manifestation   Le courage de protester

Libre d'être

travail, d'une école ou d'une famille. *Les attitudes rigides d'une culture sont les croyances et présomptions explicites et implicites de certaines catégories précises de personnes au sein d'une société ou d'un groupe.*

Ces attitudes englobent les attentes du groupe face aux étrangers ainsi que face à ses propres membres. Ces attitudes régissent les comportements jugés acceptables ou corrects et ceux que l'on considère comme déplacés ou incorrects. Elles exercent une énorme pression sur les individus, les poussent à se conformer aux valeurs du groupe et restreignent leurs possibilités de disposer librement d'eux-mêmes. Chaque culture ou sous-culture nourrit des préjugés collectifs qui ressemblent aux attitudes rigides des individus mais sont plus puissants encore, puisqu'ils sont renforcés par un plus grand nombre de personnes, soit par toute la culture. Comme le mur de Berlin, les attitudes profondément ancrées dans une culture sont difficiles à dépasser. Mais même le mur de Berlin est tombé.

Avant la brusque apparition de la *glasnost,* la liberté de presse, d'assemblée, d'expression et de religion en ex-Union soviétique était restreinte depuis de nombreuses années. L'ouverture d'esprit inhérente à la *glasnost* transforma les attitudes rigides au sein de ce pays. Elle modifia également la position des personnes extérieures au pays qui avaient les yeux tournés vers lui. À mesure que les libertés devenaient plus acceptables, elles entraînaient un assouplissement des attitudes.

Tout changement de culture nous oblige à remettre en question nos vieilles attitudes pendant que nous en formons de nouvelles. Les immigrants et les réfugiés qui cherchent la liberté dans un nouveau pays traversent généralement une période de confusion car les attitudes de ce pays et de cette culture sont différentes des leurs. Dans un milieu étranger, ils peuvent décider d'être assimilés par la culture d'accueil ou de conserver leur propre identité culturelle, leur langue et leurs coutumes. De même, la culture qui accueille brusquement un grand nombre d'immigrants et de réfugiés peut, elle aussi, devenir confuse. Elle se trouve soudain envahie par des gens dont l'apparence, la langue et les comportements sont différents de ceux de ses propres membres. Ces différences modifient son équilibre racial, ethnique ou religieux et peuvent influencer l'ensemble de ses attitudes.

Les attitudes culturelles peuvent également se transformer sous l'effet des puissantes influences qui s'exercent au sein d'une culture. Ce changement peut être très graduel, comme ce fut le cas des croyances voulant que les esclaves devaient être libres et les femmes jouir de droits égaux à ceux des hommes. Mais les gens ne sont pas toujours prêts à attendre indéfiniment un changement social et parfois, ils se révoltent. Quand les attitudes culturelles sont trop oppressives pour la masse, les paysans se révoltent contre leur roi, les esclaves contre leurs maîtres, les pauvres contre les riches, les groupes politiques ou religieux les uns contre les autres. Des amoureux de la liberté de tous genres se sont unis pour prendre d'assaut des châteaux, incendier des édifices gouvernementaux et supprimer des chefs politiques qui les brimaient.

La révolution suit habituellement une longue période d'insatisfaction et d'agitation pendant laquelle on tente de modifier l'attitude oppressive de la culture. Ce qui peut mener à des émeutes non planifiées, à une grande révolution ou à une guerre. Bien des pays ont traversé des révolutions et des guerres résultant de différences culturelles. Selon l'historien Will Durant, le monde n'a connu que 268 années de paix au cours des 3421 dernières années[11].

Heureusement, bien des attitudes ancrées dans une culture sont modifiées de façon moins violente. Les protestations pacifiques de Mohandas K. Gandhi demeurent vivantes dans notre mémoire en raison de la profonde influence qu'elles exercèrent sur l'Inde et sur le monde entier. Au début des années 1900, Gandhi se fit le champion de la lutte contre la ségrégation raciale exercée en Afrique du Sud. Plus tard, il se porta à la défense de l'indépendance de l'Inde. Gandhi croyait tellement à la non-violence qu'il lui arriva plusieurs fois de jeûner quand son peuple réagissait avec violence à l'égard des Anglais. Il n'est pas étonnant que sa quête spirituelle de la liberté axée sur l'autodétermination lui ait valu le titre de *Mahâtma,* qui signifie «grande âme[12]».

Martin Luther King fut un autre leader qui imposa des changements à sa culture d'une manière pacifique. Dans les années soixante, la plupart des Américains croyaient qu'il fallait empêcher les Noirs de voter, de monter dans les autobus publics avec les Blancs et de fréquenter les mêmes écoles que les Blancs. Un si grand nombre de citoyens s'élevèrent contre cette forme grave de discrimination que King put mettre leur énergie au service de la lutte pour la liberté.

King, qui eut le courage de s'opposer à une culture tout entière, obligea souvent les Américains à faire leur examen de conscience grâce à ses manifestations, à ses *sit-in,* à ses marches et à ses discours. Des milliers d'Américains se joignirent à lui pour manifester pacifiquement en faveur des droits civiques au son de «We Shall Overcome» (Nous vaincrons). La passion que vouait Martin Luther King à la cause des Noirs influença tellement les présidents Kennedy et Johnson que le gouvernement américain proposa en 1964, la *Civil Rights Act,* qui accordait le droit de vote à tous les citoyens[13].

Forts d'un engagement similaire, les étudiants du monde entier ont changé les attitudes de leur culture en marchant pour manifester leur souci de paix et de liberté, au risque de perdre leur vie ou leur liberté.

Femmes sur la brèche

Les femmes ont souvent marché à côté des hommes dans la lutte universelle pour la liberté. À une époque reculée, l'historien romain Tacite décrivit les femmes et les enfants allemands qui accompagnaient les guerriers et les encourageaient de leurs cris. Plutarque parle des femmes barbares qui non seulement suivaient les hommes dans la bataille, mais se battaient à coup d'épées et de haches. Les femmes vikings et celtes avaient, elles aussi, la réputation d'être de redoutables guerrières.

Jeanne d'Arc (1412-1431) est l'une de ces femmes guerrières dont le nom est parvenu jusqu'à nous. Bien qu'elle ait été brûlée pour son audace, Jeanne est la seule personne, homme ou femme, qui ait commandé les armées d'un pays tout entier à l'âge de dix-sept ans.

Christian Ross (1667-1739) était une autre femme puissante à laquelle on retira le droit de décider pour elle-même. Déguisée en homme, elle servit dans les troupes britanniques pendant dix ans. Quand on découvrit son subterfuge, on lui confia un «rôle de femme», soit celui de cuisinière au sein de l'armée, et par après, on l'appela «Mère Ross[14]».

Les femmes ont aussi employé des méthodes non violentes dans leur longue marche vers la liberté. En 195 av. J.-C. à Rome, la loi oppienne interdisait aux femmes de posséder de l'or, les obligeait à se vêtir de couleurs ternes et les confinait à leur environnement familial immédiat. Les femmes quittèrent leurs villages par milliers pour venir à Rome où elles s'organisèrent et marchèrent pour protester contre cette loi. Dans le calme et l'ordre, elles arrêtèrent les hommes en route pour le forum et les pressèrent de leur permettre de se parer et de se déplacer librement comme autrefois. Après plusieurs débats au Sénat, cette loi, qui avait été en vigueur pendant vingt ans, fut abolie à la suite de cette manifestation révolutionnaire.

Entre 1640 et 1647, les femmes de la classe ouvrière organisèrent trois manifestations en Angleterre: la première pour protester contre les persécutions religieuses et la deuxième pour demander des conditions de travail raisonnables; au cours de la troisième, 5000 femmes firent une marche de protestation jusqu'à la Chambre des communes pour demander à leurs concitoyens de mettre fin à la guerre civile[15].

Theroyne de Mericourt (1762-1817), ex-courtisane et chanteuse d'opéra, fut parmi les premières femmes à prendre d'assaut la Bastille afin de lutter pour la liberté et l'égalité. Plus tard, elle prit la tête d'un groupe de femmes de la classe ouvrière qui marcha jusqu'à Versailles pour se plaindre au roi et à sa luxueuse cour du prix élevé du pain. Comme de nombreuses femmes tombèrent d'inanition pendant cette marche, l'Assemblée nationale créa une nouvelle loi qui prévoyait une distribution plus équitable du pain. Toutefois, ayant constaté le pouvoir de cette marche, on retira aux organisations féminines la permission de tenir des réunions[16].

Bien des femmes prenaient tellement à cœur la défense de la liberté qu'elles étaient prêtes à prendre des moyens radicaux pour l'obtenir. Dans une lettre datée du 31 mars 1776, Abigail Adams adressait une mise en garde à son mari, John Adams, un homme politiquement influent, qui tentait, au Congrès continental, de libérer les colonies de la tutelle anglaise:

Si on ne prête pas une attention particulière aux dames, nous sommes déterminées à fomenter une rébellion et ne nous tiendrons nullement liées par des lois votées sans nos voix ni notre représentation[17].

L'une des premières marches féminines organisées en Amérique eut lieu en 1872 alors que Susan B. Anthony conduisit un groupe de femmes aux bureaux de scrutin de Rochester (État de New York). Ces femmes marchaient pour vérifier leur droit de voter en vertu du quatorzième amendement qui garantissait ce droit à tous les citoyens américains. Certaines furent arrêtées. À l'un des procès, un juge décida que cet amendement ne s'appliquait pas aux femmes[18]!

Ridiculisées, tenues à l'écart, les femmes n'en ont pas moins lutté pour leur vie et pour leur droit de vivre conformément à leurs propres valeurs. Toutefois, même après qu'elles eurent obtenu le droit de vote, d'autres droits leur furent déniés[19].

Il n'y a pas si longtemps, soit en 1964, les femmes furent ridiculisées lors d'une session où le Congrès débattait l'article VII de la loi sur les droits civiques. Cette loi très controversée accordait aux citoyens américains le droit à l'égalité d'emploi et de salaire sans égard à leur race.

Certains députés, qui s'opposaient au projet de loi, y ajoutèrent des amendements destinés à l'affaiblir. L'un de ces amendements interdisait toute discrimination fondée sur le sexe. En entendant le mot «sexe», la Chambre des représentants croula sous les rires et tourna les femmes en dérision. À tel point que la situation connut un revirement *en faveur* de l'égalité d'emploi pour les femmes. Quand l'amendement fut enfin soumis au vote, il récolta 168 voix contre 133. On entendit alors une voix féminine crier depuis la galerie de la Chambre: «Nous avons réussi! Dieu bénisse l'Amérique!» La femme fut aussitôt expulsée par les gardes[20].

La marche vers la liberté et l'autodétermination se poursuit. Aucune chaîne ni raillerie ne retiendra les êtres courageux qui croient fermement que tôt ou tard la justice triomphera.

Modèles, mentors et guides spirituels

La principale raison d'être des chiens-guides est d'aider les aveugles à se déplacer sans danger. La plupart d'entre nous ont des yeux pour voir mais ils sont aveugles à certaines choses. Trouver sa voie vers la liberté exige souvent le soutien d'un guide, qui, à l'instar d'un chien d'aveugle, nous aidera à discerner la direction à prendre et les voies à éviter.

Anne Frank et Hermann Buhl avaient des amis imaginaires qui remplissaient cette fonction. Quand Anne, alors âgée de quatorze ans, se cachait des nazis, son guide était une amie imaginaire prénommée Kitty. Dans son journal, elle épanchait son âme avec Kitty afin de trouver le courage et l'espoir nécessaires pour accéder à la liberté. D'une façon similaire, l'alpiniste Buhl, qui atteignit le sommet de l'Himalaya, affirme avoir eu un «partenaire» pour la dernière étape de l'ascension, un guide imaginaire qui veillait sur lui et lui donnait du courage pendant les longues heures de tension, de fatigue et de solitude[21].

Il existe bien des sortes de guide. Les parents guident leurs enfants; les politiciens, leur pays. Quand on est bien guidé, on se sent en sécurité, on a confiance et on est prêt à risquer ce qu'il faut pour disposer librement de soi-même. Quand ce guide est médiocre ou absent, nous aspirons à quelque chose de plus. Nous sommes persuadé que si nous étions mieux guidé, la vie nous passionnerait davantage et nous trouverions une voie d'amour vers la liberté.

Dans leur quête de guides compétents et bienveillants, bien des gens se tournent vers des experts ou des figures d'autorité, des conseillers ou des consultants, des éducateurs ou des chefs religieux capables de les aider à cultiver leur force intérieure. À notre époque, beaucoup d'entre nous veulent réussir, de sorte qu'ils se tournent naturellement vers ceux qui comprennent le sens du voyage et peuvent leur indiquer le chemin.

Les enfants se tournent souvent vers un parent ou un membre de la famille qu'ils préfèrent, un ami spécial, un personnage de roman idéalisé et même un héros ou une héroïne du cinéma ou de la télévision dont ils peuvent imiter le courage. Les adolescents essaient de copier les professeurs ou les entraîneurs qui les inspirent. Les adultes peuvent modeler leur conduite sur des chefs d'entreprise, des héros nationaux ou des personnages politiques qu'ils admirent. On a souvent tendance à se remémorer les exploits des héros de l'histoire quand on a besoin de courage et de direction.

Les mentors peuvent stimuler grandement le courage d'une personne à décider pour elle-même. Un mentor est habituellement un expert dans un domaine particulier qui accorde une attention personnalisée à des individus. La relation de maître à élève est une forme d'attention de ce type-là. On retrouve celle-ci dans les écoles et les universités où les professeurs guident les étudiants individuellement. Au travail, un collègue ou un patron peut jouer le même rôle. Les mentors qui croient à la liberté de pensée et d'action aident inévitablement les autres à décider pour eux-mêmes.

La qualité la plus puissante de la plupart des modèles et des mentors ne réside pas tant dans le contenu de leur enseignement que dans la passion avec laquelle ils prodiguent celui-ci. Quand cette passion vient du cœur et découle de l'expérience et de la sagesse, ces mentors frappent l'esprit et deviennent par le fait même des guides spirituels.

La notion de guide spirituel est commune à toutes les cultures. Une croyance répandue veut que les esprits des défunts demeurent actifs et prodiguent d'une façon inexplicable une aide spirituelle à leurs descendants. Le culte des ancêtres est fondé sur cette croyance, et dans de nombreuses cultures, les gens déposent de la nourriture et de l'eau dans les temples dédiés à leurs ancêtres par respect pour le lien spirituel qui les unit à eux. De même, les Amérindiens fondent souvent leur vie sur l'illumination atteinte pendant leurs quêtes spirituelles ou quêtes de la vision à travers des rencontres avec les esprits des animaux et des anciens.

Au lieu de se tourner vers les esprits de leurs ancêtres ou des anciens, certains se tournent vers les saints. Dans la tradition chrétienne, tous les croyants sont censés appartenir à la «communion des saints» et les catholiques romains croient aussi que les personnes canonisées entretiennent une relation particulière avec Dieu. Les croyants s'adressent souvent aux deux pour leur demander de les guider et d'intervenir en leur faveur.

D'autres se tournent directement vers Dieu, habituellement par la prière grâce à laquelle ils tentent de s'ouvrir à la volonté divine. Saint François d'Assise est connu pour sa prière dans laquelle il sollicite une aide spirituelle: «Seigneur, fais de moi un instrument de ta paix. Là où il y a de la haine, laisse-moi semer l'amour [...] Fais que je ne cherche pas tant à être consolé qu'à consoler [...] Car c'est en donnant que nous recevons.» De même, les membres des Alcooliques Anonymes sont invités à se tourner vers Dieu ou vers une puissance supérieure pour trouver le courage de mettre un terme à leur dépendance.

La notion de guide spirituel n'est pas étrangère à la médecine moderne. Le médecin Carl Simonton, qui pratique une médecine traditionnelle, enseigne à ses patients à se détendre et à visualiser une rencontre avec un guide intérieur capable de les aider à guérir[22].

Toutefois, la ferme croyance en un guide spirituel n'ôte pas à la vie tous ses éléments d'incertitude. Nous espérons obtenir aide et protection, mais ignorons si cela suffira à nos besoins.

La liberté intérieure

Il y a quelque chose en nous qui n'aime pas les barrières. Que cette barrière nous garde à l'intérieur ou à l'extérieur, nous n'aimons pas que notre liberté soit restreinte. Les panneaux comme «Défense d'entrer» ou «Propriété privée» peuvent être irritants. Les frontières internationales avec leurs barrières, leurs gardes et leurs fusils, nous montrent de façon encore plus évidente que nous ne sommes pas tout à fait libre. Notre soif de liberté nous rappelle que nous ne voulons pas nous sentir entravé. Nous ne voulons pas être limité par des conditions ou des structures oppressives. Nous voulons des libertés de base: celles de vénérer qui nous voulons, de ne pas endurer de tortures ou d'autres pratiques inhumaines, d'avoir un pays natal, une situation convenable et un emploi, et de pouvoir s'instruire. Nous savons que lutter pour ces libertés exige souvent un grand courage. Parfois, cette lutte exige aussi que l'on s'unisse pour défendre une cause alors qu'à d'autres moments, il faut faire cavalier seul.

Même privé de notre liberté physique, nous pouvons demeurer intérieurement libre. Liu Chi Kung, un pianiste qui mérita le second prix après Van Cliburn au concours Tchaïkovsky de 1958, fit sept ans de prison pendant la Révolution culturelle chinoise. Pendant son incarcération, il ne put jouer de piano, mais cette perte immense, loin de l'anéantir, sembla même accroître son talent. Après sa libération, il expliqua comment cela avait été possible: «Chaque jour, je répétais mentalement, note par note, chacune des pièces que j'avais déjà jouées.» Grâce à ces répétitions mentales, l'esprit de Liu Chi Kung demeura libre[23].

Une liberté intérieure comme celle qu'atteignit Liu Chi Kung, exige que l'on soit capable de se laisser porter par les vagues de l'incertitude et de ne pas se laisser accabler par les circonstances extérieures. Nous avons pour la plupart un grand besoin de prévi-

sibilité. Nous n'aimons pas l'imprévu. Quand nos voitures, nos enfants ou nos collègues se comportent d'une manière imprévisible,
nous sommes souvent frustré ou perplexe: «Pourquoi cela m'arrive-t-il? Pourquoi moi?» «Pourquoi ne puis-je compter sur les choses pour fonctionner comme elles le devraient?»

La vie ne se déroule pas toujours suivant nos plans. Être libre
intérieurement exige que l'on soit capable de vivre avec une liberté limitée, avec l'incertitude et le changement. Nous devons être ouvert
aux risques que comporte la vie, être prêt à «marcher sur l'arête
étroite de l'incertitude». Voilà l'expression employée par Martin
Buber pour décrire une personne dont la foi progresse courageusement malgré l'incertitude et les risques[24]. Marcher sur une arête
étroite, c'est un peu imiter l'acrobate de cirque qui, sans filet de sécurité, exécute quand même son numéro avec confiance et courage.

Les filets de sécurité sont rares dans la vie. Nous pourrions
faire un faux pas et tomber ou un mauvais placement et tout perdre. Nous pourrions engager des relations infructueuses ou dire le
fond de notre pensée pour découvrir que nous nous sommes
trompé. Les chances que les événements ne tournent pas comme
on l'espérait foisonnent, que l'on soit engagé dans une quête spirituelle ou dans la simple routine de la vie.

Les certitudes aussi sont rares dans la vie. Souvent, nous ne
voyons pas les poteaux indicateurs qui pourraient nous montrer la
route à suivre. Nous luttons pour trouver notre chemin dans le laby-
rinthe de la vie en nous tournant vers les autres pour demander des
conseils, des renseignements ou de l'aide. Pendant notre périple sur
l'arête étroite de l'incertitude, l'une des rares certitudes que nous ayons
concerne le besoin que nous avons les uns des autres.

❦ Libérer son désir de liberté

Voici des exercices facultatifs qui peuvent vous aider à libérer
votre désir de liberté physique, psychologique et spirituelle.

❦ *Commencez par méditer.* Lisez les citations suivantes et
choisissez-en une qui vous intéresse. Puis, concentrez-vous sur elle
pendant un moment et laissez ses messages sur la liberté résonner
dans votre esprit.

Mieux vaut mourir debout que vivre à genoux.

DELORES IBARRURI[25]

Tout le monde crée sa propre vie. La liberté donne le pouvoir de poursuivre ses propres desseins, et le pouvoir donne la liberté d'intervenir dans les desseins d'autrui.

ERIC BERNE[26]

Ce n'est pas parce qu'il se libère de l'esclavage du sol que l'arbre est libre.

RABINDRANATH TAGORE[27]

Il est très possible de faire un mauvais choix ou de porter un mauvais jugement; mais la liberté doit permettre de telles erreurs.

SANG KYU SHIN[28]

Quand la fraîcheur matinale a cédé le pas à la fatigue du milieu de la journée, quand les muscles des jambes faiblissent sous l'effort, l'ascension semble interminable et soudain rien ne va plus comme on le voudrait: c'est à ce moment-là qu'il ne faut pas hésiter.

DAG HAMMARSKJÖLD[29]

Nous devons sans arrêt construire des digues de courage pour repousser les vagues de la peur.

MARTIN LUTHER KING[30]

Si nous voulons un monde libre et pacifique, si nous voulons faire fleurir les déserts et donner à l'homme une plus grande dignité humaine, nous pouvons le faire.

ELEANOR ROOSEVELT[31]

❦ *Prisonnier du passé.* Remémorez-vous plusieurs situations passées dans lesquelles vous vous êtes senti prisonnier. Puis répondez aux questions ci-après.

Situations dans lesquelles je me suis senti prisonnier	Ce que j'ai fait pour les modifier	Ce que j'en conclus

❦ *Le besoin d'exercer son libre arbitre.* Cet exercice vise à vous aider à reconnaître votre capacité de vous libérer. Prenez quelques instants pour réfléchir aux questions ci-dessous.

Aimeriez-vous être plus libre et mieux en mesure de décider pour vous-même?

Quelles restrictions imposées par vous-même vous empêchent de le faire?

Quel type de courage vous faut-il pour mobiliser votre capacité d'être libre? Le courage d'être...?

Quelle permission devez-vous vous donner pour vous sentir plus libre et pour agir plus librement?

❦ *Reconnaissez vos attitudes rigides.* Les attitudes rigides peuvent nous pousser à exprimer notre désir de liberté d'une manière positive ou elles peuvent nous emprisonner dans des attentes rigoureuses.
Prenez conscience de certaines des croyances qui contrôlent votre vie comme l'importance de réussir financièrement, ou de vos croyances à propos des rôles «dévolus» aux hommes et aux femmes, ou de vos attentes quant au comportement des enfants dans certaines situations précises.
Comment avez-vous développé ces attitudes rigides? Sont-elles axées sur la liberté ou la restreignent-elles? Voulez-vous vous y accrocher ou les modifier quelque peu?

❦ *Souvenirs d'actes courageux.* Pour cet exercice, prenez le temps de vous asseoir et de vous détendre. Visualisez des moments où vous avez agi avec courage pour vous-même ou pour d'autres. Revivez ces situations en pensée. Écoutez vos paroles ou repassez vos pensées et vos sentiments. Revivez le pouvoir que vous donnait votre courage.

Maintenant, imaginez une situation future dans laquelle vous risquez de manquer de courage et que vous préféreriez éviter sans que ce soit possible. Quand vous aurez visualisé cette situation très clairement, imaginez que vous agissez avec courage et détermination.

❦ *Modèles, mentors et guides spirituels.* Pensez aux guides spirituels réels ou imaginaires, morts ou vivants, religieux ou séculiers vers lesquels vous vous êtes tourné dans le passé pour leur demander aide et protection. Puis, complétez les phrases ci-dessous.

Les guides spirituels
que j'ai connus:
_____

L'importance qu'ils
avaient pour moi:
_____

CHAPITRE 6

Le désir de comprendre

L'expansion du savoir favorise une expansion de la foi et
l'élargissement des horizons de l'esprit, celui de ma croyance.
Ma raison nourrit ma foi et ma foi nourrit ma raison.

NORMAN COUSINS[1]

Félicitations!

Les remises de diplôme sont des occasions de célébrer et des rites de passage. Elles symbolisent la fin d'une forme d'apprentissage et la transition vers une autre.

Revêtir la robe de cérémonie, se coiffer d'un mortier, faire la file et défiler dans un auditorium ou un théâtre, tous ces gestes contribuent à notre exultation. Puis viennent les discours et les remerciements. Enfin, les diplômes sont décernés. Amis et membres de la famille tendent le cou pour observer la personne la plus importante à leurs yeux. Les flashes des appareils photos fixent cet événement mémorable sur pellicule, on applaudit avec enthousiasme, et plus d'un membre de l'auditoire verse des larmes de fierté.

Ida Grosvald avait soixante-neuf ans quand elle entra à l'université. À cette époque, son mari souffrait de la maladie d'Alzheimer et elle-même avait la leucémie. Les premières semaines, elle était si heureuse qu'elle dit: «Je me sens comme une éponge prête à absorber l'univers.» En dépit de plusieurs contretemps — un accident de voiture qui lui valut cinquante points de suture dans le nez, une appendicectomie, une chute qui lui fêla plusieurs côtes —, son désir de comprendre demeura très vif. Cinq ans plus tard, elle décrocha un diplôme de premier cycle en développement humain; lors de la remise des diplômes, sa fille lui offrit une carte portant ces mots: «C'est mystérieux! Je n'ai trouvé aucune carte avec la mention "À maman pour sa remise de diplôme". Il faudra que j'écrive à Hallmark[2].»

D'une certaine façon, la vie est une série de remises de diplômes qui marquent le moment où l'on termine une chose et où l'on se met à scruter l'avenir. Nous voulons savoir ce qui nous attend au détour du chemin. Nous sommes curieux de connaître notre prochaine étape dans la vie et espérons en comprendre la signification.

Le désir de comprendre

Le désir de comprendre est fondamental chez tout être humain. C'est l'une des sept aspirations fondamentales de l'esprit humain qui cherche constamment à s'exprimer. *Comprendre, c'est saisir la nature et la signification d'une chose.* Quand on comprend une chose, on voit la place qu'elle occupe dans un contexte plus vaste. On saisit sa structure globale et ses principes sous-jacents.

Comprendre, c'est comme regarder par le hublot d'un avion, voir défiler les paysages familiers au-dessous de soi et distinguer le lien qui unit chaque chose à tout le reste.

Comprendre, c'est pouvoir utiliser quelque chose avec succès et dans diverses situations. Ainsi, comprendre les mathématiques est utile quand on veut élaborer un budget alimentaire ou calculer la consommation d'essence de sa voiture, tenir sa comptabilité ou construire un pont, mesurer du tissu ou déterminer la courbe de vol d'un vaisseau spatial.

Le désir de comprendre est relié aux questions familières que sont les quoi, où, quand, comment et pourquoi, depuis la banale question «Que veux-tu faire ce soir?» aux questions plus importantes comme «Pourquoi mon enfant ne réussit-il pas bien à l'école?» et «Comment réglerai-je mes factures ce mois-ci?».

Enfin, nous pouvons nous poser des questions plus profondes ayant trait au sens de la vie: «Pourquoi les peuples et les nations ont-ils tant de difficulté à vivre en harmonie?» «Comment l'univers a-t-il été créé? Par un big bang ou une puissance supérieure?» «Les événements obéissent-ils à une cause obscure ou ne dépendent-ils que du hasard et de nos choix personnels?» «Quel est le sens du vrai et du faux, du bien et du mal, de l'enfer et du ciel?»

Nos questions et les réponses que nous trouvons peuvent être très importantes pour nous ou n'avoir qu'une signification banale, ou elles peuvent se situer quelque part entre les deux. L'une des difficultés liées au rythme effréné de nos vies tient au fait que nous n'avons pas le temps de décider ce qui vaut la peine d'être compris et ce qui ne mérite pas que l'on s'y attarde.

La quête du savoir

Le savoir est la clé de la compréhension; pourtant, connaître une chose ou une personne n'est pas nécessairement la comprendre. Pour savoir comment utiliser un ordinateur, point n'est besoin de comprendre ses mécanismes internes, n'importe quel mordu de l'informatique vous le dira. On peut savoir qu'on est malade physiquement sans comprendre pourquoi. On peut se sentir anxieux sans en discerner la cause. On peut aussi éprouver une faim spirituelle incompréhensible. Pourtant la connaissance peut être un premier pas vers une compréhension future. Nous recherchons essentiellement trois formes de connaissances: connaissance des faits, savoir-faire et sagesse spirituelle.

Le désir de connaître les *faits* et de comprendre leur signification est un trait humain distinctif. Nous apprenons l'alphabet afin de pouvoir lire. Nous étudions les nombres parce qu'ils nous permettent de vivre dans une société dépendante des calculs, des mesures et des mathématiques.

À l'ère de l'informatique, nous avons tendance à voir les faits comme des données impersonnelles, mais on peut aussi les comparer à des jouets qui nous intriguent et nous ravissent. Le philosophe Lin Yutang les voyaient ainsi: «Un fait est un objet rampant et vivant, un peu pelucheux et frais au toucher, qui glisse le long de votre cou[3].»

C'est la quête de faits qui poussa Charles Darwin, cet étudiant passionné de médecine, de théologie et de sciences naturelles, à entreprendre un voyage historique de cinq ans à bord du *H.M.S.*

Beagle. Grâce à l'observation des formations géologiques, des fossiles et de nombreuses formes de vie qui n'existaient qu'à certains endroits précis tels que les îles Galápagos, Darwin recueillit un nombre prodigieux de faits. Curieux de trouver les modèles qui régissaient ces faits et l'origine de ces modèles, il élabora sa théorie de l'évolution, extrêmement controversée, qui fut publiée dans *De l'origine des espèces au moyen de la sélection naturelle.* Les théologiens et d'autres personnes qui croyaient que la création avait eu lieu en sept jours étaient particulièrement irrités parce que, pour eux, la théorie de Darwin signifiait que les humains descendaient du singe plutôt que d'être le fruit d'un acte de création divine[4]. Des années plus tard, les conclusions de Darwin servaient, pour une grande part, de fondement à la biologie moderne.

Sophie Germain, mathématicienne française qui vécut à l'époque de la Révolution, étudia les mathématiques avec autant d'avidité que Darwin les sciences naturelles. Bien que ses parents la privassent de lumière et de chaleur pour la décourager d'étudier, sa curiosité insatiable la poussa à le faire en secret. Emmitouflée dans une couverture, elle étudia la philosophie et les mathématiques à la lueur d'une bougie et s'intéressa tout particulièrement à la géométrie. Comme il n'était pas de bon ton pour une femme de paraître instruite à cette époque, c'est sous le pseudonyme de «Le Blanc» qu'elle participa à des concours scientifiques et entretint une correspondance avec de célèbres mathématiciens. Bien qu'on se soit inspiré de sa théorie de l'élasticité des matériaux pour la conception et la construction de la tour Eiffel, son nom fut délibérément omis de la liste des soixante-douze hommes dont le savoir avait contribué à sa stabilité et à sa beauté[5].

Nous recherchons également le *savoir-faire* car c'est lui qui nous permet d'exécuter des tâches ou de réaliser des œuvres qui exigent des aptitudes et une compétence qui ne s'acquièrent que grâce à l'expérience et à l'expérimentation.

Il y a cinq mille ans, les femmes égyptiennes arrivaient à fabriquer de la glace pour rafraîchir leurs maisons en dépit de la chaleur. Elles remplissaient d'eau des bacs d'argile peu profonds qu'elles plaçaient sur des lits de paille mouillée. Les bacs humides, l'évaporation de l'eau et les fraîches températures nocturnes entraînaient la formation de glace. En s'évaporant, celle-ci gardait les maisons plus fraîches le jour suivant. En Inde, on trempait des nattes de paille dans l'eau et on les suspendait aux fenêtres pendant la nuit pour obtenir le même résultat. Quand l'eau s'évaporait sous l'action du vent, la température de la maison pouvait marquer une baisse allant jusqu'à quinze degrés[6]. Ce savoir était si précieux qu'il se transmettait de génération en génération.

Il existe en Chine une autre forme de savoir qui se transmet de père en fils. En effet, les enfants chinois apprennent très tôt à utiliser l'abaque, une ancienne tablette à calculer. Finalement, ils deviennent si compétents qu'ils peuvent résoudre mentalement des problèmes mathématiques très complexes sans abaque ni aucune aide extérieure. Des concours donnant lieu à de grandes célébrations pour les gagnants se tiennent à l'intention des personnes versées dans cet art.

Mus par notre désir de comprendre, nous avons découvert que même les animaux ont la capacité d'accroître leur savoir-faire. Carl Sagan, professeur d'astronomie et de sciences spatiales, parle des chimpanzés qui apprennent le langage des signes et mémorisent un vocabulaire de 200 mots. Ils sont également capables de distinguer des formes grammaticales et syntaxiques différentes. L'un de ces chimpanzés, une femelle prénommée Lana, est tellement «douée» que l'on a inventé un ordinateur juste pour elle. Grâce à lui, elle peut engager une conversation avec les humains tout en dactylographiant, en recherchant et en corrigeant ses propres erreurs[7].

Le troisième type de savoir que nous recherchons est la *sagesse spirituelle, soit la capacité de discerner les qualités intérieures et les relations essentielles, de faire confiance à leurs aspects positifs et de les intégrer à notre vie personnelle.* La sagesse spirituelle découle du fait de savoir comment appliquer à sa vie quotidienne les principes humains universels.

Souvent, la quête de la sagesse spirituelle nous pousse à sonder le cœur des choses, leur nature fondamentale, les éléments vitaux qui leur confèrent leur caractère et leur valeur profonde. En cherchant à comprendre l'essence de l'amour, de la confiance, de l'égalité, de la compassion, de la liberté ou d'autres valeurs semblables, et en trouvant des façons d'intégrer ces qualités à notre vie et à celle des autres, nous développons notre sagesse spirituelle.

Certaines personnes cherchent la sagesse spirituelle dans les écritures religieuses; la plupart des groupes religieux ont des livres qu'ils considèrent comme sacrés et inspirés. Le Coran des musulmans, les Veda et les Upanishad des hindous, le Popol Vuh des mayas, l'Ancien Testament des juifs, le Nouveau Testament des chrétiens et le Livre des mormons renferment bien des styles différents d'écrits, de récits, de psaumes, de credos et de proclamations qui peuvent conduire à la sagesse spirituelle.

Beaucoup d'autres pratiquent la méditation en tant que moyen d'accéder à la sagesse spirituelle. Cette sagesse peut se développer à la suite de profondes méditations dans lesquelles l'esprit est tout à fait calme et ne connaît aucune limite. Soudain, un éclair de conscience peut survenir. D'autres font ces prises de conscience dans des moments de prière, de contemplation, d'adoration. Les disciplines spirituelles comme les exercices de saint Ignace ou diverses formes de yoga sont destinées à faciliter cette quête, ces découvertes et cette compréhension. Beaucoup sont poussés dans le cadre de leur quête spirituelle à s'interroger sur Dieu.

Curieux de Dieu

Les humains cherchent Dieu de multiples façons. Ils en parlent avec révérence et dévotion ou avec doute et mépris. Ils argumentent en faveur ou contre l'existence de Dieu. Leur opinion reflète souvent le fait que l'image de Dieu varie selon les groupes religieux.

Il existe diverses attitudes à l'égard de Dieu, des dieux ou d'une puissance supérieure soi-disant orientale ou occidentale, dérivée de cultures primitives ou évoluées, ou caractérisée par des croyances fondamentalistes, charismatiques, traditionnelles ou nouvelâgistes. Quel que soit son nom ou son origine, quand nous parlons d'une sorte de Dieu imprécis, de quoi parlons-nous au juste? Parlons-nous d'un Dieu que l'on ne peut pas vraiment connaître? Ou d'un Dieu que nous croyons avoir personnellement connu? Nos croyances sont-elles des reflets de notre enfance? Parlons-nous d'un Dieu défini par les autres ou par nous-même?

Nos expériences influencent nos croyances personnelles à l'égard d'une sorte de puissance supérieure; celles-ci sont pour une grande part déterminées par la famille ou par les affirmations des autorités religieuses sur la nature de Dieu. Notre vision peut aussi refléter certains aspects de nos figures parentales. Si nous avions des parents gentils, nous pouvons nous attendre à ce que Dieu le soit aussi; si nos parents étaient critiques ou distants, nous pouvons projeter ces mêmes attributs sur Dieu ou sur l'être supérieur auquel nous croyons.

Notre opinion est souvent influencée par des expériences telles que la présence ou l'absence d'une formation religieuse précoce, le fait de vivre dans un milieu où nos traditions religieuses sont acceptées ou rejetées, ou de connaître une situation désespérée ou un moment de transcendance. L'étude de la théologie ou des religions contemporaines et l'expérience du bien et du mal jouent également sur notre vision. De même que nos entretiens avec des prêtres et des rabbins, des yogis et d'autres chefs spirituels, ainsi qu'avec des amis religieux ou non religieux.

Notre vision de Dieu est étroitement liée à nos besoins psychologiques. Si nous éprouvons un besoin de pouvoir, nous envisagerons un Dieu tout-puissant. Si c'est la perfection que nous recherchons, nous croirons en un Dieu parfait. Si nous nous sentons coupable, nous verrons Dieu comme un Dieu vengeur. Si nous avons besoin de réconfort, nous le chercherons en Dieu aussi.

Pourtant, Dieu peut être inconnaissable. En fait, bien des religions le croient et disent que l'on peut faire allusion à la réalité de Dieu, mais non la définir[8]. Les mots, les définitions, les fonctions et les caractérisations ne font que refléter des facettes ou des visages de Dieu et son essence dépasse peut-être tout cela.

Chez les philosophes, toutefois, les querelles à propos de Dieu aboutissent habituellement à des débats philosophiques axés sur l'un des trois arguments suivants: ontologique, cosmologique et téléologique.

L'argument *ontologique*, élaboré par Anselme de Canterbury au XIe siècle, porte sur l'étude de l'être en tant que tel. Anselme affirmait que l'*idée* d'un Dieu parfait prouvait l'existence de celui-ci: puisque nous sommes capable d'imaginer Dieu, ce doit être que Dieu existe.

L'argument opposé veut que la conception d'un Dieu, et en particulier d'un Dieu parfait, ne prouve pas son existence. Un grand nombre de nos idées, comme celle d'un cheval ailé, ne concordent pas avec la réalité.

Le deuxième argument, appelé argument *cosmologique,* fut d'abord proposé par Aristote avant d'être repris, plus tard, par

Thomas d'Aquin (1225-1274). En vertu de cette théorie, tout dans le cosmos a un début; Dieu était la première cause de tout et il a créé le cosmos et activé la vie sur terre. Avant Dieu, il n'y avait rien.

Les opposants à l'argument cosmologique selon lequel l'existence de Dieu est antérieure au cosmos, prétendent que si tout a un début et une cause, ce doit être vrai aussi pour Dieu. Ou que, si l'univers n'a ni début ni cause, ce pourrait être le cas de Dieu également. En outre, s'il y a eu un début, il n'y aucune raison de dire que Dieu en a été la source.

L'argument *téléologique* soutient que l'ordre et la conception du monde constituent une preuve irréfutable de l'existence de Dieu. L'ordre, de dire les adeptes de la téléologie, doit provenir d'un esprit divin qui a conçu toute chose dans un but précis. Les scientifiques qui croient en Dieu soutiennent que la théorie de l'évolution ne nie pas l'existence de Dieu. Ils croient plutôt que l'évolution est l'aboutissement du plan à long terme de Dieu.

Ceux qui réfutent ce concept de Dieu comme un grand créateur œuvrant dans un dessein précis soulèvent la question de savoir si Dieu est aussi puissant qu'on le dit. Si Dieu est un maître créateur, pourquoi ne met-il pas de côté les lois naturelles pour intervenir d'une manière plus manifeste dans l'histoire? Ou si Dieu est bon, pourquoi le mal, la destruction et la douleur existent-ils? Si Dieu est omnipotent, pourquoi n'intervient-il pas au nom du bien?

Certains concluent que, puisque l'existence de Dieu n'est pas prouvée scientifiquement, ils n'ont pas à décider si Dieu existe ou non et sous quelle forme. D'autres croient que, puisqu'ils n'ont pas fait l'expérience de Dieu, c'est sans doute qu'il n'existe pas. Ces personnes abordent rarement ce sujet et ne cherchent pas à comprendre les diverses interprétations de l'existence de Dieu. D'autres ne sont simplement pas d'accord avec le concept global de Dieu. On peut souscrire à de solides principes moraux, travailler activement à améliorer la société et se soucier de l'environnement sans pour autant croire en Dieu ou en aucune autre déité.

Le fait qu'une personne croie en Dieu ou non et l'image qu'elle a de Dieu sont un reflet direct de sa curiosité naturelle et de son désir de connaître.

Le besoin d'être curieux

Notre désir de comprendre et de connaître est alimenté par notre curiosité innée. Nous voulons plus d'informations, un plus grand savoir-faire et une plus grande sagesse. Alors qu'elle était capitaine des forces navales en station au Pentagone, Grace Murry Hopper élabora le langage COBOL, premier langage informatique important. Elle affirme que ce langage est le fruit de son insatiable curiosité qui la pousse à chercher des solutions à tous les problèmes. Enfant, elle démontait sans cesse les horloges pour voir comment elles fonctionnaient et se compare à un éléphanteau qui fourre son long nez partout. Mme Hopper, qui travailla activement jusqu'à l'âge de quatre-vingts ans, croit qu'avec l'avènement des ordinateurs, les gens auront plus de temps libre, que ce soit pour jouer au tennis, faire du jogging ou lire tous les livres qu'ils veulent[9].

La curiosité est un désir naturel d'apprendre ou de connaître. Tous les enfants sont curieux. Ils posent des questions, font des essais et expérimentent de nouvelles possibilités. L'enfant curieux fait déjà de la philosophie quand il demande: «Pourquoi?» ou «Comment le sais-tu?» On lui inculque ses premières notions d'éthique en louant sa bonne conduite ou en punissant une conduite jugée mauvaise. Il se familiarise avec l'histoire quand ses parents lui parlent de leurs grands-parents et de ce qu'était leur vie quand ils étaient petits. L'appréciation des arts commence avec les premiers originaux que l'enfant gribouille pour la galerie et colle sur la porte du réfrigérateur. L'enfant développe ses aptitudes au travail quand il apprend à se servir d'un marteau et de clous ou à confectionner un gâteau. Il apprivoise les mathématiques quand il compte les biscuits ou les fractionne afin de les partager. Il aborde l'étude de la physiologie en explorant son propre corps. Souvent, il commence à s'intéresser à la médecine et aux soins corporels quand les membres de la famille tombent malades et doivent être soignés.

À l'extérieur de la maison, la nature lui offre de multiples occasions d'apprendre. Sa curiosité envers les arbres et les fleurs le met en contact avec les premiers rudiments de la botanique; il s'initie à la zoologie à travers son intérêt pour les lézards et les oiseaux. Quand un parent observe avec émerveillement les étoiles filantes et lui nomme des étoiles précises, l'enfant peut développer un intérêt pour l'astronomie. Et ainsi de suite. Chez le physicien qui cherche à percer le mystère du comportement d'un atome comme chez l'anthropologue qui s'intéresse à «ce qui s'est passé à cette époque-là quand...», c'est la curiosité enfantine et naturelle qui est le moteur de l'apprentissage humain.

Nous avons besoin de notre curiosité d'enfant toute notre vie. Avec ou sans instruction formelle, nous devons demeurer curieux afin de continuer à nous questionner sur nous-même, sur notre vie, sur nos connaissances, et à nous demander si les autorités présentes dans notre vie essaient de nous dominer au lieu de nous diriger, d'influencer nos opinions au lieu de nous instruire. Quand notre curiosité est bloquée pour une raison ou une autre, nous cessons de rechercher de nouvelles connaissances et nous contentons de ce que nous savons ou de ce que les autres nous disent.

Le problème, c'est qu'il y a tant d'informations disponibles qu'il est difficile de s'entendre sur ce qui est vrai. En 1975, on demanda à six éminents historiens de dresser la liste des événements les plus significatifs de l'histoire des États-Unis. Sur les 365 événements retenus, les historiens ne s'entendirent que sur cinq[10]!

Quand notre curiosité demeure vive, nous apprenons des autres mais nous cherchons aussi notre propre vérité. Le désir de l'esprit humain est de comprendre afin d'augmenter son savoir, et la curiosité est l'outil essentiel à cette recherche, comme l'illustre le tableau ci-dessous.

Aspiration de l'esprit humain	But de la quête	Qualité requise
Comprendre	Connaissance	Curiosité

Quand nous cherchons des faits, notre curiosité peut nous pousser vers la bibliothèque ou vers des collègues plus expérimentés ou à faire nos propres observations et expérimentations. Notre curiosité en matière de savoir-faire peut nous lancer sur ces mêmes voies. On peut interroger quelqu'un, lire sur le sujet ou observer une autre personne avant de se lancer.

Une intelligence multiple

On croit souvent que notre capacité de poser d'importantes questions et d'y répondre est reliée à notre intelligence et peut être mesurée par le biais de tests de mathématiques, de logique et de langage. Toutefois, Howard Gardner, de la Harvard Graduate School of Education, contesta ce concept étroit dans une étude portant sur le potentiel humain. Comme principe de base, Gardner avança qu'au lieu de posséder une seule intelligence pouvant être évaluée par un test sur le QI, les humains étaient dotés d'une intelligence multiple[11].

Reconnaissant que certaines formes d'intelligence, surtout celles qui ont trait aux mathématiques et à la musique, dépendent de la loterie génétique, Gardner mit en relief de nombreuses preuves démontrant que les facteurs historiques et culturels, le milieu familial et les attentes sociales exerçaient une puissante influence sur le développement de toute forme d'intelligence.

Selon Gardner, l'intelligence est *une compétence intellectuelle qui requiert un ensemble d'aptitudes à résoudre des problèmes.* Cette compétence nous permet de trouver des solutions efficaces à nos problèmes courants. En outre, nous avons le potentiel de découvrir de nouveaux problèmes, ce qui est à la base de l'acquisition de nouvelles connaissances.

Bien que la nature et le nombre précis de nos multiples formes d'intelligence n'aient pas encore été déterminés, plusieurs d'entre elles sont évidentes. Chacune est relativement autonome bien qu'elle travaille en harmonie avec les autres, et chacune peut s'exprimer de bien des manières créatives.

En apprenant à compter et à comparer les quantités au cours de leurs premières expériences avec les objets, les enfants développent une *intelligence logique-mathématique.* Ils commencent par acquérir des aptitudes en mathématiques qui débouchent sur la capacité de suivre des chaînes de raisonnements logiques et d'abstractions. Gardner croit qu'on a trop insisté sur cette forme d'intelligence ou qu'on l'a appliquée à tort à d'autres formes. Bien qu'un scientifique comme Newton eût besoin de cette forme d'intelligence pour comprendre le mouvement des planètes, elle n'était pas utile à un écrivain comme Carlos Fuentes ou à un peintre comme Claude Monet.

L'intelligence linguistique, très différente, est le plus manifeste chez les grands écrivains et poètes. Une personne dotée d'une grande intelligence linguistique raffole des mots, de leur signification et de la façon dont on peut jouer avec leurs sonorités. Le poète W. H. Auden illustra ce fait en disant: «J'aime fréquenter les mots, écouter ce qu'ils ont à dire.» On reconnaît cette forme d'intelligence chez les politiciens, les avoués et les agents de relations publiques qui arrivent souvent à leurs fins parce qu'ils savent employer des mots convaincants.

La facilité de reconnaître et de créer des harmonies et des mélodies, des rythmes et des tonalités relève de l'*intelligence musicale.* Certaines personnes sont très créatives à cet égard. Richard Wagner disait qu'il composait comme les vaches produisent du lait; Camille Saint-Saëns comparait sa capacité de composer de la musique à celle d'un pommier de donner des pommes.

Les compositeurs ont constamment des mélodies et des rythmes qui leur trottent dans la tête. Ceux qui ne composent pas chantent dans leur tête ou fredonnent des airs entraînants. La différence entre eux et nous, c'est que le compositeur écoute de la musique intérieure et sait comment lui donner une forme audible. La plupart d'entre nous se contentent d'écouter et d'improviser sur une mélodie déjà entendue. Les deux phénomènes reflètent une intelligence musicale, mais le premier exige un niveau d'aptitude beaucoup plus élevé ou plus développé que l'autre.

L'intelligence musicale, qui apparaît généralement dans la prime enfance, peut se développer grandement sous la houlette d'un maître qualifié et avec l'appui de la famille. Arthur Rubinstein était issu d'une famille coopérative. Enfant, il appréciait toutes les sortes de sons. Au lieu de parler, il préférait chanter. À trois ans, quand ses parents lui eurent acheté un piano en raison de l'intérêt qu'il manifestait déjà pour la musique, Rubinstein y jouait non seulement dans une position normale mais de dos.

Si l'intelligence musicale dépend de l'audition, l'*intelligence spatiale,* en revanche, fait appel à la vision et à «la capacité de percevoir le monde visuel avec exactitude, de modifier ses perceptions initiales et de recréer les aspects de son expérience visuelle, même en l'absence de stimuli physiques pertinents[12].»

Les architectes doivent posséder une très grande intelligence spatiale. Au Japon, certains ensembles architecturaux parmi les plus ravissants du monde, tel le palais Katsura, sont orientés autour de perspectives donnant sur des rochers, des arbres et de l'eau, qui révèlent les miracles de cette forme d'intelligence. Les sculpteurs, les photographes et les architectes d'intérieur qui travaillent avec la composition, la forme et l'équilibre font aussi appel à l'intelligence spatiale.

L'architecte Frank Lloyd Wright fut encouragé à développer son intelligence spatiale même avant sa naissance. En effet, sa mère croyait aux influences prénatales de sorte que, enceinte, elle décida simplement qu'elle *aurait* un garçon et qu'il *serait* architecte. Elle orna donc les murs de sa chambre de grandes gravures de bois représentant d'anciennes cathédrales anglaises. Bien que son fils ne dessinât pas de cathédrales, il bâtit son renom sur sa façon unique d'utiliser les formes et l'espace[13].

Certaines cultures semblent encourager le développement de l'intelligence spatiale plus que d'autres. C'est ainsi qu'à un test de compétence spatiale, plus de soixante pour cent d'enfants inuit obtinrent un pointage égal à celui des dix pour cent d'enfants caucasiens parmi les meilleurs. Selon Gardner, les Inuit ont cultivé cette forme d'intelligence spatiale afin de ne pas se perdre dans leur univers plat et relativement uniforme de glace et de neige.

La capacité de contrôler ses mouvements corporels et de manipuler adroitement des objets fait appel à l'*intelligence kinesthésique*. Les danseurs et les gymnastes, les nageurs et les joueurs de balle, les comédiens et les mimes sont tous très doués à cet égard. Des athlètes comme la gymnaste Olga Korbut, l'étoile de football Pelé, le grand Michael «Air» Jordan, joueur de basket-ball, et l'expert en arts martiaux Bruce Lee ont captivé l'attention mondiale grâce à leurs remarquables aptitudes kinesthésiques. Les aveugles qui peuvent sentir les objets qui se trouvent dans leur environnement sans les toucher et les personnes qui se tiennent en équilibre sur des gratte-ciel et dont la coordination des mouvements défie la mort possèdent également un grand sens kinesthésique.

L'*intelligence personnelle*, pour employer l'expression inventée par Gardner, dépend de deux capacités précises: celle d'être en contact avec ses émotions, de distinguer entre diverses émotions et d'utiliser cette information pour comprendre et orienter son propre comportement; et celle d'être conscient des humeurs, mobiles, sentiments et intentions des autres. Les professeurs et les conseillers les plus compétents possèdent habituellement un degré élevé de ces deux formes d'intelligence.

Le problème, c'est que beaucoup d'entre nous n'apprécient pas leur combinaison unique d'intelligence et d'aptitudes. Si nous sommes médiocre en mathématiques ou en orthographe, nous nous jugeons stupide. Si nous manquons d'agilité, nous nous trouvons gauche. De même, nous nous attristons de notre peu de créativité en peinture au lieu d'apprécier notre aptitude à jouer avec les mots et les idées ou notre façon d'entrer en relation avec les autres. Nous critiquons peut-être aussi notre incapacité à d'autres égards. Ou nous dénigrons nos forces intérieures en disant: «Elles n'ont rien de vraiment spécial. Bien des gens sont comme ça.» La difficulté consiste à reconnaître la réalité de toutes nos formes d'intelligence et à respecter notre façon unique de les exprimer.

Un principe essentiel du taoïsme consiste à accepter sa propre nature et à en tirer le meilleur parti possible plutôt que de remonter le courant et d'essayer d'être quelqu'un d'autre[14]. Un proverbe juif fait écho à cette croyance: «Dans le monde qui vient, la question qu'on va me poser, ce n'est pas: "Pourquoi n'as-tu pas été Moïse?" La question qu'on va me poser, c'est: "Pourquoi n'as-tu pas été toi-même[15]?"»

Être soi-même, c'est cesser d'imiter les autres ou de les concurrencer. Quand on reconnaît et accepte ce que l'on est et les formes d'intelligence que l'on doit cultiver, on peut se détendre et suivre le courant de ses aptitudes naturelles.

Le cerveau limité

On a cru à une époque que le degré d'intelligence d'une personne était directement relié à la taille de son cerveau. Or, comme le cerveau de la femme est généralement plus petit que celui de l'homme, on supposait que les femmes étaient moins intelligentes. Puis, on compara la taille de plusieurs cerveaux masculins. Certaines personnes brillantes, telles que Oliver Cromwell, Ivan Tourgeniev et Lord Byron, possédaient d'énormes cerveaux. D'autres, comme Albert Einstein, avaient un cerveau ordinaire; le cerveau d'Anatole France était deux fois plus petit que celui de Byron. Les scientifiques se rendirent donc à l'évidence et conclurent que l'intelligence n'avait rien à voir avec la taille du cerveau[16].

On s'est demandé pendant longtemps si les hommes et les femmes pensaient différemment. Bien que les chercheurs nous aient fourni des preuves relativement indiscutables selon lesquelles les femmes n'ont pas le même système de valeurs que les hommes, ils n'ont pas pu nous expliquer pourquoi nos processus de réflexion étaient différents. Les hommes et les femmes ont-ils des valeurs différentes parce que leurs cerveaux sont différents ou parce que leurs valeurs sont influencées par les réalités de leur milieu?

Comme pour tout problème concernant la nature et le comportement humains, on trouve des experts dans les deux camps. D'une part, il y a ceux qui croient que les femmes sont dominées par l'hémisphère droit de leur cerveau, soit leur côté intuitif, et possèdent de meilleures aptitudes visuelles-spatiales, tandis que les hommes, qui utilisent davantage l'hémisphère gauche de leur cerveau, soit leur côté rationnel, se spécialiseraient dans les tâches analytiques. D'autre part, il y a ceux qui soutiennent que toutes les différences entre les comportements des hommes et des femmes et leurs valeurs sont attribuables à des modèles culturels imposés. Il faudra attendre le développement de la biochimie, de l'anatomie et de la neuropsychologie pour pouvoir trancher ces questions et atteindre un consensus plus général[17].

En attendant, il est évident que dans toutes les cultures érudites de l'histoire, ce n'est pas tant la taille de notre cerveau que les lois, la tradition et les préjugés qui ont limité notre capacité de penser et de raisonner. Les groupes minoritaires et les femmes étaient bannis autrefois des institutions d'enseignement. Mentionnons, entre autres cas, celui de Juana Inez de la Cruz, de Mexico, qui, en 1600, dut se déguiser en garçon pour aller à l'école. Elle n'en devint pas moins mathématicienne, peintre, compositrice et théologienne, possédait une colossale bibliothèque et pouvait écrire en quatre langues, y compris l'aztèque. Toutefois, elle dut renoncer à sa bibliothèque et à ses projets d'instruction sur les instances de l'ordre religieux auquel elle appartenait[18].

Dans les grandes institutions d'enseignement, les femmes ont été la plus grande minorité à être repoussée. Pas plus tard qu'en 1873, on enseignait à l'Université Harvard que si les études supérieures ne risquaient pas de mettre en danger le cerveau des femmes,

Le désir de comprendre

Les bienfaits de la quête de connaissances

L'intelligence musicale   L'intelligence spatiale

valeur des aptitudes
interpersonnelles

Une instruction
pour l'avenir

L'intelligence
kinesthésique

elles pouvaient certainement entraîner l'atrophie de l'utérus et produire un effet nocif sur les glandes mammaires. Ce point de vue était perpétué grâce à un manuel écrit par un professeur et intitulé: *Sexe et éducation ou une chance équitable pour les jeunes femmes*. Ce livre était si populaire qu'il fut réimprimé dix-sept fois en quelques années seulement[19].

Aux États-Unis, on continuait de traiter les femmes comme si elles avaient de petits cerveaux et étaient incapables de penser comme les hommes en les excluant des écoles de médecine ou des programmes de formation. Bien qu'à Salerne, en Italie, les femmes pussent participer à ces programmes depuis le XIIIe siècle, les femmes américaines ne furent admises dans les facultés de médecine qu'il y a cent ans environ et en très petit nombre. Pourtant, en 1934, si l'on en croit l'étude portant sur les femmes médecins en Amérique réalisée par Ruth Abrams, moins de la moitié des hôpitaux du pays avaient déjà engagé une femme médecin. Et depuis ce temps, les réseaux d'anciens empêchent souvent les femmes d'accéder à des postes avantageux dans les hôpitaux. Même dans les années quatre-vingt-dix, il est très difficile pour une femme d'être admise dans un programme de résidence intéressant[20].

Si les femmes forment la plus grande minorité privée du droit égal de s'instruire et de comprendre, elles ne sont certes pas les seules à souffrir de cette forme de discrimination. Il n'y a pas si longtemps, les Amérindiens étaient enfermés dans des réserves où les écoles étaient insuffisantes ou inexistantes, et les Afro-Américains souffraient d'une forme de discrimination qui les obligeait à fréquenter des écoles séparées qui étaient loin d'égaler celles des Blancs. Aujourd'hui, réfugiés et immigrants essuient souvent des rebuffades à l'école lorsqu'ils utilisent leur langue natale.

Parfois, c'est un manque de soin, de conscience ou de compréhension qui impose des limites à l'instruction. Ainsi, dans bien des écoles et des universités, les édifices ne sont pas accessibles aux personnes en fauteuil roulant ou souffrant d'un autre handicap. Heureusement, la situation est en train de changer puisque la télévision offre désormais un système de décodage des sous-titres à l'intention des malentendants, que l'on a modifié les ordinateurs à l'intention des malvoyants et que certains districts et communautés scolaires fournissent des autobus spéciaux pour les personnes handicapées qui désirent s'instruire.

Une éducation continue

La quête de connaissances dure toute la vie. De même qu'elle peut être freinée par des conditions externes, elle peut également être inhibée par des processus internes. Toutefois, la plupart d'entre nous traversent des moments où quelque chose dans la structure de leur personnalité bloque leur curiosité et nuit à leur quête de connaissances. Nous nous sentons stupide ou confus ou avons l'impression de manquer de temps pour cette quête.

Tels les débris qui gravitent autour de la terre à la suite de nos missions spatiales, certains résidus flottent constamment dans notre psyché. On peut contrôler ou dissiper certains d'entre eux, telles les idées erronées ou les sentiments excessifs, et prendre conscience de certains autres afin de les utiliser à bon escient.

On peut recourir à l'analyse transactionnelle pour comprendre comment ces débris s'accumulent et inhibent le désir passionné de l'âme de comprendre la vie. On peut aussi s'en servir pour rejeter ses comportements et ses croyances surannés et poursuivre son apprentissage.

Les états du moi Parent, Adulte et Enfant sont des parties indépendantes de notre personnalité qui déterminent nos sentiments, pensées, croyances et comportements. L'énergie psychologique peut couler librement entre ces parties ou elle peut être restreinte ou bloquée. Elle peut couler spontanément d'un état du moi à l'autre en réaction à un stimulus ou par le biais d'une décision volontaire. Ce flot est nécessaire à une réflexion claire et efficace; on peut le représenter comme suit:

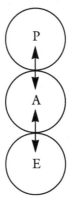

L'ÉNERGIE CIRCULANT ENTRE LES ÉTATS DU MOI

En comprenant comment modifier notre énergie psychologique, nous pouvons augmenter notre capacité de comprendre. L'incapacité de modifier son énergie interne est habituellement attribuable à l'un des quatre problèmes relatifs aux frontières des états du moi.

Le problème le plus courant est la *contamination* de la pensée due au fait que les frontières de l'Adulte ne sont pas assez puissantes pour retenir les opinions du Parent ou les sentiments de l'Enfant qui s'y infiltrent alors. De même qu'un air qui semble pur peut être contaminé par des polluants invisibles, quand notre Adulte est contaminé, nos pensées peuvent sembler claires tout en étant polluées par les opinions du Parent ou par des sentiments et moyens d'adaptation propres à l'Enfant. Voici le schéma de ce problème :

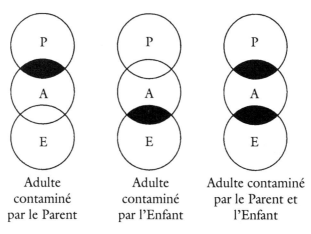

Adulte contaminé par le Parent	Adulte contaminé par l'Enfant	Adulte contaminé par le Parent et l'Enfant

PENSÉE CONTAMINÉE

Les croyances voulant que les femmes ne soient pas aussi intelligentes que les hommes ou que les membres de certaines races ou ethnies soient stupides, paresseux et peu doués pour les études sont des contaminations de l'Adulte qui découlent généralement de préjugés parentaux. Par ailleurs, la peur de l'échec scolaire résulte souvent d'une contamination de l'Adulte par l'Enfant chez la personne dont le rendement a été sévèrement critiqué dans l'enfance. Une double contamination se produit quand une personne a été vertement critiquée par ses parents étant petite et que, devenue adulte, elle reprend le flambeau en se critiquant elle-même et en critiquant les autres dans les situations d'apprentissage potentiel.

Pour reconnaître que notre pensée est contaminée, il faut faire preuve d'une plus grande objectivité et se demander: «Sur quelles données ai-je fondé mes décisions?» «Mes croyances ou mes sentiments sont-ils des résidus du passé ou sont-ils pertinents dans ma situation actuelle?» Cette forme de contamination est courante dans des domaines comme l'amour-propre, les rôles dévolus aux sexes, les finances, l'éducation des enfants et la recherche de connaissances. En se renseignant sur l'un ou l'autre de ces aspects, on renforce les frontières de l'état du moi Adulte, ce qui augmente l'efficacité de la réflexion.

Une grave confusion résulte de frontières *floues* ou *affaissées* entre les états du moi. Dans ce cas, les pensées, sentiments et opinions sont davantage embrouillés que simplement contaminés. C'est comme si l'Adulte était incapable de contenir le flot des opinions du Parent et des sentiments de l'Enfant. Les pensées et les comportements deviennent chaotiques. Une personne dont les frontières sont floues est incapable de traiter l'information avec efficacité et a souvent tendance à perturber la classe ou le bureau.

Les frontières des états du moi peuvent devenir floues à n'importe quel moment, sous l'effet d'une fatigue extrême ou d'une crise, par exemple. Sous une forme plus bénigne, on reconnaît cet état dans des phrases telles que «Je suis confus», «Je ne sais pas ce qui se passe», ou «Je ne comprends plus rien». Sous sa forme plus grave, une personne peut être incapable de se concentrer. Elle perd sa saine curiosité et sa capacité d'émerveillement et peut sombrer dans une sorte de dépression. Le diagramme ci-dessous illustre des frontières floues entre les états du moi:

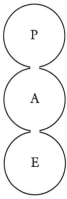

FRONTIÈRES FLOUES ENTRE LES ÉTATS DU MOI

Il existe bien des façons de renforcer les frontières entre son Parent, son Adulte et son Enfant intérieurs. Quand on se sent confus, on peut raffermir les frontières de l'état du moi Adulte en se demandant: «Comment puis-je exprimer ce que je veux d'une manière simple, claire et concise?» «Que se passera-t-il si je continue de ressentir et d'agir comme je le fais maintenant?»

En répondant à ce type de questions, on prend conscience de son besoin d'être plus concis et plus concentré. Dans bien des cas, le fait d'aborder un seul sujet de conversation à la fois contribue grandement à clarifier notre confusion. Suivre un cours sur la pensée logique peut aussi être bénéfique.

Par contraste, certaines personnes ont des frontières tellement *rigides* qu'elles *excluent* l'un ou l'autre état du moi. Cette rigidité est manifeste chez la personne qui agit d'une manière compulsive et manque de souplesse psychologique. Les frontières rigides peuvent être un moyen de ne pas prendre conscience de problèmes psychologiques causés par une souffrance ou une peur irrésolue. Les personnes qui ne «supportent» pas d'avoir tort ou de perdre la maîtrise d'elles-mêmes, les perfectionnistes, préservent ce type de frontières. Des frontières rigides peuvent bloquer la curiosité ou l'assimilation de connaissances car elles excluent ou restreignent fortement l'utilisation normale de tous les états du moi: la personne se sert plus volontiers d'un ou deux états du moi et non des trois, comme l'illustre le diagramme ci-dessous.

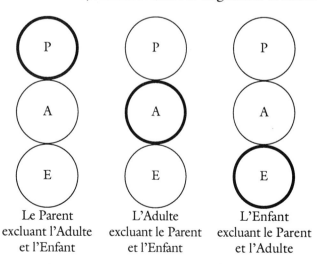

Le Parent
excluant l'Adulte
et l'Enfant

L'Adulte
excluant le Parent
et l'Enfant

L'Enfant
excluant le Parent
et l'Adulte

FRONTIÈRES RIGIDES ENTRE LES ÉTATS DU MOI

Quand on exprime constamment l'état de Parent, on exclut la curiosité de l'Enfant et la compréhension de l'Adulte et on a tendance à ne privilégier que les méthodes traditionnelles. Dans une soirée, les personnes qui agissent toujours à partir de l'état de Parent ne sont pas très amusantes et ne s'intéressent pas à ce qui est nouveau ou différent de leurs croyances personnelles.

Les personnes qui privilégient l'état Adulte logique se concentrent habituellement sur les faits et les chiffres, et mettent de côté les traditions du Parent et les sentiments de l'Enfant. Dans les soirées, ces gens ont tendance à parler affaires et ne tiennent pas compte de ceux qui s'amusent.

Les personnes sous l'emprise de leur Enfant intérieur excluent l'Adulte et le Parent et se conduisent comme des enfants: elles se montrent égocentriques et sybarites ou encore elles boudent, pleurent, temporisent ou se plaignent. Elles cherchent à attirer l'attention en étant le clou de la fête ou le fort en thème de la classe, ou en recherchant constamment la bagarre. Enfants, elles ont bénéficié d'une attention trop importante, trop minime ou médiocre et continuent de rechercher cette attention une fois parvenues à l'âge adulte.

On peut relâcher les frontières rigides des états du moi en reconnaissant ses modèles d'emploi excessif et en exprimant d'autres aspects de ses états du moi de sorte qu'un courant naturel d'énergie peut être ressenti dans toute la personnalité.

Les personnes qui abusent de leur état de Parent doivent apprendre à se détendre et à apprécier les autres. Celles qui sont constamment dominées par l'état Enfant ont besoin de renforcer leur aptitude à penser clairement et de développer des valeurs cohérentes. Celles qui sont trop logiques doivent prendre contact avec des sentiments dont elles ne sont peut-être pas conscientes et se donner la permission de les explorer et de les exprimer d'une manière saine.

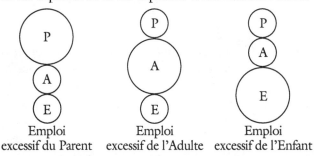

Emploi excessif du Parent   Emploi excessif de l'Adulte   Emploi excessif de l'Enfant

SCHÉMAS DES ÉTATS DU MOI

Le quatrième problème possible se traduit par une *lésion* de l'état du moi Enfant. Les lésions sont des blessures émotionnelles non guéries qui, sous l'effet d'un stimulus externe irritant, suscitent une éruption impulsive et irrationnelle de sentiments et de comportements. Un brusque accès de colère ou de larmes peut être révélateur de cette condition.

Comme la lésion n'a jamais guéri, la personne est excessivement sensible à tout stimulus similaire à celui qui a causé la blessure initiale. Par exemple, être tourné en dérision devant toute la classe parce qu'on a commis une erreur ou qu'on est gauche dans un sport peut créer des lésions telles que l'on n'ose plus jamais s'exprimer en groupe ou pratiquer un sport.

Les vives réactions de colère ou de repli sur soi suscitées par la remise en question de nos actions et de nos croyances spirituelles sont souvent dues aux lésions causées par de sévères critiques ou railleries subies dans l'enfance

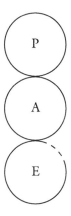

LÉSIONS DE L'ÉTAT DU MOI ENFANT

Les points sensibles sont des blessures émotionnelles que l'on peut cicatriser en faisant la distinction entre le présent et le passé. Une fois les lésions guéries, la douleur disparaît mais non les cicatrices. On peut guérir en se rappelant que même si la situation actuelle ressemble à une situation pénible du passé, ce n'est pas la même. L'adulte divorcé dispose d'un plus grand nombre de choix que l'enfant abandonné. Bien qu'il soit normal de se rappeler les mauvais moments, les émotions peuvent s'apaiser quand on se rappelle que bien des choses appartiennent au passé. Il peut être bénéfique, pendant un moment, d'éviter les situations susceptibles de rouvrir de vieilles blessures. De même que l'on protège un doigt cassé à l'aide d'une attelle, nous pouvons avoir besoin d'une protection temporaire jusqu'à ce que nos blessures se soient refermées.

Souvent, les problèmes reliés aux frontières des états du moi deviennent apparents à travers nos croyances spirituelles. Les personnes dont les frontières sont floues peuvent être tout à fait confuses et nourrir des croyances nébuleuses ou incohérentes. Par contre celles dont les frontières sont rigides ont tendance à croire que seules leurs croyances sont justes. Celles qui souffrent d'une lésion peuvent fondre en larmes ou piquer une colère si on les affronte au sujet de leurs croyances favorites. S'il y a contamination, leurs convictions spirituelles seront teintées par les opinions du Parent ou les souvenirs de l'Enfant.

La grande popularité de la psychothérapie et du counseling démontre que nous éprouvons toujours le besoin de comprendre même quand des troubles psychologiques gênent notre réflexion. Malgré ces problèmes, nous pouvons cultiver une vision qui nous pousse à chercher et à suivre une voie d'amour qui nous mènera vers nos objectifs.

Le pouvoir d'une vision

La quête du savoir commence souvent par un rêve ou une vision de ce que pourrait être l'avenir «si seulement...». À certains moments, cette vision du futur n'est qu'un rêve jamais réalisé; à d'autres, elle s'épanouit pleinement. Notre vision nous donne le pouvoir de lire l'avenir. Voici ce qu'Alfred Lord Tennyson écrivait de ce pouvoir:

> *J'ai plongé dans le futur ausi loin que l'œil humain pouvait voir; j'ai eu une vision du monde et de toutes les merveilles qui pouvaient exister*[21].

Isaac Asimov voyait constamment l'univers comme un monde dans lequel chacun peut se familiariser avec la science. Il cherchait à réaliser cette vision par l'entremise de ses enseignements et de ses écrits. Biochimiste et professeur, il a écrit près de 400 ouvrages sur divers sujets. Bien qu'il ait abordé des sujets comme l'humour, l'histoire et la littérature — en particulier Shakespeare et la Bible —, la plupart de ses livres portent sur la science et la science-fiction. Beaucoup sont destinés à expliquer la science aux profanes. La vision d'un monde où chacun comprendrait la science l'a également poussé à écrire des manuels sérieux ainsi qu'un ouvrage sur les satellites à l'intention des enfants de huit ans.

Ses visions comptent également celle d'un terminal catho-dique dans chaque foyer. Chaque terminal serait branché sur de grandes bibliothèques de sorte que nous pourrions poser toutes les questions que nous voulons, «même si elles peuvent sembler idiotes aux yeux d'un autre[22]».

Si l'on réfléchit au désir de comprendre et au pouvoir d'une vision, on découvrira peut-être qu'une vision du futur est un phare important dans sa vie. Ce fut le cas de Mary McLeod Bethune, l'une des dix-sept enfants de parents esclaves. À l'âge de huit ans, Mary se mit à se visualiser en train d'apprendre à lire. Un jour qu'elle jouait avec une poupée appartenant à une petite Blanche, elle ouvrit un livre. Quelqu'un lui dit: «Pose ce livre, tu ne sais pas lire.» C'est à ce moment, qu'elle résolut d'apprendre. Jour et nuit, elle priait pour qu'une occasion se présente. Tout en ramassant le coton, elle se répétait sans cesse: «Un jour, je saurai lire, un jour, je saurai lire[23].»

Un jour, un professeur vint voir ses parents et leur proposa d'envoyer Mary à l'école. Mary y tenait tellement qu'elle parcou-rait chaque jour huit kilomètres à pied pour se rendre à l'école et huit kilomètres pour revenir. Ensuite elle partageait son savoir tout neuf avec ses frères et sœurs. Grâce à ses aptitudes remarquables, elle obtint des bourses qui lui permirent de poursuivre ses études, d'enseigner puis d'ouvrir une école pour cinq fillettes qui prit rapi-dement de l'expansion et devint un collège. La porte d'entrée de l'édifice, baptisé Faith Hall, porte l'inscription suivante: «Entrez pour apprendre». À l'intérieur, ce sont les mots suivants qu'on lit au moment de partir: «Partez pour servir». Ces mots résument la philosophie de la vie de Mary McLeod Bethune. Comprenant l'importance d'apprendre et de mettre son savoir en pratique, elle devint le conseiller officiel de Franklin Roosevelt sur les questions touchant les minorités, la fondatrice du National Council of

Negro Women ainsi que la présidente-fondatrice du Bethune-Cookman College à Daytona Beach, en Floride. Son désir de comprendre et sa quête du savoir naquirent de la passion qui brûlait dans son âme.

Aujourd'hui, la liberté d'instruction est considérée comme un droit de la personne. Les universités recrutent activement les minorités; de nombreux groupes de bénévoles, entreprises et personnes dévouées font leur possible pour faciliter ce processus[24]. La vision d'un monde de gens instruits est puissante et des êtres comme Mary McLeod Bethune ont permis à des milliers de gens de revêtir le mortier et la robe de cérémonie pour souligner ce rite de passage vers l'avenir qu'est la remise des diplômes.

❦ *Libérer son désir de comprendre*

À vous maintenant d'explorer calmement votre désir de comprendre, votre quête de connaissances, et les merveilles et l'utilité de votre curiosité.

❦ *À méditer.* Voici quelques pensées que vous méditerez peut-être avec plaisir. La méditation permet de s'ouvrir afin d'atteindre un niveau de compréhension plus profond.

Quand j'apprends quelque chose de nouveau — et cela se produit chaque jour — je me sens un peu plus chez moi dans l'univers, un peu plus à l'aise dans le nid.

BILL MOYERS[25]

Il faut vivre sa vie et demeurer curieux. Il ne faut jamais, quelle qu'en soit la raison, tourner le dos à la vie.

ELEANOR ROOSEVELT[26]

Il existe aujourd'hui — à une époque où les vieilles croyances s'étiolent — une sorte de soif de philosophie, un besoin de savoir qui nous sommes et comment nous sommes arrivés là. C'est la recherche continue, souvent inconsciente, d'une perspective cosmique de l'humanité.

CARL SAGAN[27]

J'espère qu'un jour viendra où chacun pourra parler contre Dieu sans embarras.

PAUL TILLICH[28]

Nous nous accrochons à notre point de vue comme si notre vie en dépendait. Pourtant nos opinions ne sont pas éternelles; tels l'automne et l'hiver, elles se transforment peu à peu.

CHUANG-TZU[29]

Quelle loi, quelle justice ou quelle raison peuvent aux hommes refuser un si doux privilège, une exemption si capitale, que Dieu même octroie au cristal, au poisson, à la bête, à l'oiseau?

PEDRO CALDERON DE LA BARCA[30]

Qui est lent à la colère est très raisonnable.

PROVERBES 14,29

Mieux vaut la sagesse que des engins de combat.

ECCLÉSIASTE 9,18

❦ *Votre désir de comprendre.* Tous les enfants éprouvent le désir de comprendre bien des choses. Laissez votre mémoire revenir en arrière jusqu'à ce que vous vous rappeliez ce qui vous rendait perplexe.

Ce qui me rendait perplexe:

Ce qui me rend perplexe aujourd'hui:

❦ *On peut se conditionner à être curieux.* Bien des enfants sont conditionnés à ne pas être curieux par des commentaires comme: «Ce qu'on ne sait pas ne fait pas mal» ou «Mêle-toi de tes affaires». Comment avez-vous été conditionné sur ce plan quand vous étiez enfant? A-t-on encouragé ou découragé votre curiosité à propos de votre corps? Votre cerveau? Votre esprit?

❦ *Les penseurs indépendants que vous avez connus.* Prenez quelques instants pour vous rappeler quelques penseurs indépendants que vous avez connus ou sur lesquels vous avez lu. Comment croyez-vous qu'ils le sont devenus? Comment vous ont-ils incité à réfléchir par vous-même? Quelles sont, parmi leurs caractéristiques, celles que vous pouvez appliquer à votre propre vie?

❦ *Votre intelligence multiple.* Chacun de nous possède plusieurs formes d'intelligence et peut avoir développé ses capacités ou non. À quel point avez-vous cultivé vos aptitudes créatives? Attribuez-vous une cote entre 1 et 10, 1 représentant le niveau le moins élevé de développement et 10, le niveau le plus élevé.

Formes d'intelligence   Niveau de développement

Logique mathématique

Linguistique

Musicale

Spatiale

Kinesthésique

Personnelle-interpersonnelle

Si vous vouliez cultiver davantage une ou plusieurs des capacités ci-dessus, que devriez-vous faire?

❦ *Comprendre votre façon de penser.* Nous avons tous de la difficulté à réfléchir parfois, surtout quand nous sommes soucieux, fatigué, malade ou que nous traversons une sorte de crise. C'est dans ces moments-là que les problèmes reliés aux frontières des états du moi sont susceptibles de faire surface. Complétez les phrases ci-dessous.

Frontières floues — Situations où j'ai tendance à me sentir confus:

Contamination — Situations où mes sentiments et opinions semblent dominer ma capacité de penser clairement:

Lésions — Situations où j'ai tendance à tomber en morceaux ou à exploser sans aucune raison:

Rigidité — Situations où j'insiste pour avoir raison et refuse de considérer d'autres points de vue:

❦ *Un débat amical.* Imaginez que vous discutez amicalement de Dieu avec des amis ou des collègues. Quel serait votre point de vue? Comment le présenteriez-vous? Pensez-vous qu'on vous comprendrait et qu'on serait d'accord avec vous?

Et les autres? Quelles opinions et quels arguments pourraient-ils apporter? Seriez-vous curieux et tenteriez-vous de les comprendre? Qu'est-ce que ce débat imaginaire vous permet de conclure sur vous-même?

❦ *S'instruire: un processus qui ne finit jamais.* Quand vous songez à l'avenir, qu'aimeriez-vous mieux comprendre? Quelles formes de connaissance devez-vous rechercher?

Les renseignements que j'aimerais obtenir:

Le savoir-faire que j'aimerais acquérir:

La sagesse spirituelle à laquelle j'aspire:

Comment pouvez-vous acquérir le savoir et la compréhension auxquels vous aspirez?

CHAPITRE 7

Le désir de créer

L'imagination est plus importante que le savoir.
ALBERT EINSTEIN[1]

Des châteaux de sable

Les châteaux de sable que l'on construit sur la plage ne sont en général que de simples créations érigées pour le plaisir. Composés de petits monticules de sable entourés de douves, ils ne retiennent les vagues que temporairement. Toutefois, certains châteaux de sable sont des structures au dessin complexe et soigneux. À Venice, en Californie, et à Coos Bay, en Oregon, se tient chaque année un concours de châteaux de sable dans lequel on reproduit des châteaux complexes et célèbres. Bâtir un château de sable simple ou élaboré est une source de grande satisfaction.

Heureusement, bon nombre d'œuvres créatives sont plus durables que les châteaux de sable. Ainsi, quiconque pose les yeux sur le Taj Mahâl en Inde ne peut plus oublier cette merveille du monde. Construit par un empereur moghol qui voulait y inhumer la dépouille de sa femme bien-aimée, le Taj Mahâl est un bâtiment de marbre blanc érigé vers 1640, entièrement serti de pierres semi-précieuses. Devant le mausolée, s'étend un long bassin peu profond bordé de grands arbres. Au clair de lune, quand le mausolée et ses quatre minarets élancés se reflètent dans l'eau du bassin, on est frappé par sa beauté et par la créativité de son concepteur.

Nous sommes tous créatifs, et même si nous n'érigeons pas de châteaux de sable ni de Taj Mahâl, nous nous demandons ce que nous pourrions créer si nous en avions l'occasion et pourquoi certaines personnes sont créatives et d'autres non. Est-ce que je suis créatif sans le savoir? Pourrais-je inventer un truc nouveau si j'essayais? Qu'est-ce qui m'empêche de réaliser l'œuvre que j'ai toujours voulu créer? Si je me lançais, ressemblerait-elle à ce que j'ai imaginé? En serais-je satisfait, et les autres l'apprécieraient-ils?

D'une certaine façon, l'univers entier est essentiellement créatif. Chaque jour est nouveau et différent de tous ceux qui l'ont précédé. Chacun de nous est aussi une création nouvelle comme en font foi nos empreintes digitales et notre code génétique. Jour après jour, nous avons de nouvelles pensées, éprouvons de nouveaux sentiments, essayons de nouvelles façons de faire, avons de nouvelles intuitions. Chaque jour, nous expérimentons le miracle de notre propre unicité ainsi qu'un désir de créer indestructible parce qu'il émane du soi profond de l'esprit humain.

Le désir de créer

Chacun naît avec le désir de créer car ce désir est inhérent à la passion de vivre. Le professeur qui utilise sa créativité et pique la curiosité de son élève pour l'inciter à apprendre, le poète qui écrit des sonnets pour exprimer les désirs de son cœur, le chercheur qui découvre un nouvel antibiotique ou l'employé de bureau qui s'apprête à écrire une note de service efficace, tous ces gens créent.

Nos conversations avec les autres sont des actes fort créatifs puisque, en combinant mots et phrases, nous créons souvent de nouvelles façons de nous exprimer. De même, les mots de nos conversations téléphoniques et de nos lettres deviennent des façons créatives d'aller au-devant des autres. Même les gazouillis de bébé sont des expériences créatives ayant pour objet les sons de base et la communication.

Créer, c'est produire quelque chose de nouveau: une nouvelle solution à un problème, un nouvel objet ou appareil, une nouvelle idée ou technique. Nos créations peuvent être éloquentes ou simples, posséder une utilité immédiate ou entraîner des conséquences à long terme.

Le besoin de créativité peut être déclenché par la nécessité: par exemple, nous avons besoin de trouver des façons créatives d'équilibrer notre budget en fonction de nos dépenses et de nos habitudes de consommation. Que nous vivions seul ou en famille, ou affrontions un divorce, le problème séculaire qu'entraîne la supériorité de nos besoins sur nos revenus nous force tous à exercer notre créativité dans la gestion de nos finances personnelles.

Par ailleurs, toute activité ou tâche qui exerce un puissant attrait sur nous peut réveiller notre désir de créer. La plupart des artistes, des musiciens, des danseurs et des comédiens font leur métier tout simplement parce qu'ils l'aiment. Même s'ils ne roulent pas sur l'or, le jeu en vaut la chandelle car il leur permet d'exprimer leur créativité. On retrouve ce même plaisir de créer chez les gens qui pratiquent un passe-temps comme le jardinage, l'ébénisterie, la couture ou les trains électriques.

Le désir de réaliser des gains personnels est un autre moteur de la créativité. Les gens lancent de nouvelles entreprises ou améliorent leurs produits et services dans l'espoir de profiter de leurs efforts créatifs. Le désir de faire carrière et d'assurer leur sécurité financière pousse beaucoup de gens à rechercher des emplois offrant des occasions de créer: emplois de chimistes, de cuisiniers, de charpentiers et d'informaticiens. De même, le désir d'avancer sur le plan professionnel, par le biais d'une promotion ou d'une formation, reflète souvent une envie d'utiliser davantage sa créativité.

Chez certains, la créativité est motivée non pas tant par le souci de réaliser un gain personnel que par celui de faire plaisir. Qu'on explore les magasins à la recherche d'un cadeau d'anniversaire, qu'on prépare un repas savoureux ou qu'on planifie des vacances familiales, le motif sous-jacent de ces actes créatifs est souvent de faire plaisir à un tiers. Les activités bénévoles comportent aussi une grande part de créativité, que l'on siège au comité d'un organisme communautaire ou prenne soin de personnes âgées ou handicapées. Les parents doivent constamment faire preuve de créativité!

La nécessité de résoudre des problèmes d'ordre pratique est un autre catalyseur de la créativité. Trouver des façons de gérer des groupes de travail, de commercialiser des produits ou de réagir aux fluctuations du marché est un enjeu créatif qui, souvent, donne lieu à de nouvelles recherches et de nouveaux développements, au lancement de nouvelles entreprises et à des fusions.

Le désir de créer peut aussi être éperonné par le désir d'actualiser ses valeurs et ses idéaux. Les personnes qui embrassent une cause commune — qu'elle soit sociale, environnementale ou politique — manifestent souvent une créativité exceptionnelle dans leurs stratégies visant à mobiliser l'action et à organiser des changements féconds. C'est ce qui se produisit entre 1774 et 1776 quand un groupe d'hommes d'État réuni à Philadelphie pour discuter des intérêts de treize colonies émergea plutôt avec la Déclaration de l'indépendance. On retrouve aujourd'hui cette même synergie quand des leaders de tous genres forment des «groupes de réflexion» et mettent en commun leurs efforts et leur sagesse afin de prévoir les tendances futures et de proposer des stratégies de changement.

Qu'il soit motivé par la nécessité, l'idéalisme, le plaisir ou le gain personnel, le désir de créer sous-tend une grande partie de nos actions. La créativité n'a rien à voir avec les aptitudes ou l'intelligence, la personnalité ou les occasions offertes, bien que chacune de ces variables puisse influer sur la façon dont on l'exprime. Sans égard à son niveau d'aptitudes, on peut exercer sa créativité dans un but précis ou pour le simple plaisir de la chose. Les deux façons révèlent le miracle créatif de l'esprit humain.

Si tous les gens sont créatifs, certains le sont plus que d'autres. Parmi les nombreuses études qui ont porté sur le lien entre l'intelligence et la créativité, certaines ont démontré l'existence d'une forte corrélation entre les deux. D'autres ont mis en lumière le fait que les personnes très intelligentes ne sont pas nécessairement créatives et que bien des gens créatifs ne possèdent pas un QI supérieur à la moyenne.

Certaines personnes sont à la fois intelligentes et créatives. Leurs aptitudes cognitives et analytiques touchent plusieurs domaines et leur passion de vivre n'a d'égale que leur créativité. Léonard de Vinci était de celles-là.

En tant qu'artiste, c'est par sa *Joconde* et sa *Dernière Cène* que Vinci est le mieux connu. Ses esquisses d'oiseaux, de batailles et de nus reflètent également l'envergure de son inspiration artistique. En tant qu'écrivain, Vinci aborda de nombreux sujets: médecine, mathématiques, anatomie, astronomie, chevaux, hydraulique, philosophie, prophéties, fables et machines volantes. Il lui arrivait d'écrire à l'envers en employant une forme d'écriture miroir et il ornait souvent ses écrits de croquis reliés au sujet traité.

Musicien, Vinci jouait d'une version primitive du violon; il inventa plusieurs instruments de musique et apporta des améliorations à l'orgue. Il écrivit des traités sur l'acoustique, la voix humaine et la philosophie de la musique.

En ce qui a trait à l'architecture, les intérêts de Vinci portaient sur les armes défensives et les fortifications militaires, les aqueducs et la topographie, les hélicoptères, les sous-marins, les habits de plongée et bien d'autres sujets. Il inventa des arbalètes et des fusils à mèche, des mitraillettes et des canons.

Il semble que ses carnets se lisent «comme des catalogues modernes de vente par correspondance offrant un outil ou un gadget ingénieux pour chaque dessein imaginable[2]». En fait, Léonard dessina et décrivit les vingt-deux éléments de base des machines et des outils mécaniques (y compris les vitesses, les leviers, les valves, les roulements à bille et les volants), dont plusieurs ne furent réinventés ou redécouverts que quatre cents ans après sa mort!

Les êtres aussi perspicaces ou prolifiques que Léonard de Vinci ne courent pas les rues et pourtant chaque humain est créatif et s'exprime de manière unique.

Exprimer son désir de créer

Le désir de créer n'est pas toujours mis au service du bien; de fait, il peut être déformé et utilisé consciemment pour faire le mal. Des instruments aussi différents que les chevalets de torture médiévaux ou la pornographie démontrent clairement que si l'imagination humaine peut atteindre des sommets vertigineux, elle peut aussi tomber très bas.

En fait, toute activité criminelle ingénieuse est une déformation du désir de créer. Le trafic de drogue en est un exemple particulièrement odieux. Créer des virus informatiques, modifier le nom des médicaments dans le but de réaliser des profits illégaux, tromper le public en vendant au gouvernement des produits de qualité inférieure à des prix excessifs ou tirer parti de la souffrance humaine en gonflant les prix après une grave inondation ou un tremblement de terre, tous ces actes sont créatifs mais destructeurs. Malheureusement, la liste pourrait s'allonger indéfiniment.

Au travail, on ne fait rien de mal en réinventant la roue ou en multipliant abusivement la paperasserie, mais on gaspille ses facultés créatrices. Regarder des émissions de télévision futiles ou lire de mauvais romans sont des façons courantes de perdre un temps que l'on pourrait employer de façon plus créative.

Le plus souvent, nous utilisons notre énergie créatrice à des fins égoïstes, pour améliorer notre confort et notre plaisir, par exemple. Thomas Edison, le père de l'ampoule électrique et de 1 092 autres inventions brevetées, affirmait que ses trois principales priorités étaient d'inventer, de gagner de l'argent avec ses inventions et de devenir célèbre. Bien que, dans sa jeunesse, le plaisir d'inventer ait été son unique mobile, il déclara plus tard: «Ce qui ne se vend pas, je ne veux pas l'inventer[3].»

Être égoïste, ce n'est pas nécessairement être grossier et cupide. D'une façon plus positive, on peut trouver des manières créatives d'avancer son travail pendant ses déplacements ou d'éviter les bouchons de circulation sur le chemin du retour, de même que l'on peut exercer sa créativité en planifiant ses vacances estivales. Ces activités ont un but personnel et égoïste, mais elles peuvent également libérer du temps ou de l'énergie pour d'autres occupations plus passionnantes.

Pour qu'une activité créative s'intègre dans une quête spirituelle, elle doit être passionnément orientée vers des buts qui dépassent notre satisfaction personnelle ou l'expression de nous-même. Dans ce cas, il est difficile de nier ou de mettre de côté notre passion de créer. C'est sans doute ce qui arriva à Nikos Kazantzakis, philosophe et écrivain devenu célèbre grâce à *Zorba le Grec,* roman qui met en vedette un homme pauvre passionnément épris de la vie. Dans son autobiographie, Kazantzakis parle de sa propre recherche spirituelle: «J'ai lutté toute ma vie pour pousser mon esprit jusqu'à la limite, jusqu'à ce qu'il commence à craquer, afin de trouver une idée formidable qui pourrait donner un nouveau sens à la vie et à la mort, et consoler l'humanité[4].»

Quand on est engagé dans une quête spirituelle, on peut orienter son désir de créer de manière à glorifier Dieu, comme le fit Michel-Ange en peignant et en sculptant des thèmes religieux. Ce désir peut viser à provoquer un éveil spirituel comme sont censées le faire les statues du Bouddha. Le *Penseur* de Rodin évoque notre besoin de réflexion. L'art peut aussi militer en faveur de la paix, comme les sculptures créées par Käthe Kollwitz en pleine Allemagne nazie[5]. Ou il peut représenter un véritable appel à la liberté, comme cette statue de la Démocratie érigée sur la place T'ien an Men à Beijing.

La créativité exercée délibérément dans le cadre d'une recherche spirituelle peut s'exprimer non seulement dans le domaine artistique mais également dans l'action créative. Les œuvres admirables — comme celles de Shakespeare — qui nous forcent à regarder à l'intérieur de nous ou les discours — comme ceux de Lincoln — qui nous obligent à dénoncer l'injustice sociale émanent habituellement de l'âme passionnée d'un être qui s'est engagé à créer un monde meilleur.

Bien que ce type de leadership soit magnifique et souvent nécessaire, il n'est pas la seule façon d'exprimer la passion créative de l'âme. La créativité se manifeste parfois dans des situations inattendues. Les cataclysmes naturels comme les ouragans ou les tremblements de terre font souvent ressortir le meilleur des humains, qui cherchent alors des solutions créatives aux problèmes de logement des victimes, à leur chagrin et aux pertes qu'ils ont subies. Qu'ils soient mus ou non par des motifs religieux, ils compatissent et veulent aider les autres de toutes les façons pratiques et créatives possibles.

La solution compatissante qu'Amanda Parham, une fillette de sept ans, apporta à un problème épineux lui valut une récompense nationale: elle inventa un détecteur de fumée pour les sourds. Les détecteurs ordinaires, qui émettent un signal sonore ou un clignotement, ne sont d'aucune utilité pour les personnes sourdes lorsqu'elles dorment. Or le détecteur d'Amanda déclenche un bras mécanique qui «donne un coup» au dormeur pour le réveiller[6]. La créativité n'a pas d'âge.

Les artistes expriment leur désir créatif de différentes façons. Certains adoptent une approche centrée sur la tâche, d'autres, une approche axée sur le processus.

Michel-Ange laissait son génie créatif s'épanouir durant le processus de création. Selon lui, «chaque bloc de marbre renferme des dessins plus beaux que ceux que le plus grand artiste pourrait concevoir[7]». Il préférait ce qu'on appelle «l'approche centrée sur le processus». Il n'avait pas une conception nette de son projet ou du résultat final, mais il était convaincu que la forme émergerait du matériau au fur et à mesure qu'il le travaillerait.

Pablo Picasso, au contraire, avait recours à une approche axée sur un but. Il peignait beaucoup plus rapidement que Michel-Ange et imaginait son dessin en entier avant de le commencer. Le poète Robert Frost travaillait de façon similaire: «Chaque fois que j'écris une ligne, c'est qu'une voix audible l'a déjà clairement prononcée dans ma tête[8].»

Pour aussi différents qu'ils soient, ces deux modes de création — l'approche centrée sur la tâche ou celle axée sur le processus — peuvent être très efficaces. En fait, tous deux sont employés dans de nombreuses activités créatives, depuis la réflexion théorique jusqu'à la résolution de problèmes courants. En exploitant nos capacités naturelles et en utilisant une approche efficace pour nous, nous exprimerons les pouvoirs créatifs de l'esprit humain.

La recherche d'originalité

Le désir de créer est naturel parce qu'il émane du soi profond et nous pousse à exercer notre créativité d'une manière originale. Créer, c'est commencer quelque chose de neuf ou apporter des changements à une chose déjà établie. On crée aussi quand on fait les choses à sa manière, qui est unique. Dans notre souci d'originalité, nous cherchons en nous-même des solutions innovatrices à de vieux problèmes, nous inventons de nouvelles idées ou de nouveaux objets, nous créons de nouvelles formes esthétiques, nous nous exprimons d'une manière nouvelle.

Nombreux sont ceux qui cherchent à innover dans le domaine des *activités esthétiques.* Le choix de ces activités découle de nos préférences sensorielles innées et débouche sur la création d'œuvres d'art. Les personnes visuelles peuvent se lancer dans la peinture, la sculpture, l'architecture ou la conception graphique. Les personnes auditives peuvent rechercher l'originalité dans la création ou l'exécution d'œuvres musicales. Les fins gourmets sont plus susceptibles de créer des mets exquis ou des vins capiteux. Les personnes à l'odorat plus développé exprimeront leur créativité en créant des parfums ou en plantant des jardins de fleurs odorantes. Tous ces gens s'expriment à travers une activité esthétique liée à leurs préférences sensorielles.

On peut aussi être attiré par les créations originales des autres. Les photographies de nature d'Ansel Adams témoignent d'une grande créativité esthétique; elles entraînent l'observateur dans les régions sauvages de la magnifique vallée Yosemite dont elles semblent avoir saisi l'apparence, l'odeur et la majesté. Ses vues panoramiques de chaînes de montagnes couronnées de neige ou ses images détaillées d'arbres rabougris et courbés par l'âge mettent l'observateur en contact avec l'aspect spirituel de la nature.

La recherche de créativité se manifeste également à travers notre *inventivité,* dont témoignent toutes sortes d'objets, depuis les gadgets culinaires jusqu'aux télescopes. En général, cette forme d'expression de soi est propre aux personnes douées d'un esprit orienté vers la mécanique. Elles voient un besoin et tentent de le combler; elles construisent des ponts qui permettent de traverser des rivières autrefois infranchissables et des fusées pour aller sur Mars.

Nul besoin d'être ingénieur pour faire preuve d'ingéniosité. Grâce à un objet aussi simple qu'un cintre, on peut déboucher un conduit, ouvrir la portière d'une voiture dont on a laissé les clés à l'intérieur, remplacer un loquet brisé sur une grille d'entrée ou tirer à soi une bobine de fil qui a roulé sous un meuble. Comme les singes qui tentent d'atteindre une banane à l'aide d'un bâton, nous utilisons des objets simples avec créativité afin d'atteindre notre but.

Josephine Cochran était ingénieuse. Comme elle avait des serviteurs, elle n'avait pas besoin de laver sa vaisselle, mais après les réceptions, ceux-ci brisaient souvent sa précieuse porcelaine de Chine. Or la porcelaine était difficile à remplacer, et l'onéreuse maladresse de ses domestiques faisait peu à peu perdre son sang-froid à Josephine. C'est alors qu'ayant élu une remise comme atelier de travail, elle prit un grand chaudron dans lequel elle fabriqua des compartiments en fil de fer pour les assiettes. Le chaudron était placé sur une roue hydraulique actionnée par un moteur qui y faisait gicler une eau chaude et savonneuse. Josephine Cochran avait inventé le premier lave-vaisselle. Elle fit breveter son invention en 1886 et la machine fut utilisée avec succès dans les hôtels et les restaurants, bien qu'on la jugeât en général trop frivole pour un usage domestique. Il fallut attendre les années cinquante, moment où le pouvoir désinfectant de l'eau bouillante du lave-vaisselle fit ses preuves, pour que l'invention de Josephine Cochran se répande dans les foyers[9].

Se débattre avec des idées et des expériences inédites, et élaborer des hypothèses et des théories nouvelles, c'est manifester une inventivité *théorique*. Les gens concoctent souvent leurs propres théories sur l'origine des événements. Il est intéressant de noter également que les théoriciens dans un domaine sont souvent des penseurs dans un autre. Newton, par exemple, le père des théories sur le calcul différentiel et intégral, avança aussi l'hypothèse que Dieu était à l'origine de l'univers.

Les gens bâtissent souvent de nouvelles théories sur celles de leurs prédécesseurs. Ainsi, les théories de Jung, Adler, Horney, Berne et d'autres s'enracinent dans la pensée de Freud, même si ces psychologues et psychiatres désapprouvaient un grand nombre de ses concepts.

Outre les personnes douées d'un esprit théorique, il y a celles — et nous en faisons tous partie — qui expriment leur créativité à travers la *résolution de problèmes*. Une parabole soufi illustre cela de façon amusante:

> *Du faîte d'un arbre, un singe lança à un soufi affamé une noix de coco qui le frappa à la jambe; il la ramassa, en but le lait, en mangea la chair et fit un bol de l'écorce*[10].

Dans la vie courante, nous passons notre temps à résoudre des problèmes. Si la voiture tombe en panne, il faut trouver un moyen de se rendre au bureau: soit on appelle un taxi ou un ami, soit on enfourche son vélo. Nous nous heurtons constamment à des problèmes qui nous obligent à concevoir nos propres solutions.

Récemment, Gretchen Schulte dut faire appel à sa créativité pour résoudre un problème: ses enfants tenaient ses services pour quantité négligeable. Elle cuisinait, faisait le ménage et le lavage, cousait leurs vêtements et les conduisait à leurs activités. Ayant sollicité leur aide et essuyé un refus, elle fit la grève. Afin d'ajouter un aspect spectaculaire à son geste, elle fixa, à l'extérieur de la maison, une gigantesque pancarte indiquant: «Mère en grève». Son désir d'obtenir la collaboration de ses enfants l'avait amenée à trouver une solution originale à un problème courant[11].

Le désir de créer et d'innover est stimulé par l'expression d'une qualité innée chez tous les humains: l'imagination.

Le besoin d'imagination

La création d'une œuvre originale requiert de l'imagination. *L'imagination est la capacité de se représenter mentalement des images ou des dessins.* Quand nous rêvons, nous voyons des images qui bougent et entendons des voix que nous imaginons réelles à ce moment-là. La lecture de poèmes, de pièces de théâtre ou de romans fait également appel à l'imagination, et notre univers s'élargit quand nous pénétrons dans la vie des autres et constatons qu'ils vivent des passions et des conflits.

Albert Einstein était doté d'un esprit visuel. Sa théorie sur la relativité découle d'une intuition qui lui vint spontanément en se voyant chevaucher un rayon lumineux à la vitesse de la lumière. Cette image symbolique orienta son travail sur la théorie de la relativité[12].

Bien que la capacité de visualiser soit importante, l'imagination peut également être prise dans un sens plus large. Les compositeurs et les poètes entendent les notes et les mots au lieu de les voir. Les danseurs et les athlètes sentent les mouvements d'une manière kinesthésique tout en les visualisant. Les grands chefs devinent le goût final des mets à l'odeur qu'ils dégagent pendant la cuisson. Et les magiciens, qui peuvent tirer un lapin d'un chapeau, comptent sur leur capacité de manipuler l'imagination des spectateurs. Donc, dans son acception la plus large, l'imagination se rapporte à la capacité de concevoir une chose que les sens ne perçoivent pas encore.

Certaines personnes croient à tort que l'imagination créative est l'apanage des artistes ou des scientifiques. Elle est présente en chacun de nous comme l'une des merveilles fondamentales de l'esprit humain. Nous sommes créatifs parce que nous sommes humains. Sans imagination, il n'y aurait pas de créativité. Qu'un enfant construise un château de sable ou un architecte, un gratte-ciel, l'imagination est essentielle à la créativité.

Aspiration de l'esprit humain	But de la quête	Qualité requise
Créer	Originalité	Imagination

Malheureusement, personne ne s'entend sur la façon dont fonctionne l'imagination ni sur sa raison d'être. Selon le psychanalyste Silvano Arieti, l'imagination existe parce que l'esprit conscient crée des mots, des idées et des symboles. C'est souvent ce qui se produit pendant un remue-méninges dans lequel les participants ne font aucun effort délibéré pour organiser leurs idées et leurs symboles, se contentant plutôt de les concevoir et de les énoncer sans réfléchir[13].

Harold Rugg, de l'Université Columbia, avance une autre hypothèse. Il croit, pour sa part, que l'imagination naît dans l'«esprit transliminal» qui se situe quelque part entre le conscient et l'inconscient. Parfois appelé «préconscient», l'esprit transliminal peut être ouvert et non focalisé (comme quand on rêvasse ou qu'on laisse son esprit errer) ou détendu et focalisé (comme pendant une méditation, une transe ou en état d'hypnose). L'une et l'autre conditions peuvent donner lieu à un éclair de créativité au moment où l'imagination parvient à intégrer en un tout unique plusieurs éléments en apparence distincts ou à créer une nouvelle idée à partir de faits familiers ou de possibilités inconnues. Des professeurs occupés à établir un nouveau programme scolaire pourraient se retirer dans un endroit calme où, parce qu'ils sont détendus, ils auraient une intuition créative qui les amènerait à élaborer un programme innovateur.

Le biologiste et philosophe Edmund Sinnott croit que l'imagination est plus susceptible de prendre naissance dans l'inconscient et pendant les rêves[14]. Le chimiste Friedrich Kekule, qui se demandait quelle structure pouvait bien justifier le comportement particulier de la molécule de benzène, rêva d'un serpent qui se mordait la queue. Il y vit un symbole de la structure annulaire du benzène et comprit que certains composés organiques étaient formés non de rangées d'atomes, mais d'anneaux atomiques[15].

Imagination et rêves

Que l'imagination découle de notre utilisation consciente des mots et des symboles ou des intuitions spontanées qui nous viennent en état de détente ou de méditation, il ne fait aucun doute que c'est quand nous rêvons qu'elle est le plus active. Que l'on s'en souvienne ou non, les rêves sont des expressions de notre soi profond créateur. Tels des collages composés de morceaux de papier coloré, nos rêves englobent toutes sortes d'expressions symboliques: fragments de souvenirs, espoirs et craintes, expressions de nos envies, de nos passions et de nos problèmes, et solutions innovatrices.

Parfois, il est difficile de croire que nous créons certains de nos rêves, surtout quand ils sont violents et terrifiants. C'est pourtant le cas. Les parties inconsciente et subconsciente de nous-même travaillent même pendant notre sommeil. Même si nous oublions la plus grande partie de nos rêves, des recherches ont démontré que nous rêvons jusqu'à cinq fois par nuit et ne nous rappelons que le rêve qui précède notre réveil.

Les théories sur les rêves, leur signification, la façon de s'en souvenir et de les utiliser abondent. Les Senoï des jungles montagneuses de la Malaisie accordent une importance inhabituelle aux rêves. Les enfants senoï apprennent à rêver à des choses précises et à transformer leurs cauchemars en expériences positives d'apprentissage. Pour les membres de la tribu, la vie onirique est plus réelle que la vie éveillée. Chaque jour, ils s'interrogent mutuellement sur leurs rêves de la nuit précédente, puis en discutent. Leur but est d'apprendre à affronter et à vaincre le danger en rêve, à transformer leurs rêves en expériences agréables ayant un dénouement positif. Ils réalisent ce dénouement positif en exigeant ou en demandant un présent à un amoureux ou à toute image terrifiante du rêve. Ils croient que chaque rêve comporte un élément positif que l'on peut se rappeler et utiliser à l'état de veille[16].

Dans le cadre de la gestalt-thérapie, on encourage les patients à revivre leurs rêves comme s'ils les voyaient sur un écran de télévision. On leur demande de les décrire au présent sous une forme ressemblant à celle-ci: «Maintenant, je me trouve devant une grande porte. Je me dirige vers elle et j'ai peur. J'ai peur de ce qui se trouve derrière cette porte.» À ce moment, le thérapeute peut demander au patient d'entamer un dialogue avec la porte: «Porte, que fais-tu dans mon rêve?» Ou encore, il peut dire: «Soyez la porte et formulez vos sentiments.» Le but de cette approche est de «s'approprier» ou d'accepter les parties inconnues du soi car, en gestalt, chaque partie du rêve représente une partie du rêveur[17].

Dans la tradition judéo-chrétienne, les rêves sont souvent interprétés comme des messages de Dieu et foisonnent dans la

Le désir de créer

Créer un souvenir familial

Exprimer
son désir de créer

Créer les sons de la vie

Le besoin
d'une solution créative

JANE SCHERR

Créativité pratique

Aider les autres à
exprimer leur créativité.

Bible. Ainsi, dans l'Ancien Testament, le patriarche Jacob rêve qu'une échelle est dressée sur terre et que son sommet touche le ciel; des anges y montent et y descendent. Puis, Dieu apparaît à Jacob et lui dit que sa descendance «sera pareille à la poussière de la terre» et qu'il le protégera et le ramènera sur sa terre natale[18].

Tertullien, un théologien ayant vécu au IIe siècle, affirmait: «Presque chacun sur terre sait que Dieu se révèle à son peuple le plus souvent dans ses rêves.» Dix-sept cents ans après Tertullien, Abraham Lincoln releva quinze chapitres de l'Ancien Testament et quatre du Nouveau qui contenaient des rêves. Il en conclut que:

Si l'on croit à la Bible, il faut accepter le fait que, dans l'ancien temps, Dieu et ses anges apparaissaient aux humains dans leur sommeil et se faisaient connaître à travers leurs rêves[19].

Plus près de nous, le psychiatre Carl Jung désapprouvait les théologiens et les psychologues qui refusaient d'admettre que l'on puisse entendre la voix de Dieu en rêve et, à l'instar de Tertullien et de Lincoln, il était d'accord avec «le fait séculaire que Dieu parle surtout à travers les rêves et les visions[20]».

Les rêveries font, elles aussi, appel à l'imagination. Elles peuvent refléter un désir égoïste de gloire future ou un désir de se venger de blessures réelles ou imaginaires, ou mettre en relief de petits plaisirs, des actes héroïques, ou une activité utile propres à améliorer la qualité de la vie.

Nos rêveries peuvent rivaliser d'originalité avec nos rêves nocturnes. On dit que les auteurs de science-fiction utilisent les rêveries dans leur processus de création. Comme eux, il peut nous arriver d'avoir une idée passionnante, mais de ne pas l'approfondir davantage à l'état de non-rêverie parce que, aussi amusante soit-elle, nous avons mieux à faire que d'y réfléchir. Ou encore, les créations imaginaires de nos rêveries peuvent nous sembler très importantes mais trop avant-gardistes pour que la technologie actuelle permette de les réaliser. Par exemple, nous pourrions avoir l'idée, irréalisable pour l'instant, d'expédier les déchets nucléaires sur le soleil pour les brûler.

Parfois, le climat intellectuel ou social n'est pas ouvert aux idées brillantes qui naissent dans nos rêveries. Cela peut prendre plusieurs générations avant qu'elles soient acceptées par les autres. La machine à écrire fut inventée en 1714, mais il fallut attendre jusqu'en 1874 pour qu'elle devienne populaire, soit l'année où Mark Twain en trouva une et l'adopta. De même, on commença par bouder les avions des frères Wright sous prétexte qu'ils étaient de peu d'utilité. En 1939, le *New York Times* discréditait la télévision en ces termes: «Les gens doivent rester assis et garder leurs yeux rivés à un écran: la famille américaine moyenne n'a pas de temps pour cela[21].»

Souvent, il faut faire preuve d'imagination et de courage pour s'élever contre le *statu quo* et risquer un rejet, mais c'est parfois indispensable pour que l'imagination créative porte fruit.

Les obstacles à la créativité

Chacun de nous naît avec le potentiel d'innover, mais nos facultés créatrices peuvent être stimulées ou inhibées, selon l'environnement dans lequel nous évoluons.

Les dernières recherches de la psychologue Teresa Amabile démontrent que les écrivains et les scientifiques engagés dans une œuvre créative sont tous deux sujets aux mêmes types de blocages, qui semblent résulter d'une variété de causes[22].

Des *choix limités* peuvent inhiber le désir de créer. Cela peut être vrai dans le cas des étudiants qui ne possèdent pas les ouvrages de référence ou les ordinateurs dont ils ont besoin ou des personnes à qui on accorde des délais trop courts pour permettre à leurs idées d'incuber.

La *surveillance* est un autre obstacle à la créativité. Les personnes surveillées ne se sentent pas aussi libres d'exprimer leur originalité que si elles travaillaient sans être observées. Par exemple, les employés soumis à une étroite surveillance peuvent éprouver un tel ressentiment qu'ils ralentissent leur rythme, renoncent à faire des efforts créatifs et agissent d'une manière passive-agressive.

La *peur de la compétition* peut, elle aussi, nuire à l'expression créative. Les personnes qui se sentent en compétition directe avec d'autres peuvent être moins créatives que celles qui ne craignent pas les comparaisons. Les écrivains en herbe qui comparent leurs écrits à ceux d'autres auteurs peuvent se décourager et faire peu de cas de leurs propres aptitudes créatives. Il en va de même pour les personnes qui s'initient à un nouvel art créatif et se comparent sans cesse à leurs homologues possédant une meilleure formation, plus d'expérience ou un style naturel. Ainsi, Johannes Brahms détruisit une grande partie de sa musique parce qu'il avait l'impression qu'elle ne faisait pas le poids comparée à celle de Beethoven.

Les personnes qui s'arrêtent à toutes les *raisons extrinsèques ou extérieures* de faire ce qu'elles font — telles que l'approbation de leurs pairs — sont moins créatives que celles qui sont motivées uniquement par leurs propres intérêts. Les personnes qui sollicitent les commentaires cherchent davantage à plaire qu'à créer des œuvres qui sont l'expression intrinsèque de leur soi créatif. Elles demandent l'avis des autres au lieu de suivre ce qu'elles croient vraiment.

L'*éventualité d'une récompense* peut constituer un autre écueil à l'originalité. Les personnes qui travaillent surtout dans le but d'obtenir une récompense sont moins créatives. Ainsi, les employés qui ne pensent qu'à toucher leur paye ne sont pas aussi motivés que ceux qui travaillent à des projets qui les intéressent réellement. Les personnes mues par des motifs plus intrinsèques créent par plaisir. Elles mettent à contribution leur imagination pour créer à leur guise.

La *peur du rejet* est un autre sentiment qui étouffe la créativité, car elle entraîne une recherche exagérée de la perfection. Par souci de faire les choses comme il faut, une personne peut rater l'occasion de travailler d'une manière inédite ou plus satisfaisante sur le plan personnel. Le parent qui essaie d'être un «superparent» peut inculquer la peur du rejet à ses enfants s'il accorde une importance excessive à la réussite.

La plupart des perfectionnistes craignent le rejet, mais de nombreux êtres bourrés de talent et de génie continuent de créer malgré les nombreux rejets qu'ils ont essuyés. L'empereur Joseph II rejeta l'opéra de Mozart *L'Enlèvement au sérail* sous prétexte qu'il comptait «trop de notes». Un critique bostonien dénigra la musique de Beethoven et écrivit que s'il refusait de raccourcir sa *Septième Symphonie,* elle «tomberait en désuétude». Même les artistes attaquent parfois les œuvres de leurs homologues. Tchaïkovski détestait la musique de «cette canaille de Brahms» qu'il traitait de «bâtard sans talent[23]».

Parfois, le rejet ne vient pas des autres mais de nous-même. Nous croyons que nous devrions être créatif dans tel ou tel domaine et nous critiquons parce que ce n'est pas le cas. Nous voudrions être plus artistique ou inventif, ou exceller dans une chose plutôt que dans une autre. Parfois, nous nous stressons en pensant que nous devrions égaler ou surpasser quelqu'un ou nous poser en maître alors que nous sommes encore un novice. Tous ces impératifs nous empêchent d'apprécier notre unicité et d'exploiter au maximum notre potentiel.

Curieusement, une santé mentale déficiente ne constitue pas nécessairement un obstacle à la créativité[24]. Le peintre Claude Monet et le philosophe Jean-Jacques Rousseau souffraient d'instabilité émotive et, pourtant, ils arrivaient à dominer leurs états émotifs quand ils travaillaient. Salvador Dali intégrait ses troubles émotifs à son travail. Le philosophe Emmanuel Kant et le scientifique Isaac Newton étaient tous deux perturbés émotivement après avoir achevé leurs œuvres tandis que le biologiste Charles Darwin recouvra la santé après avoir complété ses théories. Un nombre encore plus grand d'artistes, tels que Beethoven, Lord Byron et Schopenhauer, frisaient la maladie mentale mais n'étaient pas tout à fait psychotiques. Toutefois, il serait erroné de conclure, à partir de ces exemples, qu'une créativité exceptionnelle est liée à l'anxiété mentale. Havelock Ellis étudia 1 030 génies et découvrit que seuls 4,2 pour 100 d'entre eux étaient psychotiques[25]. Cela démontre qu'il n'est pas nécessaire d'être tourmenté pour être créatif. En outre, le désir de créer est si fondamental que même les personnes mentalement ou physiquement malades s'efforcent d'exprimer leur passion de vivre d'une manière originale.

Sont remarquables aussi les personnes passionnées par la vie qui passent outre ou encore surmontent des blocages qui pourraient nous sembler insurmontables. Marie Curie connut de nombreuses années de maladie et d'extrême pauvreté. Pendant une grande partie de sa vie adulte, elle ne posséda que trois robes noires et vécut entre des murs nus, entourée d'un petit lit, d'une table et de chaises qu'elle utilisait pour s'asseoir et travailler. Son laboratoire se trouvait dans une serre humide et non chauffée dont la température chutait parfois tout près du point de congélation. Toutefois, rien n'entrava jamais sa réflexion créative. Son engagement envers la science était sa passion de vivre. Avec son mari,

Pierre, elle remporta le prix Nobel de la physique en 1903 et mérita, après sa mort tragique, un prix Nobel de chimie.

Mme Curie éleva sa fille Irène dans le même amour de la science. Elle l'emmenait à des réunions scientifiques et pendant qu'elle était à l'école, elle lui écrivait souvent des petits mots affectueux qui englobaient des problèmes mathématiques à résoudre. Pendant son adolescence, Irène seconda sa mère dans son laboratoire et ensemble, elles installèrent les premiers appareils de radiographie dans les zones occupées de la France pendant la Première Guerre mondiale. Plus tard, Irène remporta un prix Nobel de chimie avec son mari, comme sa mère et son père l'avaient fait avant elle[26]!

On peut surmonter les obstacles à la créativité, même des obstacles aussi pénibles que ceux qu'affronta Marie Curie, quand on est en contact avec sa passion de vivre et son désir de créer. L'enjeu consiste à demeurer à l'écoute de ses désirs intérieurs et à les exprimer pour son propre bien et celui des autres, en créant un monde meilleur pour les générations à venir.

Les mythes créatifs qui nous font vivre

Les mythes sont des expressions créatives de l'imagination. Certains sont nos propres créations tandis que d'autres nous viennent de personnes à l'esprit inventif ayant vécu à une époque reculée. Les mythes sont des histoires qui révèlent, d'une manière symbolique, une chose vraie — non pas d'un point de vue scientifique — mais en raison de sa signification fondamentale et de son universalité. Les thèmes universels les plus communs se rapportent à la création du monde et des animaux, des plantes et des créatures qui y vivent, à l'origine de certaines activités essentielles ainsi que du bien et du mal, et à l'avenir ultime de toute chose.

Chaque culture possède ses propres mythes sur la création. En Afrique, en Chine, en Grèce et au Japon, on croit, d'une façon symbolique, que l'univers est sorti d'un œuf fertilisé. Pour les hindous, la création est l'œuvre de Brahman, le pouvoir initial qui soutient l'univers. Pour créer le monde, Brahman n'eut qu'à ouvrir les yeux et à le concrétiser. Selon un ancien mythe hébreu, Dieu aurait, lui aussi, créé l'univers à partir de rien. Toutefois, au lieu de le faire à la manière hindoue, en ouvrant les yeux, le Dieu hébreu créa l'univers avec des mots. Dieu «dit» et cela fut fait.

D'autres mythes ont trait à la création des êtres humains. Ainsi, en vertu de l'Ancien Testament, Dieu façonna l'homme à partir d'argile, lui insuffla la vie, puis créa la femme à partir d'une de ses côtes. Les Maoris de la Nouvelle-Zélande et certaines tribus africaines croient également que l'homme a été fabriqué avec de l'argile; selon eux, la première chose que fit l'homme en venant au monde fut d'éternuer. Pour une tribu du Togo, en Afrique occidentale, les humains commencèrent par se regarder les uns les autres en riant.

On étudie sérieusement la mythologie depuis l'époque de Platon et d'Aristote, qui affirmaient que les mythes étaient irrationnels. Cela peut être vrai si on les prend au pied de la lettre. Mais les *mythes sont des histoires qui illustrent les efforts de l'esprit humain dans un langage symbolique*. Vus comme des métaphores, ils peuvent amener une compréhension plus profonde.

Consciemment ou non, nous vivons comme si nous nous trouvions dans un monde mythique. Nous croyons aux mythes que nous racontent les autres sur la façon dont nous avons été créé et dont nous devrions diriger nos vies, et sur ce que nous réserve l'avenir. Nous créons aussi nos propres mythes à partir de nos expériences. Quand un événement positif se produit, nous croyons qu'il certifie notre valeur; quand un événement négatif arrive, nous sommes enclin à nous en blâmer et à nous croire condamné à revivre les mêmes souffrances dans le futur.

Nous vivons en fonction de mythes qui ressemblent à des scénarios psychologiques. Les drames et les personnages que nous jouons ressemblent souvent à des figures et à des thèmes de la mythologie. Nous portons le monde sur nos épaules (comme Atlas) ou craignons qu'une catastrophe ne se produise si tout va trop bien (comme Damoclès, qui se trouva sous une lourde épée retenue uniquement par un crin de cheval). Nous pourrions imaginer que nous avons le droit de contrôler notre entourage (comme Zeus, le dieu suprême) ou passer notre temps à nettoyer les saletés des autres (comme Hercule dans les écuries d'Augias); nous éprouvons une constante jalousie (comme Héra l'était de Zeus) ou centrons toute notre vie sur nous-même (comme Narcisse)[27]. De même, nous pouvons chercher à passer des haillons à la fortune (comme Horatio Alger) ou défendre les droits des pauvres (comme Robin des Bois). Nous pouvons tenter de mettre un peu de soleil dans la vie de quelqu'un (comme Mary Poppins), aimer l'aventure (comme Tom Sawyer) ou nous efforcer d'exceller en tout (comme Superman ou Superwoman). Ce sont nos créations imaginaires qui nous poussent à vivre ainsi.

Fort de cette créativité, nous pouvons aussi créer l'avenir. De nombreux auteurs de science-fiction, depuis Jules Verne jusqu'à Aldous Huxley en passant par Isaac Asimov, ont décrit des mondes nouveaux et imaginaires qui pourraient exister si, au lieu de nous plaindre à propos de ce qui est et n'est pas, nous concentrions notre imagination sur la création de ce qui pourrait être. Une partie de cette tâche consisterait à découvrir comment chacun de nous pourrait employer ses propres facultés pour créer un monde nouveau. C'est ce défi que nous lancent les paroles de Sri Aurobindo, qui figurent sur les murs d'un ashram en Inde: «Le monde se prépare à subir une énorme transformation. Y participerez-vous[28]?»

Créer un monde nouveau

R. Buckminster Fuller fit son possible pour créer un monde meilleur en inventant le dôme géodésique, une structure composée de tétraèdres interreliés qui forment une grille de triangles équilatéraux et distribuent le poids également dans toute la structure.

Souffrant de strabisme, Fuller était incapable de voir les petits détails avant l'âge de quatre ans, moment où il reçut des verres correcteurs. Il se prit alors de passion pour l'univers et adorait réfléchir aux façons d'y vivre et d'améliorer la société grâce à une utilisation économique et soigneuse des ressources terrestres.

Selon lui, l'univers ne demandait pas mieux que de collaborer avec nous mais pour cela, nous devions nous mettre à son écoute et comprendre ses lois. L'instinct qui nous pousse à créer une maison est une des lois de la nature. Les premières habitations des humains étaient des grottes, des huttes et des igloos qui conservaient efficacement la chaleur. D'anciens édifices à dôme avaient survécu des milliers d'années après les bâtiments construits avec des poutres parallèles. Fuller en conclut donc que ces constructions étaient les plus naturelles et les plus pratiques.

Quand le premier dôme géodésique de Fuller fut érigé, l'imagination du public s'enflamma. Grâce à sa force, sa légèreté et ses capacités thermiques incroyables, le dôme géodésique couvre désormais d'immenses arènes, pavillons, jardins, salles de concert et même des usines et de petites maisons.

Orateur inspiré qui pouvait captiver son auditoire pendant des heures grâce à son imagination créative, Fuller invita les autres à le rejoindre sur le pont entre la science et les humanités, là où il n'y a «aucun droit de passage à payer et où la vue est magnifique partout[29]». Sa philosophie tenait dans son message selon lequel notre intelligence créative nous vient de Dieu et le «Grand Concepteur» veut notre réussite; si nous échouons, la déconvenue sera mineure puisqu'il existe «des billions d'autres intellects qui travaillent sur des milliards d'autres planètes à réaliser Son dessein ultime[30]».

Nous pouvons être d'accord ou non avec cette croyance voulant que la créativité vienne de Dieu et soit destinée à servir le bien. Toutefois, en la désapprouvant, nous pourrions être forcé d'inventer notre propre solution originale pour créer un monde nouveau.

❦ Libérer son désir de créer

Voici des exercices facultatifs destinés à vous assister dans votre quête d'originalité.

❦ *Méditation sur la création.* Lisez les citations ci-dessous et trouvez-en une qui retient votre intérêt. Concentrez-vous sur elle pendant un moment et laissez ses messages sur la création devenir clairs.

Au commencement était le Verbe, et le Verbe était avec Dieu, et le Verbe était Dieu.

JEAN 1,1

C'est Dieu qui donne le talent, mais pas sans l'aide des hommes; il ne pourrait pas faire les violons d'Antonio Stradivari sans Antonio.

GEORGE ELIOT (MARY ANN EVANS[31])

Je suis de ceux qui croient, avec Nobel, que l'humanité tirera plus de bien que de mal des découvertes nouvelles.

MARIE CURIE[32]

La créativité requiert le courage de renoncer à ses certitudes.

ERICH FROMM[33]

En ce qui concerne le vaisseau spatial Terre, un fait est remarquable: c'est qu'aucun manuel d'instruction ne l'accompagnait.

R. BUCKMINSTER FULLER[34]

❦ *Votre créativité.* Nous sommes tous naturellement créatifs et divers motifs stimulent cette faculté en nous: la nécessité, la fascination, les gains personnels, le désir de plaire, de résoudre des problèmes ou d'actualiser nos valeurs. Pensez à certains de vos efforts créatifs, puis complétez les phrases suivantes:

Ce que j'ai créé   *Mon mobile*

❦ *Qu'est-ce qui vous retient?* Qu'est-ce qui vous empêche d'exprimer votre créativité davantage? Pensez à plusieurs projets créatifs qui vous intéressent. Puis voyez si vous vous retenez et, le cas échéant, si c'est parce que vos choix sont limités, que l'on vous surveille, que vous craignez une évaluation ou la compétition, à cause de votre orientation extrinsèque ou par peur du rejet?

❦ *Une imagination active.* Votre imagination est votre outil le plus utile dans le processus de création et c'est dans le rêve qu'elle s'exprime de la façon la plus active. Rappelez-vous un rêve récurrent ou significatif qui vous a paru important sur le coup. Si vous deviez aborder ce rêve dans l'optique senoï, gestaltiste ou biblique, qu'en apprendriez-vous?

❦ *Votre nouveau monde.* Imaginez un monde idéal et écrivez un ou deux paragraphes à ce sujet. Puis notez quelques idées créatives sur ce que vous pourriez faire pour actualiser ce monde meilleur.

CHAPITRE 8

Le désir de s'amuser

S'il est interdit de rire au ciel, je ne veux pas y aller.
MARTIN LUTHER[1]

Moments euphoriques

Les ballons qui montent dans le ciel offrent un joli spectacle. Ils élèvent notre esprit et notre imagination. Ah! si nous pouvions nous élever comme des ballons multicolores et planer légèrement au-dessus de la Terre! La vue tout en bas serait à tout le moins saisissante. Quand l'astronaute Edgar Mitchell vit pour la première fois notre planète de haut, il dit avoir eu un «aperçu du divin».

Rares sont ceux qui se promènent en montgolfière, et encore plus rares ceux qui voyagent en navette spatiale. Cependant, à la vue des clichés tirés depuis ces points de vue, notre imagination prend son envol. Comme ce doit être grisant de contempler ces tableaux de ses propres yeux!

S'il ne nous est pas donné de planer physiquement, nous pouvons cependant planer sur le plan émotif. Planer, c'est connaître cette ivresse naturelle qui nous étreint après avoir mené à bien une tâche importante, en écoutant notre morceau de musique favori ou en traversant un brusque moment de lucidité ou d'amour profond. Dans cet état de bien-être, bien des choses nous semblent possibles soudain. On se sent euphorique et on s'écrie: «Quel jour extraordinaire! Je peux à peine y croire! Je voudrais que chaque jour soit comme celui-là!»

La joie qu'entraîne ce sentiment d'euphorie se traduit par une légèreté, des sourires, des blagues et d'énormes éclats de rire. Elle s'exprime à travers les cris de joie et les danses exaltées. C'est elle que l'on voit lorsqu'une équipe sportive remporte la victoire et que les fans bondissent sur leurs sièges. Dans les aéroports, quand les gens étreignent leurs bien-aimés à leur arrivée, dans les hôpitaux, quand on reçoit de bonnes nouvelles, dans les fêtes d'anniversaire, quand on ouvre les présents et dans les mariages, quand les futurs époux disent: «Oui, je le veux.» La joie a de multiples visages.

Pourtant, le caractère imprévisible de la vie fait en sorte que notre capacité d'être joyeux fluctue en fonction des circonstances extérieures ou de nos humeurs, de nos intérêts ou de notre énergie. Nos journées ne sont pas toutes des expériences de sommet, loin de là. Elles forment parfois des plateaux où rien de particulièrement excitant ne survient, ou peuvent même ressembler à un gouffre quand rien ne va plus. Épuisé par de trop nombreux stress ou par une crise soudaine, nous nous demandons pourquoi la vie est si difficile ou ce qu'il est advenu de notre enthousiasme coutumier. Puis, après avoir appris une bonne nouvelle ou joui d'un sommeil réparateur, nous sautons du lit avec un appétit de vivre, une allégresse et un optimisme renouvelés.

L'une des plus grandes difficultés de la vie consiste justement à jouir de celle-ci un jour à la fois et de façon durable. Une autre est d'apporter joie et bonheur aux autres: à ceux qui excitent notre compassion, à nos collègues de travail et, à un niveau plus personnel, aux êtres qui nous sont chers.

Le désir de s'amuser

Malgré les inévitables souffrances et déceptions qui jalonnent notre route, le désir de s'amuser est l'une des énergies universelles de l'esprit humain. Le plaisir est souvent associé au confort, à la jouissance et au jeu, mais il est plus que cela. *Le désir de s'amuser est le désir de l'esprit humain de connaître et d'exprimer les joies de l'existence.*

Intérieurement, nous aspirons à combler ce puissant désir — aux niveaux le plus fondamental et le plus élevé. Nous aspirons au plaisir physique d'un bon repas, d'une séance d'entraînement énergique ou d'une délivrance sexuelle. Au-delà de cela, nous pouvons aspirer à la joie psychologique que procure le fait d'être reconnu au travail ou utile à la maison. Nous pouvons vouloir sortir et nous divertir, ou rester à la maison et vaquer à nos occupations. Nous pouvons aspirer à la joie spirituelle inhérente à certains moments de communion avec la nature ou à une rencontre profonde avec le sacré.

Les êtres humains ont différentes façons de s'amuser. Si certains aiment l'exercice physique, d'autres préfèrent réfléchir dans le calme. Les uns aiment aller à l'opéra; les autres, au concert. D'aucuns aiment les promenades solitaires dans le parc tandis que d'autres préfèrent les activités en groupe. Certains aiment flâner au lit tandis que d'autres préfèrent abattre de la besogne. Ce qui est agréable pour les uns peut être ennuyeux ou déplaisant pour les autres.

Le poète W. H. Auden n'aimait pas porter des chaussures. Lorsqu'on lui demanda ce qu'il ferait s'il devenait célèbre, il répondit: «Je crois bien que je continuerais de porter mes pantoufles.» Plus tard, lorsqu'il fut connu, on le vit toujours en pantoufles. Il les portait même lors des événements officiels[2].

Malgré ce désir profondément ancré en nous de jouir de la vie, certaines personnes craignent de le faire parce qu'elles croient que le plaisir attire la souffrance. Les amoureux déçus, qui décident de ne plus jamais courir le risque d'aimer «parce que quand l'amour diminue ou meurt, cela fait trop mal», en sont un exemple courant.

D'autres répriment leur désir de s'amuser parce qu'ils se sentent coupables, ne s'aiment pas et ont l'impression de ne pas avoir droit au plaisir. Ils affichent une grande compétence afin de masquer leur insécurité ou se montrent complaisants au point de marcher sur leurs propres besoins. D'autres encore disent que le plaisir ne pourrait pas leur faire oublier une tragédie ou une injustice passée. Puis, il y a ceux qui remettent constamment à plus tard leur désir de s'amuser, quand ils auront acquis la sécurité financière, par exemple, ou trouvé l'âme sœur.

Malgré les freins internes au bonheur qu'appliquent certaines personnes, le désir de s'amuser est une force tenace. L'ennui a beau nous engourdir, la tragédie nous accabler, notre goût du plaisir cherche à s'exprimer. Même dans les moments difficiles, nous avons hâte d'être heureux et de jouir de la vie à nouveau. Assis dans l'obscurité, les yeux tournés vers la fenêtre, on peut se sentir accablé par les difficultés et désorienté. Alors on prend une collation ou une boisson pour engourdir sa souffrance, faire taire les questions douloureuses ou se remonter le moral. On allume la télévision ou on fait une promenade pour se sentir mieux.

Même quand tout va mal, il est naturel de vouloir se sentir bien, savoir que la vie vaut la peine d'être vécue et que l'on peut vaincre l'adversité. Fort de ce désir, on cherche inévitablement le bonheur où que l'on se trouve: à la maison et au travail, dans son quartier et loin de chez soi.

La quête du bonheur

Quand on est heureux, on se sent bien. *Le bonheur est une sensation de plaisir et de bien-être qui va du contentement momentané à la joie profonde et durable.* Nous aspirons tous à un bonheur souvent difficile à trouver et même plus difficile encore à conserver. Il y a des moments où tout ne va pas très bien et où notre passion de vivre semble en veilleuse. Nous sommes alors porté à nous demander ce que nous pourrions faire pour nous sentir mieux. Cette question marque le début d'une recherche: de gens, d'événements ou d'occasions qui, dans notre esprit, contribueront à nous rendre heureux.

Le bonheur est un effet secondaire découlant de l'une des trois sources suivantes: la participation à des expériences agréables et positives ou à des activités qui nous intéressent ou l'exécution de tâches pour lesquelles on se sent compétent.

Nos sens nous font vivre d'innombrables moments de simple plaisir. Prendre un douche, étreindre un être cher après une longue séparation, s'asseoir à l'ombre par une journée torride, goûter les premières fraises de l'été, entendre les trilles mélodieux d'un oiseau et rire avec un ami sont de petits plaisirs qui ne requièrent aucun effort particulier. Ils découlent du simple fait de savourer des moments de bonheur et d'amitié, et de prendre la vie comme elle vient. On peut éprouver la même joie en marchant sur une route de campagne au clair de lune, en s'attablant à un bistrot

pour observer les passants ou en demeurant paresseusement étendu sur une terrasse à regarder passer les nuages.

Participer à des activités qui nous passionnent ou nous stimulent est une autre grande source de joie. On peut être fasciné par
un nouveau travail, ami ou passe-temps. Imaginez le plaisir de retourner à l'école au milieu de la vie, de rattraper son retard dans la
lecture de certains articles, de participer à une manifestation pour
la paix, de planter des fleurs ou des légumes, ou d'expérimenter
un nouveau programme informatique.

La capacité d'exceller dans ces activités intensifie le plaisir. Par
contre, les activités qui ne procurent aucun plaisir sensoriel ou présentent peu d'intérêt, ou celles dans lesquelles on se sent gauche ou exposé
aux critiques ne sont pas très agréables. Par exemple, réparer un robinet
qui fuit peut être une corvée pour le novice tandis que le plombier che-
vronné prendra plaisir à effectuer cette réparation avec célérité et efficacité. De même, cuisiner peut être un plaisir pour un cordon-bleu; mais
pour le profane, ce peut être une corvée frustrante. S'adresser à une
foule peut être éprouvant ou agréable selon l'assurance et les aptitudes
de l'orateur. Le degré de compétence peut jouer un grand rôle dans
l'activité que l'on choisit pour combler son désir de s'amuser.

À un niveau plus significatif, il existe trois sources additionnelles
de bonheur qui ont été mises en lumière par le rabbin Harold
Kushner[3]. L'une d'elles consiste à avoir des relations continues avec
les mêmes personnes. En effet, en demeurant en relation avec des
personnes qui dépendent de nous et dont nous dépendons, nous développons un sentiment de responsabilité envers elles. Ce faisant,
nous créons des relations au sein desquelles nous pouvons interagir
comme des personnes à part entière au lieu de jouer des rôles.

Vivre pour quelque chose de plus grand que soi et savoir que
l'on apporte sa pierre à l'édifice est un autre ingrédient du bonheur. Que nous aidions un ami ou un étranger, participions à un
projet ou épousions une cause commune, nos efforts contribuent
souvent à intensifier notre bonheur.

Faire ce que le rabbin Kushner appelle «les bonnes choses» de
manière à vivre en harmonie avec la vie est un autre élément clé du
bonheur. Être responsable plutôt que de se laisser aller à des excès,
amical plutôt que distant, actif plutôt qu'amorphe, toutes ces attitudes
sont des sources de bonheur. Chaque fois que l'on agit d'une manière
éthique, on est guidé par des valeurs qui embellissent la vie.

Les voies que nous suivons dans notre quête du bonheur dépendent de nos besoins. Le psychologue Abraham Maslow, dont les écrits constituent le fondement de ce que l'on appelle la psychologie humaniste, croyait que nos actions étaient soumises à une hiérarchie de besoins[4]. Il a organisé ces besoins par ordre d'importance à l'intérieur d'un triangle:

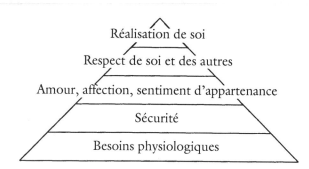

Il est naturel de vouloir suivre une voie d'amour assujettie à des valeurs élevées, mais nous sommes souvent gouvernés par nos besoins plus fondamentaux. Nous cherchons le bonheur au niveau où nous éprouvons un besoin. Si nous avons faim, nous sommes heureux d'avoir de quoi manger. Si nous sommes en danger, nous sommes heureux d'être protégé. Si nous nous sentons seul, le coup de téléphone d'un ami nous procure un agréable sentiment d'appartenance. Si nous nous aimons peu, nous pouvons rechercher un compliment qui flattera notre amour-propre afin d'être plus heureux.

Du trou noir jusqu'au sommet

Le bonheur que nous éprouvons varie d'un moment à l'autre. Être heureux, c'est comme se tenir sur un sommet élevé, loin des activités terre à terre qui se poursuivent en bas. Être malheureux, c'est comme tomber dans un trou obscur sans espoir et sans issue. Quand on atteint un plateau, on regarde autour de soi et on se demande quel est le prochain pas à faire.

Les niveaux de bonheur ou de tristesse entre le fond du trou et le sommet sont identifiés à la page suivante.

Le sommet
Exultation et extase

Joie et
enthousiasme

Le plateau
Satisfaction, ou
agitation et ennui

Insatisfaction
et tristesse

Le trou
Dépression
et désespoir

«Le trou noir» est une expression familière qui signifie le fond du désespoir. Ce trou nous paraît sombre et humide, loin de la lumière et de la chaleur; nous nous y sentons déprimé, apeuré, impuissant ou désespéré. Une santé médiocre, un échec, une critique ou un rejet peuvent provoquer ce sentiment. Il peut aussi apparaître brusquement avec le décès d'un être cher ou la perte d'un emploi ou de son estime de soi. Il peut se développer graduellement si l'on est surchargé de travail au bureau ou à la maison.

D'un point de vue historique, être jeté au trou était l'une des pires punitions jamais infligées en raison du sentiment écrasant d'isolement et d'impuissance que l'on y ressentait. La plupart d'entre nous tombent dans un trou noir de temps en temps et savent que c'est une situation débilitante et intolérable, tant au niveau physique qu'aux niveaux psychologique et spirituel. Certains baissent les bras et meurent, d'autres appellent à l'aide ou tentent désespérément d'en sortir à coups de griffes.

L'anxiété est l'un des sentiments les plus susceptibles de nous donner l'impression d'être tombé dans un trou noir. Cet état émotif se caractérise par la peur d'un danger imminent et une impression d'impuissance parfois doublée d'un sentiment de panique. Ces sentiments s'accompagnent à l'occasion de réactions physiques telles que l'accélération de la fréquence cardiaque, l'hyperventilation, la transpiration, la tension, la nervosité ou l'agitation.

Selon le psychiatre Harry Stack Sullivan, on devient anxieux quand on subit ou anticipe la désapprobation d'autrui. «L'anxiété, dit-il, est le signal qu'un danger menace notre amour-propre, notre prestige aux yeux des personnes significatives pour nous, même si elles ne sont que des figures idéales de notre enfance[5].» Elle surgit quand nous commençons à prendre conscience de pensées, d'impulsions, de sentiments ou de conflits internes qui ne concordent pas avec notre image de nous-même. Par exemple, les personnes qui se voient comme des êtres chaleureux et aimants peuvent devenir anxieuses si elles découvrent qu'elles ne sont aimantes que pour mieux manipuler: pour obliger les autres à les aimer, pour éviter un rejet ou pour se protéger contre une agressivité ou un esprit de concurrence qu'elles nient éprouver. Le fait de prendre conscience, même légèrement, de certains aspects inacceptables de soi-même peut provoquer de l'anxiété.

On est aussi en proie à l'anxiété quand on croit qu'une obligation que l'on s'est imposée est impossible à remplir. Cela est chose courante dans les universités vers la fin du semestre. Pour certains étudiants, aucune note inférieure à A n'est acceptable. S'ils croient ne pas pouvoir respecter cette norme, ils deviennent anxieux et peuvent souffrir de symptômes physiques tels que des maux d'estomac ou de tête, ou des troubles de l'alimentation ou du sommeil qui les empêchent sérieusement d'atteindre leurs buts. Plus tard dans la vie, la peur d'une évaluation peut provoquer une anxiété similaire[6].

Outre l'anxiété, refuser de croire à la joie et au bonheur est un autre obstacle susceptible de nous précipiter dans un trou noir. C'est pendant l'enfance, souvent, que se développe cette attitude. Si on nous commandait fréquemment de rester tranquille, nous avons pu refouler notre gaieté. Si on nous traitait souvent d'idiot, nous avons pu réprimer notre désir d'apprendre du nouveau. Ou encore nous pouvons éprouver de la culpabilité envers une action que nous avons commise ou non et en conclure que nous n'avons pas droit au bonheur. Ou le passé peut nous inspirer une telle tristesse ou une telle fureur que nous *refusons* de jouir de la vie. Tous ces sentiments de base peuvent créer une profonde anxiété qui fait obstacle à notre désir naturel de nous amuser. Nous voilà prisonnier du trou noir.

Au contraire, les plateaux sont des moments où la vie semble se stabiliser entre les hauts et les bas. Ce sont des moments pour se reposer et refaire ses forces, pour méditer et réfléchir, pour savourer sa paix intérieure loin des bouleversements. Sur un plateau, on peut pousser un soupir de soulagement, regarder autour de soi et faire le point sur soi-même et sur la situation. Ou on peut se carrer dans son fauteuil et se détendre tout à son aise. On peut savourer les petits plaisirs de la vie: une douche chaude ou des draps frais, un repas savoureux ou un sommeil profond, le confort de ses vieux vêtements ou de son fauteuil préféré.

Toutefois, les plateaux de la vie ont un côté négatif en ce qu'ils présentent un risque de stagnation. Nous sommes des créatures du changement. Quand tout nous paraît trop statique, nous souffrons d'ennui et recherchons l'excitation. Les enfants se plaignent qu'ils s'ennuient; les adolescents, qu'ils n'ont rien à faire; les adultes, qu'ils n'ont aucun plaisir dans la vie. Le ressentiment s'accumule et les accusations fusent: «C'est ennuyeux de rester à la maison. Tu ne veux jamais rien faire de nouveau» ou «J'en ai marre d'aller toujours aux mêmes endroits, de faire les mêmes choses. Pourquoi ne pas faire autre chose pour changer?».

Certains recherchent l'excitation en s'adonnant délibérément à des activités dangereuses: ils font de la vitesse en moto, de l'alpinisme sans cordes, de la plongée sous-marine seuls. Certaines personnes peuvent devenir des «accros de l'excitation» pour qui les drames font partie de la vie courante. Elles peuvent causer des ravages au travail et en tirer une sorte de satisfaction perverse. Elles peuvent aussi provoquer des mélodrames parmi leurs amis ou les membres de leur famille en passant d'une relation à l'autre sans jamais s'engager vraiment. Les cas extrêmes sont les personnes qui recherchent l'excitation négative de la violence et du crime «pour le simple plaisir de la chose».

D'autres personnes trouvent des formes plus positives d'excitation. Le fait de s'engager dans la politique ou d'assister à une partie de base-ball ou de soccer les galvanise. L'idée de rénover leur maison ou de faire du ski alpin les transporte. À un niveau plus significatif, la recherche du sens de la vie ou de façons d'exercer leur libre arbitre, la quête de connaissances et d'originalité créative les électrisent. De même, elles peuvent se passionner pour la recherche de Dieu ou de vérités éternelles.

On connaît des moments euphoriques quand on se sent merveilleusement bien et que les choses vont comme on veut. Les athlètes parlent souvent du sentiment d'euphorie qu'ils éprouvent quand ils atteignent leur «second souffle» et que l'endorphine libérée dans leur corps leur procure une nouvelle vigueur. Les intellectuels connaissent, eux aussi, cette sorte d'ivresse. Archimède, un scientifique du IIIe siècle av. J.-C., était assis dans sa baignoire où il réfléchissait au principe de la flottabilité. Soudain, tout devint clair. Il sauta aussitôt hors de son bain et s'élança tout nu dans la rue en criant: «Eurêka!», c'est-à-dire «J'ai trouvé![7]».

À un niveau plus ordinaire, on peut éprouver un sentiment euphorique quand un événement spécial se produit, par exemple, quand un enfant rapporte de l'école un excellent bulletin, qu'on renoue avec d'anciens camarades de classe ou qu'un projet difficile tourne beaucoup mieux qu'on ne l'espérait. Ces moments heureux donnent un sens à la vie et intensifient notre désir d'en jouir davantage. Il y a aussi le sentiment de béatitude qui accompagne une intuition spontanée, l'achèvement d'une entreprise créatrice ou l'audition d'un discours inspirant.

Les *expériences de sommet* sont les expériences de bonheur les plus extrêmes. Elles procurent une émotion si intense que l'on peut être brièvement transporté au-delà de la pensée ou de l'inquiétude. Elles donnent l'impression de flotter hors du temps et de l'espace, loin du train-train quotidien. On est envahi par un sentiment grandiose d'unité au point parfois de ne plus être conscient de soi-même en tant qu'individu.

Ces moments peuvent survenir au cours d'une rencontre intime avec une personne, la nature, ou avec l'art, la musique ou la poésie, dans laquelle on est si absorbé que l'on évite d'analyser ou de catégoriser l'expérience. On est profondément plongé dans l'instant présent. On transcende sa vie d'une manière brève mais mystique et tout semble parfait. Avec son corps, son esprit et son âme, on jette sur la vie un regard empreint d'émerveillement, de respect et d'admiration.

De même, on peut connaître une émotion profonde en constatant qu'on vient d'échapper à un accident quasi fatal ou qu'on est brusquement libéré de la tyrannie et des dangers que l'on courait dans un pays répressif ou déchiré par la guerre.

L'extase religieuse est une autre forme d'expérience paroxystique. Les anciens Grecs parlaient de «voyage au ciel». Les juifs la comparaient au fait d'être enlevé sur les ailes d'un aigle. Pour saint

Paul, c'était comme monter au paradis et entendre des choses qui ne peuvent ni ne doivent être traduites en langage humain[8]. C'est un moment sublime qui nous est offert comme un présent quand l'âme est ouverte aux merveilles de l'esprit cosmique, sacré et humain.

Les expériences de sommet ne se commandent pas, mais les êtres passionnés par la vie connaissent davantage de ces moments que ceux qui limitent les pouvoirs de leurs aspirations profondes. Ceux qui vivent pleinement sont également capables de supporter les plateaux et les trous noirs tout en sachant qu'ils s'élèveront bientôt vers des sentiments plus positifs.

La dynamique du sexe

Les relations sexuelles illustrent bien comment la vie peut nous précipiter dans un trou noir, nous amener sur des sommets ou nous immobiliser sur des plateaux. Qu'elle soit planifiée ou spontanée, une rencontre sexuelle peut nous laisser satisfait ou insatisfait, exalté ou déprimé. La véritable communion sexuelle est une célébration. Par contre, si elle est dénuée de toute passion ou émotion véritable, elle peut donner le sentiment de tomber dans un abîme.

Quand la vie sexuelle atteint un plateau, elle peut être sécuritaire et physiquement satisfaisante, ou être si prévisible qu'elle en est ennuyeuse. Privées de gaieté et d'enthousiasme, les relations sexuelles sont très routinières. Notre corps réagit, mais notre tête est ailleurs et la partie enjouée et sensuelle de notre être semble endormie. Dans ce cas, la performance sexuelle peut ressembler davantage à une corvée qu'à un jeu. On a beau s'efforcer de l'apprécier et se livrer à toute une gymnastique, on demeure vide et on perd l'espoir d'avoir une relation sexuelle significative.

Quand le sexe devient un passe-temps fondé sur l'attitude — «Il n'y a rien de mieux à faire ce soir, aussi bien passer le temps de cette façon» —, c'est un autre indice que le sexe a atteint un plateau. Dans cette situation, un partenaire (ou les deux) finira par s'en désintéresser; il recherchera les aventures d'un soir ou multipliera les liaisons afin de rompre la monotonie de sa relation.

Le sexe est un trou noir quand il se mêle à des jeux psychologiques. Flirter, taquiner, susciter la jalousie ou se servir du sexe pour récompenser ou punir l'autre, tous ces comportements, de même que les critiques concernant l'apparence de l'autre, sa personnalité ou sa performance sexuelle, provoquent du ressentiment. La peur d'une grossesse ou de la maladie peut aussi gâcher le plaisir sexuel. Chaque fois que les partenaires se manquent de respect et de considération ou se traitent comme des objets, le sexe devient un trou noir.

Au contraire, si les relations sexuelles se déroulent dans un climat d'affection sincère et de tendres caresses, elles comblent non seulement le corps mais aussi l'esprit. L'intimité physique, émotive et spirituelle engendre de profonds sentiments de bonheur et stimule notre joie de vivre.

Le besoin d'enthousiasme

La quête du bonheur exige de l'enthousiasme. *L'enthousiasme est l'empressement et l'excitation que l'on ressent quand on est inspiré et que l'on oriente ses facultés vers des activités que l'on aime ou envers lesquelles on se sent profondément engagé.* On est enthousiaste quand on est fasciné et profondément absorbé par une activité. L'enthousiasme s'exprime dans les manifestations fougueuses et extérieures de joie. Il reflète une attitude positive et une attente qui découlent naturellement du désir de s'amuser. Dans la quête du bonheur, l'enthousiasme est un puissant stimulant qui nous aide à sortir du trou noir et à traverser les plateaux pour atteindre des sommets de bonheur. Voici comment s'illustre ce processus dynamique:

Aspiration de l'esprit humain	But de la quête	Qualité requise
S'amuser	Bonheur	Enthousiasme

On devient enthousiaste quand quelqu'un ou quelque chose excite notre intérêt. Les effets de l'enthousiasme sont parfois évidents. Par exemple, si on se passionne pour la vie au grand air, on peut s'adonner à de longues promenades en forêt, étudier la biologie et la gestion de la faune ou se lancer dans la photographie de nature. De même, l'enthousiasme qu'ils éprouvent envers leur relation pousse les partenaires à passer du temps ensemble, à construire leur avenir tout en s'appréciant l'un l'autre. Les plans qu'ils ébauchent, les présents qu'ils s'offrent, les rires qu'ils partagent reflètent leur enthousiasme mutuel.

Les personnes enthousiastes sont vivantes, animées et exubérantes. Elles font les choses avec intensité et plaisir. Leur passion de vivre est manifeste. En outre, leur enthousiasme est contagieux et se propage comme une flamme. Ce sentiment est manifeste lors des événements sportifs et des rassemblements politiques où l'auditoire se lève et crie d'une seule voix ou presque.

Quand les gens sont enthousiastes à l'égard d'un aspect ou l'autre de la vie, leur énergie peut les lancer dans une carrière significative et durable. Louis Pasteur était un être enthousiaste. L'un des fondateurs de la microbiologie, Pasteur fut d'abord un artiste dans sa jeunesse avant de s'éprendre de chimie et de biologie. À quarante-six ans, il eut un infarctus qui le laissa paralysé du bras et de la jambe gauches. Il refusa de laisser ce handicap limiter sa passion de vivre ou son ardeur à résoudre des problèmes médicaux. Il précisa sa théorie des germes, selon laquelle des microorganismes peuvent contaminer d'autres formes de vie et la quarantaine empêcher la propagation des maladies. Il préconisa les antiseptiques et la stérilisation en chirurgie afin de réduire le taux de mortalité. Il prouva également que la vaccination pouvait prévenir la rage et inventa la pasteurisation, une méthode dont le nom est dérivé du sien, et qui sert à conserver les produits laitiers tout en évitant la prolifération des bactéries.

La passion de vivre de Pasteur s'étendait bien au-delà de son laboratoire. Bien qu'il soit non religieux dans le sens traditionnel du terme, Pasteur attire notre attention sur l'étymologie du mot *enthousiasme:*

> *Les Grecs nous ont donné l'un des plus beaux mots de notre langue, le mot «enthousiasme» — inspiré par un dieu intérieur. La grandeur des actes des hommes se mesure à l'inspiration qui les a fait naître. Heureux celui qui porte un dieu en lui*[9].

À l'instar des autres qualités humaines, l'enthousiasme peut être placé au service du bien ou du mal. Les gens très enthousiastes sont parfois traités de fanatiques et ils peuvent se servir de leur enthousiasme pour gagner d'autres personnes à leur cause. Or comme ces causes promettent souvent un changement, elles attirent les gens insatisfaits, qui s'ennuient ou sont déprimés par la vie. Mentionnons cependant que de nombreux mouvements politiques, sociaux et religieux positifs sont dirigés par des chefs enthousiastes et doués de charisme.

En outre, certains types d'emploi exigent un enthousiasme constant, même s'il n'est que superficiel. Les titulaires de ces emplois se forcent pour avoir l'air heureux même s'ils ne le sont pas. Cet enthousiasme forcé peut être tolérable pendant de brèves périodes, mais il engourdit l'esprit lorsqu'il devient une habitude nécessaire. Néanmoins, notre aspiration au plaisir nous pousse à retrouver un enthousiasme authentique pour la vie. Notre travail y contribue parfois.

Le plaisir de travailler

Le travail peut être une avenue majeure à travers laquelle s'exprime le désir de s'amuser. Hans Selye, ancien professeur de médecine expérimentale à l'Université de Montréal rendu célèbre par ses recherches sur le stress, affirmait: «Le travail est un besoin biologique chez l'être humain. La question n'est pas de savoir si nous devrions ou ne devrions pas travailler, mais bien quel type de travail convient à chacun[10].» Un aspect important de la quête du bonheur consiste à trouver un travail qui nous passionne. L'enthousiasme peut naître du travail comme tel. Ainsi, c'est leur enthousiasme et leur engagement qui font que les enseignants aiment aider leurs élèves à apprendre, les infirmières, leurs patients à guérir et les avocats, leurs clients à gagner leurs causes. Et que les chefs religieux aiment partager leur foi.

Beverly Sills, l'une des sopranos les plus célèbres du monde, étudia la musique enfant. À sept ans, elle participait déjà à une émission de radio dans laquelle elle chantait des airs d'opéras français et italiens. Encouragée par sa mère, elle avait appris l'opéra en écoutant les disques d'illustres sopranos. À l'âge de trente-sept ans, elle était devenue une grande vedette d'opéra. Lorsqu'elle cessa de donner des concerts, elle assuma la direction du New York City Opera.

À soixante et un ans, Beverly Sills participa à un prodigieux spectacle donné en son honneur. De nombreux amis aussi célèbres qu'elle la rejoignirent sur scène. La comédienne Carol Burnett changea de rôle avec Beverly. Elle chanta des airs d'opéra que Beverly interrompait avec des extraits de chansons populaires. La salle croulait sous les rires. Pour mettre un point final à cette soirée mémorable, on lâcha des milliers de ballons à l'intérieur du théâtre[11].

Même si un travail n'est pas particulièrement amusant, il peut susciter un grand enthousiasme de par les avantages positifs qu'il comporte. Un travailleur d'usine qui refait constamment les mêmes gestes peut s'accommoder de cette routine parce qu'il apprécie ses relations de travail. Un concierge âgé qui nettoie constamment les saletés des autres peut travailler avec plaisir afin d'aider son petit-fils à payer ses études. Certains types de travail sont éreintants, mais parce qu'ils constituent une étape vers quelque chose de mieux, ils sont recherchés plutôt qu'évités. Un médecin peut avoir à faire des quarts de trente-six heures d'affilée, et s'y plier parce qu'il est profondément engagé envers sa profession. Un chauffeur de camion qui n'a connu que des emplois intermittents, ou un chef d'entreprise licencié, peut tirer un grand plaisir de son salaire régulier et des avantages sociaux inhérents à son nouvel emploi, même s'il ne correspond pas tout à fait à ses attentes.

Toutefois, les échéances trop rapprochées ou une surcharge de travail peuvent détruire le plaisir de travailler. Certaines personnes sont si habituées à travailler qu'un congé les met mal à l'aise et leur paraît même bizarre. Quand on leur demande à quoi elles occupent leurs loisirs, elles répondent: «Je travaille.»

Par contre, bien des gens voient leur travail comme un jeu. Une étude récente menée par les experts en gestion d'entreprise Warren Bennis et Burt Nanus auprès de certains chefs d'entreprise et dirigeants démontra que ceux qui réussissent manifestent presque tous «un sentiment d'aventure et de jeu» dans leur travail. En outre, leur succès est largement attribuable à «une fusion heureuse entre le travail et le jeu[12]».

Peu d'entre nous exercent les fonctions de chef d'entreprise avec tous les avantages que cela comporte, mais nous n'en recherchons pas

Le désir de s'amuser

La joie de l'excitation   Des plaisirs naturels

Apprécier ses amis

JOHN JAMES

L'esprit ludique

IAN JAMES

Quand le travail
devient un jeu

MURIEL JAMES

S'amuser en famille

moins le plaisir et la signification dans notre travail. Walt Disney aimait son travail en partie parce que sa mission, qui consistait à rendre des milliers de gens heureux, était réalisable. Ses créations, y compris Mickey Mouse et Donald Duck, et ses fameux dessins animés, tels que *Cendrillon, Peter Pan* et *Blanche-Neige et les sept nains,* sont célèbres dans le monde entier. À travers eux, Disney mettait de la fantaisie dans notre vie. Parce qu'il savait qu'il y a un enfant dans chaque adulte, il plaisait tant aux jeunes qu'aux vieux. De ce fait, il «a sans doute fait davantage pour guérir ou du moins soulager les esprits humains perturbés que les psychiatres du monde entier[13]».

Comme Disney, nous voulons tous effectuer un travail significatif qui nous offre des occasions de nous amuser. De l'avis du philosophe Alan Watts, cela est possible quand on est «complètement engagé dans ce que l'on est en train de faire, ici et maintenant; on ne parle alors plus de travail mais de jeu[14]».

L'esprit ludique

Les physiciens jouent avec les formules mathématiques tandis que les architectes s'amusent avec l'ordre, les formes et l'espace. Les agents immobiliers jouent avec les personnalités, les propriétés et les offres d'achat; les chercheurs, avec les ordinateurs, les logiciels et les bases de données; et les musiciens avec les notes, les rythmes et l'harmonie. À un niveau plus personnel, quand on écrit une lettre ou un rapport, on joue avec les mots, les thèmes et les idées. En cuisinant, on joue avec les recettes, les parfums et les textures; quand on fait les comptes, on joue avec les chiffres, les priorités et les pourcentages. En fait, une grande partie de nos activités consiste à jouer de façon créative avec quelque chose, peu importe à quel point nous les prenons au sérieux sur le coup.

Le jeu est le principal ingrédient du travail et des relations. C'est l'une des façons les plus intenses d'exprimer sa passion de vivre. En outre, c'est un comportement naturel. Regardez un chaton bondir sur une pelote de laine ou deux chiots ou bambins lutter corps à corps, et vous reconnaîtrez d'emblée l'instinct du jeu.

Les fameuses recherches menées par le psychologue et chercheur Harry Harlow auprès des singes lui permirent de conclure

que c'est grâce au jeu que ces animaux acquièrent les aptitudes sociales et émotives nécessaires à leur bon fonctionnement. Il découvrit également que les singes que l'on empêche de jouer avec
leurs camarades tombent gravement malades[15]. Gregory
Bateson, biologiste et anthropologue, décrit la stratégie à laquelle
il eut recours pour savoir si les animaux amorceraient ou non le
jeu avec des humains. Il s'assit sans bouger dans un bassin et vit
un dauphin mettre son museau sous son bras pour jouer avec lui.
Puis, l'animal le contourna et vint s'asseoir sur ses genoux pour
l'inviter à jouer et à nager avec lui[16]. Il est clair que les animaux
aiment s'amuser et le montrent en jouant à des jeux qui ressemblent aux nôtres.

Les humains sont aussi naturellement portés vers le jeu. Les
bébés jouent avec des canards en plastique dans la baignoire. Les
enfants se balancent dans les parcs. Les adolescents qui participent
à une fête et les adultes à un barbecue finissent la plupart du temps
par se sourire, plaisanter et s'amuser ensemble. Même au travail, la
tendance à jouer se manifeste à travers les blagues que l'on raconte
autour de la fontaine ou de la cafetière et qui émanent de l'esprit
enjoué qui habite chacun de nous.

Les personnes qui sont en contact avec leur esprit ludique manifestent une joie de vivre presque puérile. Elles sont ouvertes face à
l'imprévu et optimistes face à l'avenir. Mues par leur esprit enjoué,
elles font preuve d'humour, sont capables de rire d'elles-mêmes et
de sourire même dans les situations pénibles. Les êtres qui expriment leur esprit enjoué ont suffisamment confiance pour être spontanés sans agir d'une manière artificielle ou défensive. Ils ont
confiance en eux, sont à l'aise et apprécient les joyeux échanges.

Cette gaieté est l'expression de notre Enfant intérieur qui
aime rire et s'amuser sans planification ni entraînement préalables.
Laissé à lui-même, cet Enfant intérieur aime tout naturellement
faire le pitre, raconter des blagues et rire. Il possède une légèreté
qui peut apporter comme un souffle d'air frais à un moment tendu
ou sérieux. Cette légèreté reflète l'esprit du jeu.

Chacun de nous possède un esprit naturellement enjoué, peu
importe la façon dont il l'expérimente ou l'exprime. Certaines personnes sont gaies quelles que soient les circonstances. Elles badinent
et rient en traversant la ville en voiture ou en rangeant la cuisine.
Elles prennent les contretemps à la légère et gardent le sourire

même au milieu d'un labeur acharné. Bien sûr, cette gaieté est exagérée chez certaines personnes qui plaisantent à des moments inopportuns ou cachent leurs sarcasmes sous d'amicales facéties. Elles ont recours à l'humour pour détourner une conversation pénible, rient quand elles sont mal à l'aise ou souffrent, ou se moquent d'une chose très sérieuse aux yeux d'un autre.

Par ailleurs, bien des gens craignent d'exprimer leur esprit ludique. Prenant la vie trop au sérieux, ils jugent la gaieté frivole et la considèrent comme une perte de temps. Ils se sentent obligés de s'affairer au lieu d'apprécier les interactions et les distractions momentanées. Pour que chaque moment soit productif, ils étouffent leur créativité, épuisent leur énergie et perdent peu à peu leur joie de vivre. Pour eux, la vie est une corvée qui n'a rien d'agréable.

Être enjoué n'est pas facile pour les gens qui recherchent la perfection d'une manière compulsive. Comme ils aiment que tout soit bien organisé, que le bureau soit bien rangé ou la maison impeccable, par exemple, ils préfèrent l'ordre et la prévisibilité à la flexibilité et à la joie dans leurs relations et dans la vie en général.

D'autres encore boudent la gaieté parce qu'ils en ont un peu peur. Peut-être ont-ils été ridiculisés dans l'enfance ou rejetés à l'âge adulte de sorte qu'ils fuient les rencontres qui pourraient les embarrasser. Souvent, ils se montrent complaisants et serviables à outrance ou excessivement dominateurs afin d'apaiser les peurs de leur Enfant intérieur. Or selon Erik Erikson, l'un des experts mondiaux en développement humain, le jeu est «la façon la plus naturelle […] de se dégager» d'un conflit[17].

Malgré ces hésitations, notre gaieté naturelle se manifeste dans toutes les situations où nous exprimons nos aspirations fondamentales. Certaines personnes expriment leur désir de vivre en plaisantant avec les infirmières tandis qu'elles passent un examen de routine ou se font recoudre un doigt. Celles qui expriment avec enjouement leur désir de créer peuvent, dans un moment de gaieté, griffonner, créer des bandes dessinées ou laisser leur imagination courir tout en cherchant une solution créative à un problème. De même, les personnes qui cherchent à exprimer de façon ludique leur désir de comprendre peuvent faire des liens amusants entre les idées ou divertir leurs camarades de classe avec leurs calembours. En général, l'esprit enjoué et ludique se manifeste surtout à travers le rire.

Le plaisir de rire

Le rire est inhérent au fait d'être entier, donc d'être sacré. Le rire et le sacré remontent à loin. L'expression «rire des dieux» est ancrée dans les cultures anciennes. Jupiter, le dieu suprême des anciens Romains, aimait la gaieté et l'humour; les personnes nées sous l'influence de la planète Jupiter sont réputées être joviales. Les bouddhistes illustrent souvent Bouddha riant, et dans l'écriture chinoise, le rire est symbolisé par une personne dont les bras et les jambes sont largement écartés, tête levée vers le ciel, qui vibre d'allégresse comme les feuilles de bambou au vent[18].

L'Ancien Testament raconte que quand Abraham avait quatre-vingt-dix-neuf ans, Dieu lui apparut et lui dit que sa femme, Sara, qui en avait quatre-vingt-dix à l'époque, lui donnerait un fils du nom d'Isaac. On dit qu'Abraham eut tant de mal à le croire qu'il se mit à rire. Quand elle donna le jour à Isaac, Sara s'écria: «Dieu m'a donné sujet de rire[19].»

De nombreux psaumes parlent du rire et de la joie, de celui qui siège dans les cieux et rit, et des personnes si heureuses que «leur bouche était pleine de rires et leur langue criait sa joie[20]». Une histoire du Nouveau Testament parle du fils prodigue qui, ayant mené une vie dissolue et dilapidé son héritage, n'en est pas moins accueilli à bras ouverts par son père qui organise une fête remplie de musique, de danses et de rires[21].

Les célébrations accompagnées de rires et de musique tiennent une place importante dans toutes les traditions religieuses de même qu'en dehors de ces traditions. Le miracle du rire, c'est qu'il peut alléger les situations pénibles et dissoudre la tension dans les situations embarrassantes. Le rire crée une attirance mutuelle entre les humains et possède également des vertus curatives. Les personnes travaillant dans les hôpitaux ou exerçant une profession d'assistance à autrui accordent une immense valeur au rire. Ainsi, un nombre croissant de clowns spécialement formés sont invités à visiter les enfants des hôpitaux pour y faire des grimaces destinées à remonter le moral des jeunes patients.

Le rire active la chimie de la volonté de vivre et augmente la capacité de lutter contre la maladie. Le thorax s'ouvre quand on rit, la respiration s'accélère et chasse l'air des poumons. Le rire détend le corps et favorise l'équilibre de la santé. Les problèmes associés à l'hypertension artérielle, aux attaques d'apoplexie, à l'arthrite, aux ulcères et aux maladies cardiaques peuvent diminuer quand le rire libère le désir de jouir de la vie.

L'un des exemples les plus spectaculaires des vertus curatives du rire nous est donné par Norman Cousins, éditeur et professeur, qui à force de rire, réussit à sortir de l'hôpital et à se libérer d'une grave collagénose que les médecins croyaient irréversible. Aux prises avec d'atroces douleurs, Cousins refusa de déclarer forfait. Il décida d'assumer une plus grande part de responsabilité dans sa guérison en recourant à l'ancienne théorie voulant que le rire fût un bon remède. Voici son raisonnement:

> *Si des émotions négatives peuvent produire des changements chimiques négatifs dans le corps, pourquoi les émotions positives ne produiraient-elles pas des changements chimiques positifs? Est-il possible que l'amour, l'espoir, la foi, le rire, la confiance et la volonté de vivre aient une valeur thérapeutique[22]?*

Il demanda qu'on installe un projecteur de cinéma dans sa chambre d'hôpital et regarda chaque jour l'émission humoristique *Candid Camera*. Il découvrit ainsi que dix minutes d'un rire énorme et sincère créait sur lui un effet anesthésiant qui lui procurait au moins deux heures de sommeil sans douleur. Outre ses émissions humoristiques, Cousins se mit à lire des livres comiques. Bien que sa vitesse élevée de sédimentation ne diminuât que très peu après chaque séance de rire, l'effet était cumulatif et elle demeurait basse. Aujourd'hui, après bien des années, il n'a pas eu de rechute et mène une vie active.

Le psychiatre Viktor Frankl propose un usage différent du rire qu'il intègre à sa «logothérapie». Frankl croyait que rire de soi et de ses malheurs était particulièrement bénéfique dans le traitement des troubles psychologiques, surtout chez les personnes souffrant de névrose obsessionnelle ou de phobies. Selon lui, un patient devait «prendre un certain recul par rapport à sa névrose en en riant[23]». Pour ce faire, il encourageait ses patients à exagérer brièvement leurs symptômes psychologiques sans les éviter ni les contrôler jusqu'à ce qu'ils éclatent de rire en constatant à quel point leurs compulsions sont souvent ridicules.

Nous pouvons tous rire de nos propres absurdités et encourager les autres à le faire. Voici comment Martin Buber exprime cela:

Il y a des hommes qui souffrent d'un profond chagrin, [...] et ils errent ainsi, le cœur gros. Si alors ils rencontrent quelqu'un qui a un visage souriant, celui-là pourra leur rendre vie avec sa joie. Et ce n'est pas peu de chose que de rendre vie à un homme[24]!

Les mimes et les clowns que l'on voit dans les cirques, les rodéos ou les foires urbaines nous enseignent sans paroles comment jouir de la vie en en riant. Marcel Marceau, l'un des plus grands mimes du monde, exagère ses mimiques et ses gestes pour illustrer la personnalité des gens, des objets et même des abstractions comme le bien et le mal. Son talent découle apparemment de son esprit enjoué, de sa capacité d'utiliser et de maîtriser son visage et son corps, de son sens aigu de l'observation et de son désir de faire rire[25]. Pour nous tous, faire rire et divertir les autres est un moyen simple et spécial de guérir l'esprit.

❦ Libérer son désir de s'amuser

Voici des exercices facultatifs destinés à vous aider dans votre quête du bonheur.

❦ *Méditez sur vos attitudes.* Pensez à vos manifestations de joie et de rire. Prenez quelques minutes pour réfléchir aux citations ci-dessous.

Où est-ce que tu étais [...] tandis que les étoiles du matin chantaient en chœur et tous les Fils [et les Filles] de Dieu crièrent hourra?

JOB 38,4-7

Le poids du soi s'allège quand je ris de moi-même.

RABINDRANATH TAGORE[26]

Le dessert de la vie peut être amusant mais jamais son mets principal.

HAROLD KUSHNER[27]

Un cœur joyeux favorise la guérison,
un esprit attristé dessèche les membres.

PROVERBES, 17,22

J'ai donné du fil à retordre à ma mère, mais je pense qu'elle aimait cela.

MARK TWAIN[28]

Une civilisation constituée par une spiritualité du travail serait le plus haut degré d'enracinement de l'homme dans l'univers.

SIMONE WEIL[29]

❧ *Se rappeler la joie.* Il existe bien des façons de se rappeler et de revivre ses joies passées. Certains retournent vers un lieu où ils ont été heureux jadis. D'autres relisent les lettres de leurs amants, leurs amis, leur conjoint ou leurs enfants. Feuilleter des albums de photographies peut aussi nous faire revivre des moments particuliers. Énumérez quelques-uns des moments les plus heureux de votre vie. Puis relisez votre liste et demandez-vous pourquoi ils l'étaient autant. Y décelez-vous un modèle de ce qui vous rend heureux?

Moments heureux   Ce qui fait qu'ils étaient heureux
_____   _____

❧ *Plaisirs d'enfant.* On peut libérer son désir de s'amuser en retrouvant son enjouement d'enfant. Détendez-vous et remémorez-vous ce que vous faisiez pour vous amuser étant enfant. Est-ce que vous faisiez voler des cerfs-volants, chaussiez vos patins à roulettes ou à glace, dessiniez? Revoyez-vous en train de faire ces activités.

❦ *Faites-le avec plaisir.* On peut adopter quatre attitudes envers une tâche[30]. On peut la faire ou l'éviter et ce, avec plaisir ou déplaisir. Songez aux activités que vous avez l'habitude de faire ou d'éviter et demandez-vous laquelle des quatre attitudes ci-dessous s'applique à vous:

Je la fais avec plaisir.

Je la fais avec déplaisir.

Je l'évite avec plaisir.

Je l'évite avec déplaisir.

❦ *Le plaisir au travail.* Aimez-vous votre travail? Vous passionne-t-il? Vous apparaît-il comme une voie d'amour? Si ce n'est pas le cas, y a-t-il des changements que vous pourriez vouloir ou devoir opérer dans votre travail ou votre façon de le faire?

❦ *Du trou noir jusqu'au sommet.* Quels sont les éléments de votre vie qui vous dépriment? Comment agissez-vous quand vous vous trouvez dans un trou noir? Que faites-vous quand vous atteignez un plateau d'ennui ou de paix? Pouvez-vous faire quelque chose pour augmenter les expériences de sommet de votre vie?

❦ *Réflexion supplémentaire.* Quelles sont vos questions ou vos préoccupations concernant votre désir de vous amuser, votre quête du bonheur ou votre besoin d'enthousiasme?

CHAPITRE 9

Le désir de créer des liens

Le monde n'est pas compréhensible, mais on peut l'appréhender... en étreignant une de ses créatures.

MARTIN BUBER[1]

Marcher au son de différents tambours

Tout est relié au reste d'une manière visible ou invisible. Les défilés sont des manières visibles d'avoir des rapports avec les autres. Le célèbre défilé de Pâques à New York ou le défilé de la Saint-Patrick à Montréal apportent des heures de joie à des milliers de personnes. De même que le défilé du Mardi gras à Rio, celui de la Bastille à Paris et du Cinco de Mayo à Mexico.

Quand les joueurs de cornemuse entonnent un air écossais, qu'un orchestre débouche au coin d'une rue en jouant l'hymne national ou marque la cadence pendant une parade, les cœurs sont transportés de joie.

En attendant le défilé, les inconnus s'adressent spontanément la parole et discutent du temps qu'il fait ou de l'événement à venir. Au moment où le défilé passe devant eux, ils peuvent, poussés par l'esprit de la fête, lancer des hourras. Dans le défilé comme tel, les marcheurs forment des groupes distincts sous la tutelle de chefs différents, mais pourtant un sentiment d'unité les unit.

Il existe toutes sortes de défilés. La vie elle-même en est un! Le défilé de la vie peut nous sembler solitaire tandis que nous soufflons dans nos propres cors ou frappons nos propres tambours au milieu de l'indifférence générale. On peut le voir comme une gigantesque foule qui avance dans la même direction, comme une marche fortement contrôlée qui laisse peu de place à la spontanéité, ou comme une joyeuse procession qui laisse beaucoup de place à la flexibilité et à l'indépendance.

Henry David Thoreau a écrit: «Si un homme n'avance pas au même rythme que ses compagnons, c'est peut-être qu'il entend un tambour différent. Laissez-le suivre la musique qu'il entend, aussi mesurée ou lointaine soit-elle[2].» Quand on voit la vie comme un défilé, on peut se demander si on devrait suivre la foule ou son propre tambour.

Le désir de créer des liens

On ne peut vivre sans avoir des rapports avec ses semblables. Avant la naissance, nous sommes relié à notre mère par un cordon ombilical et jusqu'à la mort, nous continuons d'avoir besoin des autres. Nous éprouvons le besoin de rapports physiques, psychologiques et spirituels. *Le désir de créer des liens est le désir d'établir des rapports avec quelqu'un ou quelque chose d'une manière qui embellisse la vie.*

Tout le monde a besoin de contacts physiques, bien que le degré d'aisance avec lequel chacun touche et accepte d'être touché varie énormément d'un individu à l'autre. Les recherches de René Spitz, Harry Harlow et d'autres scientifiques ont démontré à plusieurs reprises que les contacts chaleureux et affectueux stimulent la croissance et la santé physique tout comme la privation de contacts humains normaux et d'affection physique entraîne une détérioration physique et émotionnelle, que l'on a appelée «athrepsie[3]». Les conséquences de cette privation sont apparentes chez les nourrissons négligés dont la croissance physique accuse un retard.

Des liens physiques affectueux sont créés quand l'enfant se blottit contre sa mère pour entendre une histoire avant de dormir ou tend un doigt blessé qu'il faut baiser «pour guérir». Quand on serre la main d'un inconnu, qu'on étreint un ami ou embrasse un amoureux, on répond aussi à ce besoin de contact physique.

On établit des contacts psychologiques au travail quand on partage ses idées, que l'on joue et rit avec d'autres, que l'on s'aide ou se réconforte mutuellement. Même les brefs «Bonjour» et «Au revoir» échangés à l'arrivée ou au départ constituent des contacts psychologiques importants.

Cette soif de contacts psychologiques est manifeste dans le désir que nous éprouvons tous d'appartenir à un groupe, qu'il s'agisse d'une famille, d'une équipe de travail ou d'un organisme communautaire. Les activités collectives donnent lieu à des interactions intellectuelles et émotionnelles qui nous rappellent que nous comptons aux yeux des autres. De même, nous sommes tous avides d'être complimenté par les autorités et par nos pairs. Sans contacts sociaux, on se sent seul. On perd son estime de soi et sa confiance. Inversement, les contacts positifs avec les autres nous valorisent et nous procurent un sentiment d'appartenance.

Établir un contact spirituel, c'est être profondément conscient du caractère sacré de la vie ou avoir vécu une expérience qui nous a profondément ému. Ce contact peut avoir lieu quand on partage une expérience très bouleversante, que l'on assiste, par exemple, à un magnifique concert symphonique ou à la naissance d'un enfant, ou que l'on aide les autres lors d'une crise inattendue. On peut aussi se sentir spirituellement lié aux autres quand on se recueille ensemble devant un monument aux anciens combattants ou que l'on se joint à un groupe de prières.

Depuis l'avènement des communications de masse, surtout de la télévision, on peut se sentir profondément lié à ceux qui vivent dans des pays lointains. On connaît mieux leurs peurs et leurs joies et, par conséquent, on éprouve un sentiment plus profond de sympathie et d'unité avec eux. Le monde entier s'est réjoui quand les barrières entre l'Europe de l'Est et l'Europe de l'Ouest sont tombées et que les liens se sont rétablis. Même en se contentant d'observer ce phénomène, on avait l'impression de participer à une gigantesque réunion d'amis affectueux.

La contemplation et l'étude de l'univers sont aussi une source de contact spirituel. Le physicien et théoricien Stephen Hawking a consacré sa vie à la découverte des principes de l'univers et des liens cosmiques. Il lutte pour sa liberté intellectuelle tout en étant physiquement emprisonné dans son corps par la maladie de Charcot. Cette maladie entraîne la détérioration progressive du système nerveux central et une mort presque certaine dans les trois ou quatre ans. Or Hawking souffre de cette maladie depuis plus de vingt ans.

Presque entièrement paralysé, Stephen Hawking communique au moyen d'un synthétiseur vocal et d'un ordinateur actionné par un seul doigt et intégré à son fauteuil roulant. Incapable d'écrire ses pensées, il est forcé de résoudre ses problèmes mentalement. Or malgré ces handicaps, il consacre autant qu'il peut son temps, son talent et ses forces déclinantes à donner des conférences sur ses théories dans de nombreuses universités[4]. Sa quête spirituelle vise «l'unification grandiose» des théories de la relativité et de la mécanique quantique. Soucieux de mieux comprendre les relations cosmiques, Hawking se demande aussi pourquoi nous existons et «ce qui insuffle son ardeur à l'univers». «Trouver la réponse à cette question, dit-il, marquerait l'ultime triomphe de la raison humaine, car alors nous connaîtrions l'esprit de Dieu[5].»

Albert Einstein avait un but similaire, sur lequel il écrivit: «Je veux savoir comment Dieu a créé ce monde. Je ne m'intéresse pas à ce phénomène-ci ni à celui-là, au spectre de cet élément-ci ou de celui-là; je veux connaître Ses pensées; le reste n'est que broutilles[6].»

Sept raisons de créer des liens

Grâce à sa merveilleuse énergie créative, l'esprit humain a des raisons de rechercher les contacts physiques, psychologiques et spirituels. Certaines sont positives et saines; d'autres sont destructrices. Les sept mobiles qui nous poussent à créer des liens sont la corruption, la lâcheté, la courtoisie, la collaboration, la camaraderie, la compassion et la communion[7].

La *corruption* est le plus malsain de tous. Donner de la drogue à des adolescents pour les accrocher est une façon corrompue d'établir un contact. Tout comme inciter les gens à se prostituer en leur promettant amour et protection, se montrer amical dans le but de grimper les échelons de la compagnie ou serviable dans l'espoir de s'attirer des faveurs politiques.

Les pots-de-vin sont des contacts corrompus par lesquels une personne cherche à prendre un certain contrôle ou à bénéficier d'un avantage sur d'autres ou à passer pour généreuse de manière à s'attirer des éloges ou des faveurs. Le récipiendaire du pot-de-vin n'est peut-être pas conscient des mobiles du donneur jusqu'à ce qu'il soit trop tard et qu'une forme ou une autre de chantage l'oblige à le rembourser.

On peut établir des contacts par *lâcheté* parce que l'on craint de déplaire à quelqu'un. Un conjoint, par exemple, qui n'est pas d'humeur à cajoler et à qui l'on demande un baiser, peut le donner simplement pour éviter un conflit. Ou des enfants chamailleurs peuvent être manipulés avec des phrases comme: «Tu sais que tu dois aimer ton petit frère, n'est-ce pas?» et se montrer affectueux par crainte d'être punis.

Les contacts fondés sur la lâcheté sont courants chez les personnes qui assistent à des rencontres familiales, à des réceptions de bureau ou à des réunions de comité parce qu'elles se sentent tenues de le faire et n'ont pas le courage de refuser. Quand elles le font par lâcheté, elles se montrent affables alors qu'elles s'ennuient à mourir, amicales tout en étant irritées ou distantes parce qu'elles sont furieuses contre la personne qui les a invitées et s'en veulent d'avoir manqué de courage.

Faire ce que l'on ne veut pas faire n'est pas toujours un acte de lâcheté. On peut agir par politesse ou *courtoisie*. Être poli, c'est faire ce que l'on doit faire conformément aux bonnes manières. Être courtois, c'est faire en sorte de mettre quelqu'un tout à fait à l'aise. On peut être outrageusement poli sans être courtois. La courtoisie découle de l'esprit humain et elle est respectueuse sans être servile.

Les liens de courtoisie englobent les «bonjour», «comment allez-vous?» et «merci» que l'on juge polis avec la famille, les amis, les connaissances et les étrangers. Un sourire et un «merci» chaleureux peuvent ensoleiller la dure journée d'un commis d'épicerie, du vieux préposé à la station-service ou d'un professeur assiégé à la fin du cours.

Les marques de courtoisie varient d'une culture à l'autre. Ainsi, dans de nombreux pays du monde, on juge courtois d'accueillir ses connaissances avec un petit salut formel, tandis que dans d'autres, on préfère un petit baiser sur chaque joue ou une poignée de main.

Établir des rapports fondés sur la *collaboration*, c'est former équipe comme un orchestre qui joue en parfaite harmonie. C'est dans le domaine de l'exploration spatiale que l'on retrouve certains des exemples les plus spectaculaires de collaboration. *Spoutnik I*, le premier satellite lancé par les Soviétiques en 1957, attira l'attention du monde entier. Douze ans plus tard, l'univers retenait son souffle au moment où Neil Armstrong posait le pied sur la Lune. En 1975, les cosmonautes soviétiques et les astronautes américains reliaient leurs vaisseaux spatiaux dans le cadre d'un événement axé sur la coopération internationale. Le lancement de satellites et de navettes spatiales exige une étroite collaboration entre les plus grands scientifiques du monde entier lancés dans les plus fabuleuses aventures de l'histoire.

La *camaraderie* est un rassemblement d'amis. Elle engendre la joie et soulage la solitude. Quand des camarades se réunissent, ils vivent souvent des moments spéciaux et mémorables qui les rapprochent encore davantage.

John Muir, naturaliste et partisan de la protection de l'environnement, escaladait un jour une haute montagne d'Alaska en compagnie d'un ami. Ce dernier était handicapé par ses bras qui avaient tendance à se disloquer à la suite d'anciennes blessures. Alors que les deux hommes grimpaient le long d'une étroite plateforme de glace, le compagnon de Muir tomba et glissa jusqu'au bord d'une falaise qui surplombait un glacier situé 300 mètres plus bas. Ses pieds pendaient dans le vide et il essayait de se retenir avec son menton et ses bras quasiment inutiles lorsque Muir apparut. Serrant le col de son ami entre ses dents, Muir le tira jusqu'à lui et le transporta sur 300 mètres en descendant[8]. Une camaraderie comme celle-là fait souvent appel à ce qu'il y a de meilleur en nous.

La *compassion,* un sentiment de sympathie qui se double du désir d'aider les autres, est une autre raison de nouer des liens. C'est elle qui nous pousse à aider les étrangers et les amis, les sans-abri ou les démunis, les personnes malades, seules ou opprimées. Elle s'exprime de multiples façons. Les bénévoles qui travaillent gratuitement, répondent aux lignes d'écoute ou soignent les patients des hospices apportent une énorme contribution à la société de par leur volonté de prendre soin des autres.

En 1987, Jessica McClure, alors âgée d'un an et demi, tomba dans un puits abandonné et y demeura prisonnière pendant cinquante-huit heures. Toute la communauté de Midland, au Texas, mit l'épaule à la roue pour lui porter secours. Pendant que certains réunissaient du matériel et des vivres, d'autres s'affairaient inlassablement à lui donner de l'air et à la tirer de là. D'autres encore préparaient et servaient de la nourriture à ceux qui travaillaient sans relâche. Grâce à leurs prières et à un dur labeur, ils parvinrent finalement à tirer Jessica du puits sombre et étroit. Pendant toute la durée de cette épreuve, la petite fille appela sa mère en pleurant et chanta des chansons tirées de *Winnie the Pooh*. Jessica doit sa survie à la compassion aimante dont elle fut l'objet.

De même, pendant les tremblements de terre catastrophiques qui survinrent à Mexico en 1986 et en Arménie en 1988, toutes distinctions entre riches et pauvres, lettrés et illettrés, disparurent dans les efforts communs qui furent déployés pour sauver la vie des personnes prisonnières des décombres. Il se passa la même chose à Tchernobyl en 1986, quand on dut évacuer 90 000 personnes à la suite d'un accident survenu à la centrale nucléaire.

Dans ce genre de situation, une compassion sincère se manifeste souvent entre personnes étrangères. Les gens partagent un abri et des vêtements. Ils s'assoient, bavardent et cassent la croûte ensemble. Ils sourient de soulagement et soutiennent ceux qui sont blessés ou affligés par la perte d'un être cher. Ils mettent tout en œuvre pour procurer de l'argent et des vivres aux personnes éprouvées par la tragédie. Une fois la crise passée, ils retournent à leur monde ordinaire qui parfois leur paraît plus sacré en raison de l'expérience qu'ils viennent de partager.

Une autre raison de créer des liens découle du besoin d'être en *communion* avec les autres. Traditionnellement, on parle de communion quand des croyants qui ont le sentiment de former une petite communauté se réunissent pour partager un repas, par exemple. Dans un sens plus large, toutefois, il y a communion quand on abandonne ses préjugés à l'égard des autres et communique avec eux aussi ouvertement et sincèrement que possible. La communion est donc une communication bilatérale, un échange profond de pensées et de sentiments qui s'effectue dans la mutualité et l'égalité.

Khalil Gibran, auteur du *Prophète,* appréciait ce type de contact avec sa compagne et secrétaire, Barbara Young. Le couple avait inventé le rituel suivant: il se mettait à table et avec une cuiller, Khalil traçait une ligne imaginaire dans sa soupe en disant: «Voici ta moitié de soupe et tes croûtons, et voici la mienne. Prenons garde de ne pas nous approprier la soupe et les croûtons de l'autre[9].» Puis ils éclataient de rire devant l'absurdité qu'il y avait à diviser ce qu'ils partageaient.

Cette communion existait entre Benjamin Franklin et quelques-uns de ses amis qui avaient formé «un club d'amélioration mutuelle» baptisé «la Junte[10]». Ils se rencontraient tous les vendredis pour discuter de politique, de philosophie et d'autres sujets. Ils s'encourageaient mutuellement à écrire, à lire, à parler en public et maintinrent cette communion pendant près de quarante ans!

Les communautés à vocation humanitaire favorisent la naissance de relations qui vont des brefs entretiens aux amitiés de toute une vie. Le mot *communauté* possède la même racine que le mot communion. Une communauté est un groupe de personnes vivant dans un lieu précis ou partageant un intérêt commun. Des groupes comme les Alcooliques Anonymes, les Narcotiques Anonymes et d'autres groupes d'entraide forment des communautés dans ce sens puisque leurs membres possèdent tous un intérêt commun: s'entraider. Cet intérêt commun augmente le potentiel de communion du groupe. Martin Buber le confirme: «Il y a une communauté là où il y a communauté [d'intérêts][11].» La communion qui se crée quand les gens forment une communauté est un témoignage puissant du miracle de l'esprit humain et du désir universel de créer des liens.

Cette forme de lien durable est merveilleuse, mais difficile à créer. La difficulté de trouver des personnes avec qui l'on peut établir un contact peut être une pierre d'achoppement majeure à l'établissement de relations satisfaisantes. Le plus souvent, ce sont nos hésitations et nos précautions qui nous empêchent de nous rapprocher des autres.

Décider de créer des liens

Certaines personnes font plus facilement confiance et sont plus ouvertes que d'autres. Ces différences reflètent en partie les écarts entre les personnalités innées des humains. Par exemple, certains bébés semblent plus extravertis que d'autres dès la naissance. Une étude réalisée par Alexander Thomas, Stella Chess et Herbert Birch portait sur un groupe d'enfants suivis depuis la naissance jusqu'à l'âge adulte; elle permit aux chercheurs de conclure que le tempérament qu'une personne a enfant ne change pratiquement pas durant sa vie, bien qu'il puisse être renforcé ou atténué selon les circonstances[12].

Quelle que soit la situation, nos nombreuses façons d'entrer en contact avec les autres découlent souvent de nos décisions psychologiques antérieures. Ces décisions sont les croyances que nous acquérons sur nous-même, sur les autres et la vie en général en réaction à nos besoins internes et aux influences externes. Elles agissent comme des filtres qui colorent nos perceptions et nos jugements sur les gens et les événements ainsi que nos réactions. Une personne peut rencontrer un étranger dans une réception et espérer s'en faire un ami tandis qu'une autre craindra plutôt d'être rejetée. La première peut actualiser une décision telle que «Les gens sont intéressants et amusants à connaître» tandis que la seconde agit en vertu de la décision selon laquelle «On ne peut pas faire confiance aux inconnus» ou «Ils ne m'aimeront pas s'ils me connaissent mieux».

C'est pendant l'enfance que nous commençons inconsciemment à prendre ces décisions. Les câlins, les gazouillements et les soins que nous prodiguent nos parents affectueux nous invitent à faire confiance aux autres parce que nos contacts avec eux sont agréables[13]. La négligence, les mauvais traitements ou simplement des rapports parentaux sévères ou inconsistants nous portent à croire qu'il est malaisé et risqué de se rapprocher des gens.

Quand nous entrons en contact avec un monde plus large et interagissons avec d'autres enfants à l'école ou dans le voisinage et avec des adultes qui sont nos professeurs, des amis de la famille ou des étrangers, ces premières décisions sont souvent renforcées. Si nous avons de bons camarades de jeu, nous pouvons décider: «Cela vaut la peine de faire des efforts pour se faire des amis.» Ou à partir d'expériences sexuelles malsaines avec d'autres enfants ou avec des adultes, nous pouvons conclure: «Pour être en sécurité, mieux vaut être prudent et ne pas faire confiance aux gens, même s'ils ont l'air gentils.»

Les décisions de la vie ne se prennent pas toujours dans des circonstances idéales. Grandir dans un environnement qui limite ou inhibe les contacts sociaux positifs, vivre dans des zones de guerre ou des camps de réfugiés, être pauvre et forcé de travailler au lieu d'aller à l'école, grandir dans la solitude en raison d'un handicap physique ou psychologique, ignorer la langue ou les coutumes de son pays d'accueil ou être élevé par des parents violents ou négligents quelle qu'en soit la raison, tous ces facteurs font qu'il est difficile de prendre des décisions positives sur les relations. Les enfants ayant connu ces conditions de vie reçoivent plus que leur part de souffrances, et il n'est pas facile pour eux d'apprendre à aimer. Certains deviennent prisonniers de leur environnement et sont incapables de transcender leur condition. D'autres y parviennent en dépit des dures réalités qu'ils affrontent et ils constituent alors des témoignages éloquents du triomphe de l'esprit humain et de la passion de grandir.

En tant qu'adultes, nous continuons de prendre d'importantes décisions concernant ce que nous sommes et ce qu'il faut attendre des autres. Heureusement, nos amitiés peuvent compenser certaines lacunes de l'enfance. La réussite scolaire ou professionnelle peut aussi nous porter à décider: «Il est possible d'être heureux»; «Il est important de travailler avec des gens bien pour avancer».

Nos relations amoureuses exercent également une forte influence sur nos décisions. Si l'on trouve une personne aimante et affectueuse, on peut décider: «Je suis digne d'être aimé» ou «Les rêves peuvent se réaliser». Par contre, à la suite d'un mariage malheureux, on peut décider qu'il est trop pénible d'être proche puis de voir ses rêves se fracasser; par conséquent, on fuira désormais ce genre d'intimité avec quelqu'un. Des décisions semblables peuvent être prises sous l'influence d'une amitié solide ou de la perte d'un ami. En fait, toute relation adulte peut influer sur nos décisions concernant la vie et l'amour[14].

Quand elles sont positives, nos décisions sont comme des tremplins qui nous propulsent vers des relations saines. Par contre, quand elles sont exagérément prudentes ou carrément méfiantes, elles sont comme des attaches qui nous empêchent de nous rapprocher des autres.

Les décisions de notre vie sont des forces puissantes qui déterminent nos relations. Bien qu'elles puissent s'ancrer assez solidement dans notre esprit, nous pouvons aussi les modifier spontanément à dessein ou à la suite d'interactions positives et curatives avec les autres. Nous pouvons décider tout de go d'être plus ouvert, plus confiant ou plus sensible. Il suffit d'éprouver un profond désir de changer et de posséder un plan d'action clair. Parfois nous prenons ces décisions seul tandis qu'à d'autres moments, un conseiller ou un thérapeute peut nous apporter une aide précieuse pour rouvrir les voies qui mènent à l'amour[15].

La quête d'amour

L'amour est le lien ultime entre les gens et sa recherche revêt souvent deux aspects: trouver quelqu'un à aimer et quelqu'un qui nous aimera. L'amour est la force motrice qui nous pousse à rencontrer des gens, à établir des contacts, à devenir des connaissances, des collègues, des amis et même des amoureux.

Le mot *amour* s'emploie de bien des façons. On l'associe à une chose sublime, à Éros, à un état d'émerveillement, de désir, d'affection profonde ou d'acceptation inconditionnelle. On aime ses enfants, son chien, son jardin et même sa nouvelle voiture ou son nouvel emploi. On parle d'amis aimants ou d'une communauté aimante ou même d'amour de soi. Compte tenu de toutes ces acceptions du mot amour, par où commencer? Par soi-même peut-être.

S'aimer soi-même signifie pour certains s'accepter et pour d'autres être égoïste. Or l'amour de soi est un élément essentiel dans la vie de chacun. S'aimer soi-même, ce n'est pas accepter n'importe quel comportement, croyance ou désir; ce serait du sybaritisme. *S'aimer soi-même, c'est accepter l'essence positive de notre être et s'efforcer de modifier les aspects de notre comportement qui nous empêchent d'aimer.*

Les personnes qui s'acceptent reconnaissent leurs capacités naturelles, leurs aptitudes acquises et leur personnalité unique. Elles ne s'oublient pas elles-mêmes, ne sont pas trop indulgentes envers elles-mêmes ni exagérément fascinées par leur univers intérieur. Elles apprécient plutôt leur profond désir de vivre, d'être libre, de créer, de comprendre et de s'amuser, et cherchent des façons positives d'exprimer ces aspirations.

La quête d'amour se traduit, chez beaucoup, par la recherche d'un amour romantique. Cette forme d'amour est en général intense, possessive et fondée sur l'attirance sexuelle et la croyance que l'on peut vivre heureux avec l'autre jusqu'à la fin de ses jours. Dans l'amour romantique, chaque personne chérit l'autre pour ses attributs uniques et positifs. Elle ne tient pas compte en général de ses défauts qui, vus à travers des lunettes roses, lui apparaissent comme de charmantes idiosyncrasies. La romance commence habituellement par une toquade qui peut ou non se transformer en amour profond et durable. Toutefois, l'amour romantique, avec ses hauts et ses bas, est si excitant que certains le préfèrent à un engagement profond[16].

La recherche d'une famille aimante est une autre quête continue. Nous aspirons à avoir une famille qui nous apportera la sécurité, nous encouragera à grandir et à changer sans nous posséder ni nous dominer. Adhérer à une communauté, à une famille étendue ou à un cercle intime d'amis peut aussi combler ce besoin.

La forme la plus courante d'amour durable est l'amitié. En anglais le terme *friendship* est dérivé du vieux mot anglais *freo,* qui veut dire noble, heureux, sans attache. Plus tard, ce mot s'est transformé en *freon,* qui signifie amour, puis en *freond,* l'ancêtre du terme *friend* en anglais moderne, qui signifie ami.

Les amis, dans le premier sens du mot, ne sont pas attachés l'un à l'autre. C'est de leur plein gré qu'ils sont en relation et ils sont libres de le rester ou de partir. Les amis sont heureux et non jaloux du bonheur de l'autre; leur relation possède une certaine noblesse, et n'est pas celle d'un maître et d'un esclave.

Parfois, l'amour d'un ami est exactement ce qu'il nous faut pour traverser une période difficile; un ami peut également enjoliver les bons moments. Une amitié sincère apporte un amour libre de toute attache, ce qui comporte bien des avantages. Toutefois, certains sont tellement pris par le tourbillon de la vie qu'ils relèguent l'amitié au second plan après leur travail, leur famille et leurs activités. Les personnes souffrant d'un «déficit d'ami» peuvent se sentir isolées et voir leur moral décliner graduellement. Par ailleurs, quand une nouvelle amitié s'épanouit — et cela peut arriver n'importe quand —, elle provoque une étincelle de plaisir, et la vie est de nouveau pleine de rires et d'amitié.

Outre qu'ils recherchent l'amour dans leurs amitiés, bien des gens aspirent à trouver l'amour de Dieu. Ainsi, le grand peintre hollandais Vincent Van Gogh, dont l'œuvre demeura à peu près inconnue jusqu'après sa mort, était pauvre, isolé et fort déprimé. Dans sa jeunesse, Van Gogh voulait devenir prêtre, mais il désapprouvait certaines doctrines de l'Église. Il décida donc que sa mission serait d'apporter compassion et espoir aux autres à travers son art. Dans sa correspondance, il affirme que la meilleure façon de trouver Dieu est d'«aimer un ami, une femme, quelque chose». Il explique:

*La personne qui aime Rembrandt sait certainement qu'il
y a un Dieu et celle qui étudie la révolution française y
verra la manifestation d'un pouvoir souverain. Et quand
on se sent prisonnier, l'amour est le pouvoir suprême, la
force magique, qui ouvre la porte de la prison[17].*

Le besoin de se soucier des autres

L'amour revêt diverses formes et l'une des plus importantes
est la sollicitude que nous nous témoignons les uns aux autres. Se
soucier d'une personne ou d'une chose, c'est être préoccupé par
cette personne ou cette chose ou s'y intéresser. La sollicitude reflète
l'aspect protecteur et tendre de l'amour. Elle est nécessaire entre
enfants et parents, amis et conjoints, même entre humains et animaux et dans toute la nature. Voici ce processus:

Aspiration de l'esprit humain	But de la quête	Qualité requise
Créer des liens	Aimer	Sollicitude

Les humains sont biologiquement conditionnés à se soucier des
autres. Le psychologue Willard Gaylin a observé que nous sommes
instinctivement portés à prendre soin des faibles et des impuissants,
des enfants et de toute créature enfantine, qu'elle soit animale ou humaine[18]. Bien que la brutalité, les privations subies pendant l'enfance
et les valeurs culturelles puissent entraver la capacité de certaines personnes à se soucier des autres, la plupart d'entre nous possèdent cette
aptitude. C'est elle d'ailleurs qui soutient notre espèce.

Outre que nous nous soucions des autres, nous voulons que
les autres se soucient de nous. Tout le monde a besoin de sollicitude
de temps à autre. Quel soulagement que de pouvoir compter sur
quelqu'un quand on en a besoin! Il est réconfortant de savoir que
quelqu'un nous apportera un bouillon chaud si nous sommes malade, nous égaiera dans les moments de déprime ou nous aidera à
recoller les morceaux si nous sommes découragé. Ces petites attentions nous réconfortent et nous prouvent que nous ne vivons
pas sur une île déserte.

Le désir de créer des liens

Rechercher
un lien cosmique

L'amour d'un
animal familier

DUNCAN JAMES

JOHN JAMES

IAN JAMES

La quête de l'utopie

Un enthousiasme partagé

DAVID M. ALLEN

DAVID B. REED

MURIEL JAMES

Créer un lien
avec soi-même

S'engager
à aimer

Toutefois, il ne s'agit pas uniquement de dire des mots doux ni de prodiguer de tendres câlins. Ni simplement d'aider les autres ou de les réconforter. *Se soucier sincèrement des autres, c'est faire ce qu'il faut pour les aider à grandir.* Cela peut exiger que l'on dise le fond de sa pensée ou prenne certaines mesures au nom de l'autre personne. Ainsi, la personne en chômage depuis plusieurs mois peut céder au découragement et mettre un terme à sa recherche d'emploi. Dans ces moments-là, la pression d'un ami peut être nécessaire pour la stimuler et l'inciter à poursuivre ses recherches.

Pour que la sollicitude ait un effet positif, elle doit être offerte avec respect de sorte que le bénéficiaire se sente libre d'accepter ou de rejeter l'aide qu'on lui offre. Il ne faut pas imaginer que les autres apprécieront notre aide simplement parce que nous nous soucions d'eux. En fait, beaucoup ne l'apprécient pas. Albert Schweitzer fait la mise en garde suivante: «Quiconque envisage de faire le bien ne doit pas s'attendre à ce que les gens enlèvent les pierres qui lui barrent le chemin, mais il doit se résigner s'ils en placent même quelques-unes de plus sur sa route[19].»

Les relations saines et empreintes de sollicitude sont des voies à double sens. Il se lève au milieu de la nuit pour lui apporter un verre d'eau parce qu'il se soucie de son bien-être. Elle l'accompagne chez le médecin parce que sa santé lui tient à cœur et qu'elle désire lui manifester son appui de cette façon. Elle supporte les visites de ses parents grincheux parce qu'elle sait qu'il tient à passer du temps avec eux. Il lui parle de la mort d'une amie chère parce qu'il veut l'aider à surmonter sa peine. Parce qu'ils s'aiment, ils sont là l'un pour l'autre. Toutefois, si c'est toujours la même personne qui donne et la même qui reçoit, le donneur finit par se lasser et le receveur devient ingrat. Cela ne fonctionne pas. Une sollicitude mutuelle peut contribuer à prolonger les relations.

L'altruisme

L'altruisme est l'une des manières les plus profondes d'exprimer sa sollicitude envers autrui. *Faire preuve d'altruisme, c'est donner sans rien attendre en retour.* C'est se préoccuper du bien-être d'autrui sans penser à soi.

L'altruisme s'exprime parfois sous forme d'humanitarisme, de philanthropie ou de simple gentillesse. Il est souvent unilatéral et très évident chez la personne qui prend soin d'un enfant autistique, d'un conjoint handicapé ou d'un parent fragile et âgé. Il est présent dans d'autres formes de relations d'aide: entre un professeur et un élève, une infirmière et un patient, un thérapeute et un client. C'est cette qualité qu'expriment aussi les employés qualifiés qui se donnent de la peine pour aider les nouveaux venus.

Samuel et Pearl Oliner viennent de terminer une étude menée auprès de 700 personnes ayant vécu en Europe pendant l'occupation nazie et qui, tout en s'exposant à un grave danger, ne s'en portèrent pas moins au secours des Juifs. Elles agirent ainsi de leur plein gré et sans attendre de récompense, comme plus de 50 000 autres qui risquèrent leur vie d'une manière semblable. Un grand nombre affirmèrent qu'elles n'avaient pas été influencées par leur éducation religieuse, mais qu'elles avaient grandi dans des familles où on leur enseignait la sollicitude, la compassion et la responsabilité sociale[20]. De souche généralement modeste, elles ne croyaient pas avoir d'autre choix que de secourir, nourrir, loger, habiller et cacher ceux qui en avaient besoin[21].

Au contraire des personnes sans affiliation religieuse, Corrie Ten Boom était une fervente chrétienne qui vivait à Haarlem (Pays-Bas) pendant la Seconde Guerre mondiale. Elle aussi fut incapable de se détourner des Juifs qui tentaient de s'échapper. Dans sa chambre à coucher, elle fit construire un faux mur derrière lequel elle les cachait jusqu'à ce qu'ils puissent trouver un refuge sécuritaire. Quand on découvrit son stratagème, on l'expédia dans un camp de concentration avec sa sœur et son père qui y moururent. Mais Corrie, qui portait le numéro 66730 à Ravensbrück, le camp d'extermination des femmes, fut finalement relâchée à la suite d'une erreur d'écriture.

À la fin de la guerre, en 1945, une femme riche dont les cinq fils avaient servi dans la Résistance lui fit cadeau d'une vaste propriété où les prisonniers libérés pourraient de nouveau recouvrer l'espoir et la santé. Puis en Allemagne, où 9 millions de personnes étaient sans abri, on sollicita son aide pour leur trouver des logements. Elle dirigea la rénovation de vieilles usines et d'autres édifices pour les familles démunies. L'un de ces édifices était un ancien camp de concentration. Or, sachant à quel point les camps pouvaient être tristes, elle commença par faire enlever les fils de fer barbelé et repeindre tous les murs de couleurs vives; elle fit aussi placer une boîte à fleurs devant chaque fenêtre[22].

S'il est assez inhabituel de consacrer ainsi toute sa vie à des causes altruistes, nous sommes quotidiennement témoin d'actes momentanés d'altruisme. La personne qui livre des repas aux personnes âgées, le voisin qui console un enfant en pleurs, le groupe religieux qui fait un don à un refuge pour femmes battues, les groupes communautaires qui recueillent des fonds pour les aveugles, les handicapés et les sans-abri, ces gens-là sont partout.

La personne altruiste est celle qui donne. Bien qu'elle le fasse sans attendre de récompense, les recherches ont démontré qu'en fait, elle en reçoit une quand même puisque le fait de s'intéresser aux autres et de les aider améliore sa condition physique et émotive. Même le simple souvenir des soins apportés est un facteur apaisant qui abaisse la pression sanguine tant chez la personne qui les prodigue que chez celle qui les reçoit[23].

Nombre d'entreprises et d'organismes gouvernementaux affichent également une vocation altruiste en offrant une direction et des ressources à l'égard des programmes communautaires ou des problèmes d'intérêt national. Des organismes comme la Croix-Rouge et Amnistie Internationale sont nés du simple désir altruiste d'apporter aide et espoir aux personnes en danger de mort. Ces groupes fondent leur travail sur la vérité exprimée par un chef d'Amnistie Internationale: «Vous savez, tout comme moi, que l'esprit d'un individu est beaucoup plus puissant que les fusils ou les chambres de torture[24].»

Les qualités de l'altruisme

Une importante recherche conduite par Pitirim Sorokin au Harvard Center for Altruistic Studies le poussa à conclure que cinq qualités ressortissent à l'amour et à l'altruisme: l'intensité, la durée, la pureté, l'extensité et le caractère approprié[25]. Chaque qualité s'exprime d'une manière différente selon le moment et les circonstances.

L'*intensité* de l'amour est vécue comme un engagement émotionnel puissant qui est fréquent chez les gens qui tombent amoureux. Souvent, ils sont obsédés par la pensée de leur bien-aimé et, comme Roméo et Juliette, ont l'impression de ne pouvoir vivre l'un sans l'autre. Ils peuvent aussi rechercher ce type d'amour et vouloir être aimé si intensément que l'amour devient plus important que la vie. Cette forme d'amour crée une relation de codépendance dans laquelle l'identité et l'amour-propre des partenaires sont trop étroitement entremêlés.

Ce ne sont pas seulement les amoureux qui connaissent cette intensité. Des membres d'une même famille et des camarades vont parfois jusqu'à donner leur vie tant leur affection est profonde. Plus souvent, la famille ou les amis sacrifient leur temps, leur énergie et même leurs organes pour sauver la vie des êtres qui leur sont chers. Ainsi, David et Doug Franks, des jumeaux identiques de trente-cinq ans, n'étaient pas très proches, enfants, et essayaient souvent de se différencier l'un de l'autre. Doug est homosexuel, mais non David. Quand Doug contracta le virus du sida, David était en parfaite santé. Les deux frères coururent un risque énorme en adhérant à un programme du National Institute of Health en vertu duquel Doug devait recevoir une quantité dangereusement importante de la moelle épinière de David. On espérait stimuler ainsi le système immunitaire de Doug afin qu'il combatte plus énergiquement le sida. Cette situation critique ralluma l'amour intense que se portaient les deux frères. David l'expliqua ainsi: «Nous avons fini par nous accepter en tant que jumeaux[26].»

La *durée* est la qualité de l'amour qui survit au temps, malgré les crises et les zones calmes que traverse inévitablement toute relation. Tom Dooley fut surnommé le «médecin de la jungle» parce qu'il passa une grande partie de sa vie à aider les peuplades des jungles de l'Asie septentrionale. Sa passion de vivre le poussa à participer comme bénévole à l'évacuation de plus de 600 000 réfugiés, qui passèrent du Vietnam Nord au Vietnam Sud en 1954 et 1955. Il fonda également une association de bénévoles qui s'emploient dans des conditions primitives à prodiguer des soins médicaux et à redonner espoir aux personnes de nombreux pays du monde où l'aide se fait rare.

Tom Dooley a choisi une voie d'amour. En fait, le navire-hôpital de son association s'appelait le *Project Hope* (Projet Espoir). Voici l'essence de sa philosophie: «Celui qui a été délivré de la douleur ne doit pas penser qu'il est libre de continuer sa vie et d'oublier sa maladie. C'est un homme dont les yeux se sont dessillés et qui a désormais le devoir d'aider les autres à lutter contre la douleur et l'angoisse. Il doit contribuer à apporter aux autres la délivrance qu'il connaît lui-même[27].»

La *pureté* de l'amour s'exprime d'une manière altruiste, sans négocier ni demander une récompense quelle qu'elle soit. Clara Hale est un être dont l'amour est pur. Il y a vingt ans à New York, elle commença à s'occuper des enfants nés avec une dépendance envers l'héroïne. Depuis, elle a pris soin de plus de 600 bébés. Aujourd'hui, à l'âge de quatre-vingt-trois ans, elle s'occupe de bébés dont les mères ont le sida. Un jour qu'on lui demanda pourquoi, elle répondit: «Ils vivent deux ans au plus. La Ville n'en veut pas et il n'y a pas de place pour eux dans les hôpitaux. Que pouvons-nous faire d'autre[28]?»

L'*extensité* de l'amour se rapporte au nombre de relations qu'une personne peut conserver. Jésus et Gandhi étaient des êtres remarquables de par leur capacité d'aimer. Gladys Aylard, qui décida à quatorze ans qu'elle serait missionnaire en Chine, est moins connue. Elle n'avait pas d'argent pour payer son passage, mais était si déterminée à partir que, ayant décroché un emploi de domestique à Londres, elle travailla pendant ses congés et épargna soigneusement son maigre salaire pendant quatorze ans. Enfin, on lui promit un poste non rémunéré auprès d'un missionnaire âgé qui se trouvait à Yangchen.

La vie à Yangchen était loin d'être paradisiaque. On lui lançait de la boue parce qu'elle était étrangère et elle eut beaucoup de mal à se faire accepter. Toutefois, elle apprit cinq dialectes chinois et fonda l'Auberge des Huit Bonheurs, où les muletiers pouvaient passer la nuit, se nourrir à peu de frais et entendre gratuitement des histoires bibliques. En 1938, les Japonais attaquèrent la Chine et personne n'était vraiment en sûreté, de sorte que pendant deux semaines, e'.e conduisit une centaine de petits orphelins à travers les montagnes jusqu'en Thaïlande. Affamée et gelée, elle porta les plus jeunes avec l'aide des plus vieux et chanta des chansons pour les encourager. Aux yeux des Chinois, elle était «la petite femme» à la foi et au courage inépuisables. Aux innombrables orphelins dont elle continua de s'occuper pendant le reste de sa vie, elle prodigua un amour sans bornes[29].

Le *caractère approprié* de l'amour a trait à la capacité de faire le nécessaire pour aider les autres à réussir. Pour que l'amour soit

approprié, il faut deux choses: le ressentir profondément et l'exprimer généreusement. Il n'est pas approprié de *ressentir* de l'amour
et ne pas l'exprimer, ni de *faire semblant* d'aimer. L'amour est approprié quand il est à la fois ressenti et exprimé de manière à aider
les autres à grandir. Il entraîne des résultats positifs. Il unit les
amis, tisse des liens entre les couples et forme des familles heureuses. Il peut aussi s'étendre au-delà du cercle familial et englober
beaucoup de gens. Citons le cas de Jane Addams, une pionnière
dans le domaine du travail social en Amérique.

Jane Addams se décrivait comme un laideron même petite.
Elle ne se maria jamais et n'eut pas d'enfants. En 1889, elle fonda
l'orphelinat Hull House, à Chicago, qui prit rapidement de l'ex-
tension au point d'englober un complexe de treize édifices où l'on
accueillait quotidiennement 2 000 pauvres. De nombreux immigrants venaient à Hull House pour suivre une formation professionnelle et trouver d'autres formes d'aide. Pacifiste, Jane Addams
se battit en faveur des lois pour la protection des immigrants et le
droit de vote des femmes et contre le travail des enfants. Elle mérita un prix Nobel et consacra tout l'argent de ce prix à l'amélioration de la vie des autres. Le président Theodore Roosevelt l'appelait «la citoyenne la plus serviable d'Amérique[30]».

Nous devons trouver ensemble des manières de résoudre les
problèmes écrasants de la société moderne. Pour cela, il faut un
engagement profond et durable. L'amour doit être exprimé d'une
manière altruiste. Il doit être étendu à tous et non réservé à un
groupe privilégié. C'est pourquoi il faut continuer d'aider les humains à comprendre les autres peuples et les autres cultures et à
améliorer leurs capacités de communiquer afin qu'ils puissent entamer un dialogue authentique les uns avec les autres.

Les liens dialogiques

L'amour, la sollicitude, l'altruisme, qu'ils soient exercés par
une personne ou un groupe privé ou public, sont principalement
ancrés dans les relations entre deux personnes qui découlent de la
volonté d'engager un dialogue authentique avec les autres.

Le mot *dialogue* vient d'un mot grec qui signifie discuter. Un
dialogue est en général une conversation, un échange d'idées, un

partage d'opinions, de croyances et de rêves. Le philosophe Martin Buber en nomme trois sortes: le dialogue technique, le dialogue authentique et le monologue déguisé en dialogue.

Le *dialogue technique* est un échange clair d'informations qui donne lieu à une compréhension objective. Il englobe le partage d'informations sur un projet d'intérêt commun au travail, le fait de demander et de recevoir des renseignements sur ses horaires et ses responsabilités à la maison ou de donner des instructions et de répondre aux questions de ses élèves. Dans un dialogue technique, les gens parlent clairement et écoutent attentivement. Ils expriment leur appréciation à l'égard des valeurs et des accomplissements des autres. Les blâmes et les récriminations sont réduits au minimum parce que chaque interlocuteur est tout à fait présent et suit de près tant le processus que le contenu de la conversation.

Le *dialogue authentique* est un échange libre d'idées, de sentiments, de joies, d'espoirs et de peurs. C'est ce que Buber appelle «la sphère de l'entre-deux» où les gens se rencontrent vraiment sans masque ni façade. Ce type de dialogue s'établit entre deux personnes au cœur ouvert qui se rencontrent d'égale à égale: personne ne monopolise la parole ou se contente uniquement d'écouter. Les interlocuteurs se regardent et se parlent directement sans esquiver ni diluer les sujets. Ils écoutent tant les sentiments que les paroles de l'autre au lieu de penser à ce qu'ils diront ensuite.

Le but du dialogue authentique est d'établir une relation honnête, vivante et vibrante, ce qui est difficile et exigeant. C'est pourquoi certaines personnes fuient cette forme d'interaction et passent constamment du dialogue technique aux monologues déguisés en dialogues.

Le *monologue déguisé en dialogue* a lieu quand deux personnes ou plus parlent sans se soucier de l'autre ou des autres. Chacun est tellement préoccupé par ce qu'il veut dire qu'il ne peut entendre ce que dit l'autre ni créer un lien significatif avec lui. Personne ne comprend le point de vue des autres. Tous parlent dans le seul but de confirmer leurs propres points de vue. Ils soliloquent, donnent dans le genre exalté, conseillent et argumentent.

Les gens soliloquent quant ils ne parlent que pour s'entendre. Ils n'écoutent pas, même s'ils attendent leur tour avant de parler. Dans ce type de monologue, les deux interlocuteurs tentent de confirmer leur propre valeur et d'impressionner l'autre. Ils ne sont pas sur la même longueur d'onde. Ils se servent l'un de l'autre comme d'un auditoire ou comme de tableaux contre lequel ils lancent leurs idées sans se soucier de celles de l'autre. Tenir une conversation comme celle-là, c'est comme se regarder dans un miroir sans remarquer qu'une autre personne regarde dans le même miroir.

Donner dans le genre exalté est une autre forme de monologue déguisé en dialogue. Les personnes exaltées s'étendent interminablement sur leurs exploits. Elles s'intéressent peu aux expériences des autres sauf si elles servent de catalyseurs à leurs propres expériences. Donner dans le genre exalté, c'est comme entrer en scène en disant: «Regardez comme je suis excitant» ou «Écoutez comme mon expérience (ou mon intuition) est merveilleuse».

Les personnes qui pratiquent cette forme de monologue sont sous l'emprise de l'état du moi Enfant égocentrique et recherchent l'attention et les applaudissements.

Prodiguer des conseils est une autre forme de monologue inacceptable dans lequel la personne ne prend pas la peine de comprendre ce dont l'autre a besoin ou ce qu'il veut. Les conseilleurs essaient souvent de confirmer leur valeur en prodiguant une aide qu'on ne leur a pas demandée ou qui est inutile. Le masque de la serviabilité cache souvent un désir ferme de contrôler le comportement, les pensées et les sentiments de l'autre. Les parents sont enclins à établir ce type de liens. De même que les conjoints et les amis proches. Les conseils sont souvent prodigués sous la forme suivante: «Je pense que tu devrais...» ou «Pourquoi ne ferais-tu pas...».

On parle d'argumentation quand une personne exprime ses pensées d'un ton mordant afin de prouver quelque chose et de frapper juste, brusquement et sans considération pour l'autre personne. Celle-ci n'est qu'un opposant, qu'il faut vaincre. Résolu à faire comprendre son point de vue, l'argumentateur veut amener l'autre personne à se ranger à son opinion et prépare sa réfutation pendant qu'elle parle.

Les argumentateurs semblent parfois durs, entêtés et coriaces parce qu'ils sont très difficiles à atteindre. Toutefois, certains d'entre eux ont recours à un style différent et manipulent l'autre en jouant à l'impuissant et en faisant tellement honte à leurs opposants qu'ils les désarment. Les argumentateurs déguisent souvent leurs critiques qu'ils font passer pour un échange libre d'informations jusqu'à ce que l'autre baisse les bras.

Dans chacune de ces formes de monologue, les interlocuteurs se soucient davantage de l'image qu'ils projettent que de l'essence qu'ils pourraient vraiment partager. Ils s'inquiètent de l'impression qu'ils produisent sur les autres; ils sont prudents et ne montrent que les aspects d'eux-mêmes qu'ils jugent acceptables. Ils gardent les autres dans l'ombre par peur de la critique, du rejet ou de l'abus. Ils se demandent souvent: «De quoi ai-je l'air? Est-ce qu'on m'aimera?» À l'instar des politiciens, ils tentent constamment de projeter une image favorable en se cachant derrière des masques psychologiques. Ils érigent des murs psychologiques qui communiquent des messages subliminaux: «Laissez-moi tranquille» ou «N'approchez pas trop». Ils évitent les dialogues directs et ouverts.

Au contraire, quand les gens partagent l'essence de ce qu'ils sont, quand ils s'expriment depuis les profondeurs de leur âme humaine, ils agissent naturellement et se montrent tels qu'ils sont et non tels qu'ils croient devoir être. Ils se donnent tout entier à l'interaction, sachant que leur responsabilité première est de répondre aux autres avec toute l'honnêteté et l'ouverture possibles. Ils le font dans l'espoir que les autres se sentiront aussi invités à partager ce qu'ils sont. Cette forme de don est un art et nous sommes tous des artistes en puissance.

Se donner à l'interaction ne signifie pas abdiquer son identité ni se perdre ou se laisser engloutir par les sentiments, les pensées ou les actions d'un autre. Non. C'est affronter un événement banal avec les deux points de vue: le sien et celui de l'autre[31]. C'est reconnaître l'opinion de l'autre et accepter qu'elle soit aussi importante que la sienne. Deux astronautes ayant expérimenté cela firent le commentaire suivant: «Nous étions des techniciens quand nous sommes allés sur la Lune; nous en sommes revenus philanthropes[32].»

Même dans les relations les plus engagées, les gens oscillent entre les monologues et les dialogues. On ne peut pas établir constamment des rapports dialogiques car les activités de tous les jours exigent trop d'interactions objectives avec les autres. Toutefois, les personnes cantonnées dans leurs monologues ne vivent pas vraiment.

Les moments dialogiques confèrent une qualité unique aux relations: ils transforment les conversations banales en rencontres significatives. C'est dans cet esprit que le philanthrope Albert Schweitzer donnait le conseil suivant: «Donne à tes compagnons de route tout ce que tu peux de ta vie intérieure et reçois comme un don précieux tout ce qu'ils te rendront d'eux-mêmes[33].»

Les personnes qui partagent honnêtement ce qu'elles sont sont ouvertes à la vie et amorcent facilement des rencontres dialogiques avec les autres. Ce phénomène peut s'illustrer ainsi:

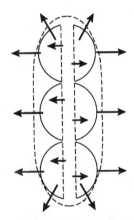

UN ESPRIT OUVERT

La communauté idéale

Ce besoin de créer des liens dialogiques avec autrui fait que l'on rêve de communautés idéales, que l'on écrit à leur sujet et que l'on tente même parfois d'en construire. Des écrivains tels que H. D. Thoreau dans *Walden ou la vie dans les bois*, Aldous Huxley dans *Île* et Hermann Hesse dans *Le jeu des perles de verre* comptent parmi les auteurs ayant exploré les possibilités et les impossibilités de créer des communautés idéales.

On appelle *utopie* ce type de communauté. Ce terme fut inventé en 1516 par Sir Thomas More pour désigner une île idéale dont les habitants vivaient dans des conditions parfaites. Le terme utopie vient du grec et signifie «nulle part». Même si ces communautés n'existent nulle part et sont impossibles à réaliser, nous aspirons à y vivre.

La plupart des réfugiés ou des pionniers et des explorateurs en quête de nouvelles terres où s'établir recherchent une sorte d'utopie. C'est souvent dans le but de créer une communauté idéale que l'on fonde des colonies religieuses, des communautés rurales, des villes et des communes et invente des cultes.

Outre la perspective théologique, les théories politiques comme le socialisme, le communisme et la démocratie sont des constructions mentales d'utopies sociales. L'élimination des classes, la liberté de vénérer qui l'on veut et les droits à la vie, la liberté et la poursuite du bonheur ne sont que quelques-uns des concepts associés aux rêves utopiques.

Ces rêves sont merveilleux. Parfois ils se réalisent et parfois, non. Il y a des moments où la vie semble presque parfaite et d'autres où elle apporte des difficultés inattendues qui constituent de véritables défis. Nous sommes naturellement porté à regarder vers l'avenir et à espérer un jour meilleur, à croire que l'herbe est plus verte chez le voisin. Imaginer un monde meilleur peut être très inspirant et nous inciter à en faire plus et à viser plus haut. Cela peut également être décevant si on a des attentes trop élevées ou si l'on constate que l'on regarde dans la mauvaise direction.

Dans ce cas, on se tourne vers ses amis, sa famille proche ou étendue pour établir des liens étroits et engagés. On peut aussi se tourner vers Dieu pour trouver l'assurance d'une vie idéale. Dans la tradition chrétienne, par exemple, on parle souvent du Royaume de Dieu pour désigner une utopie; cette expression met l'accent sur la responsabilité sociale et l'espoir que cet état céleste se concrétisera à un certain moment de l'histoire.

Cette croyance est populaire depuis des siècles. En fait, au cours des XVIIᵉ et XVIIIᵉ siècles, divers groupes religieux s'établirent aux États-Unis dans l'attente de cet événement. Peu après, des émigrants allemands s'installèrent en Russie dans le même but. Même aujourd'hui, des groupes s'isolent pour attendre la fin du monde car ils croient qu'elle s'accompagnera d'une terrible destruction et espèrent compter parmi les survivants élus.

Certains chrétiens, toutefois, considèrent le Royaume de Dieu comme un état que l'on peut réaliser à tout moment, dans n'importe quelle relation. Maître Eckhart, un mystique chrétien ayant vécu au XIIIᵉ siècle, croyait que le Royaume de Dieu était la présence divine qui imprégnait «toutes choses et tous lieux», que ce Royaume existe ici et maintenant et qu'il suffit de se «réveiller» et d'être réceptif à sa grâce[34]. Il écrivit: «Dieu est à la maison. C'est nous qui sommes partis en promenade[35].» En outre, le Royaume de Dieu se réalise quand nous revenons à la maison, c'est-à-dire quand nous agissons avec compassion et justice. Cette tradition est parvenue jusqu'à nous; le théologien Matthew Fox l'exprime dans son concept de «spiritualité centrée sur la création». Il explique: «C'est dans cette vie-ci que nous devenons le ciel de sorte que Dieu puisse y trouver refuge[36].»

❧ Libérer son désir de créer des liens

Vous voudrez peut-être prendre quelques moments pour réfléchir à votre désir de créer des liens avec les autres.

❧ *Une méditation sur le désir de créer des liens.* Lisez les citations ci-dessous et voyez si elles ont une signification pour vous.

C'est donc une obligation éternelle envers l'être humain que de ne pas le laisser souffrir de la faim quand on a l'occasion de le secourir.

SIMONE WEIL[37]

L'élément qui sert de fondement au changement positif, selon moi, c'est d'assister un frère humain.

LECH WALESA[38]

La vie provient de la survie physique; mais la bonne vie *provient de ce à quoi nous nous intéressons.*

ROLLO MAY[39]

On peut appeler Dieu amour, on peut appeler Dieu bonté, mais le meilleur nom pour Dieu est compassion.

MAÎTRE ECKHART[40]

La compassion vous invite d'emblée à entrer en contact avec les autres parce que vous ne les voyez plus comme un drainage d'énergie.

CHOGYAM TRUNGPA[41]

Nous ne pouvons éviter d'employer le pouvoir, ni échapper à la compulsion d'accabler le monde; donc, circonspects en paroles et puissants dans nos contradictions, aimons avec force.

MARTIN BUBER[42]

❦ *L'essence de l'humanisme.* Pensez à cinq relations différentes dans lesquelles vous rendez fréquemment service à l'autre. Énumérez les façons dont vous exprimez votre sollicitude. Comment ces relations évoluent-elles?

Personnes	Ma façon d'exprimer ma sollicitude	Résultats

❦ *Projets et problèmes.* Choisissez un problème interpersonnel précis qui vous tourmente. Êtes-vous engagé dans une sorte de monologue déguisé en dialogue? Est-ce que vous soliloquez, donnez dans le genre exalté, conseillez ou argumentez? Avez-vous besoin de changer votre style d'interaction afin d'obtenir de meilleurs résultats?

❦ *Des rapports étroits et moins étroits.* Sur le diagramme de la page suivante, utilisez des initiales pour représenter votre famille, vos amis et vos collègues. Placez leurs initiales selon que vos rapports avec eux sont étroits ou distants. Groupez-les en fonction de leur sexe afin de voir si vous avez des préférences. Y a-t-il quelqu'un dans les cercles extérieurs que vous voudriez inviter à se rapprocher de vous? Comment vous y prendrez-vous?

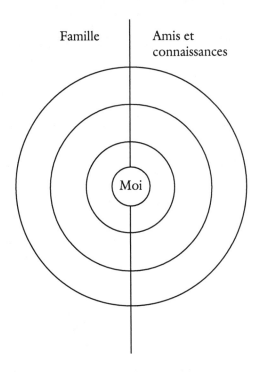

Famille

Amis et
connaissances

Moi

❦ *Des liens d'amour.* Quelles difficultés amoureuses affron-
tez-vous en ce moment? Quelles questions ces difficultés sou-
lèvent-elles dans votre esprit?

❦ *Déterminez votre idéal.* Supposez que vous possédiez un
pouvoir et des ressources illimitées. Quelle forme prendrait votre
utopie? Quels seraient ses principes de base? Quels types de
contact les gens établiraient-ils entre eux?

CHAPITRE 10

Le désir de se transcender

Dans les étoiles et les pierres, les arbres et les animaux;
dans les outils et les maisons, la sculpture et la musique, la
poésie et la prose; dans les relations familiales et les groupes
de bénévoles, nous pouvons rencontrer le sacré.
PAUL TILLICH[1]

Monter jusqu'aux étoiles

Les étoiles ont toujours exercé une attraction particulière sur les humains en raison de leur beauté, de leur impartialité, de leur caractère éternel et sublime. Depuis la Terre, on peut voir environ huit mille étoiles; or si l'on en croit les scientifiques, il y en aurait plus de six billions là-haut!

Les enfants, que les étoiles émerveillent autant que leurs parents, leur chantent des comptines: «Brille, brille petite étoile, je me demande qui tu es» et «Étoile brillante, étoile pâle, première étoile du soir, exauce mon vœu». Les poètes parlent souvent des étoiles dans leurs poèmes. Le dernier sonnet de Keats révèle son désir d'être aussi constant qu'une étoile, et Robert Frost écrivit que nous devrions suivre «quelque chose comme une étoile» au lieu de nous laisser emporter par les foules qui poussent trop loin l'éloge ou le blâme. Pas étonnant que les étoiles nous fascinent. La vie peut être tellement imprévisible que leur immuabilité nous sécurise.

Depuis la nuit des temps, on s'interroge sur l'origine des étoiles. Toutes les cultures ont tenté de percer leur mystère. Déjà en l'an 4000 av. J.-C., les Mésopotamiens et les Égyptiens avaient dressé une carte du ciel et les étoiles jouaient un rôle de premier plan dans la magie, les prophéties et le culte.

La Bible fait souvent une allusion poétique aux étoiles. Les Psaumes révèlent que c'est Dieu qui a fixé les étoiles, qu'il les a dénombrées et leur a donné un nom[2]. «L'étoile du matin qui se lève dans le cœur des hommes» est une façon symbolique de désigner l'espoir et Jésus y est décrit comme «la brillante étoile du matin[3]».

Dans l'ancien temps, l'étoile à six branches représentait tant pour les juifs que pour les non-juifs un symbole de force ainsi qu'un motif décoratif. Les juifs l'appellent le «bouclier de David» en l'honneur de leur deuxième roi. Il fallut attendre le XIXe siècle pour qu'elle devienne étroitement liée au judaïsme de la même façon que la croix est le symbole de la chrétienté.

L'histoire de l'étoile de Bethléem est très significative pour les chrétiens. Cette étoile apparut dans le ciel au moment de la naissance de Jésus et guida les Rois mages vers l'étable où il était né. Les astronomes ont tenté d'identifier cette étoile et ont conclu qu'il aurait pu s'agir d'un météore, d'une comète, d'une nova ou d'un groupement inhabituel de planètes.

Que l'on soit scientifique ou non, que l'on croie en une tradition particulière ou non, on cherche à s'élever jusqu'aux étoiles d'une manière ou d'une autre. Elles nous invitent à transcender nos limites humaines et à ne faire qu'un avec la vie et le cosmos.

Le désir de se transcender

Le désir de transcender ce que nous sommes et faisons habite constamment l'esprit humain. *Se transcender, c'est s'élever au-dessus ou dépasser sa nature humaine, aller au-delà des dimensions ordinaires de la vie et de ses limites habituelles.* Le terme *transcender* vient du latin *transcendere,* qui signifie «franchir en montant, surpasser». En conséquence, quand on transcende une chose, on passe par-dessus. On dépasse ou s'élève au-dessus de ses limites réelles ou imaginaires.

Le désir de se transcender revêt de nombreuses formes et est souvent ressenti comme un désir de se développer et d'accroître ses potentialités. Celles-ci englobent nos qualités et capacités latentes, ou celles dont nous sommes conscient mais que nous n'avons pas encore exprimées, ou que nous avons cultivées partiellement mais d'une manière incomplète. Le désir de se transcender, que ce soit sur le plan physique, intellectuel, émotionnel ou autre, est un puissant motivateur qui existe en chacun de nous.

Nous voulons transcender nos limites physiques. Quand nous sommes faible, nous voulons être fort; quand nous sommes malade, nous voulons recouvrer la santé; quand nous sommes emprisonné, nous voulons être libre. Nous voulons transcender nos insuffisances intellectuelles. Quand nous sommes confus, nous voulons avoir les idées plus claires. Quand nous sommes ignorant, nous voulons être renseigné. Et quand nous sommes stimulé intellectuellement, nous voulons acquérir de nouvelles connaissances et les mettre en pratique. Il est dans la nature humaine aussi de vouloir transcender ses troubles émotifs. Quand nous sommes triste, nous voulons être heureux. Quand nous doutons de nous, nous voulons avoir confiance. Quand nous nous sentons seul, nous voulons être aimé; quand nous nous sentons en marge des autres, nous voulons nous réconcilier.

Nous voulons aussi dépasser nos barrières culturelles. Si l'on nous force à jouer un rôle, nous voulons être nous-même. Si nos traditions nous limitent, nous voulons agir à notre guise. Si nous sommes victime de discrimination, nous voulons l'égalité. Quand nous nous intégrons à une nouvelle culture, nous voulons conserver certaines de nos traditions anciennes; quand nous sommes nouveau dans une communauté, nous voulons être accepté.

En outre, il est naturel de vouloir transcender ses frustrations spirituelles. Quand nous doutons, nous voudrions avoir la foi; quand nous cherchons, nous voudrions trouver; quand nous sommes désespéré, nous voudrions espérer; quand tout est chaotique, nous voulons la paix; quand nous sommes fragmenté, nous voulons être entier.

Le désir de mieux comprendre la vie est similaire. Nous voulons acquérir de nouvelles connaissances ou mettre à jour les anciennes, défier les croyances populaires et en embrasser de nouvelles. Le désir de transcender nos idées reçues en élargissant nos connaissances, nos valeurs et notre vision du monde nous pousse souvent à aller au-delà de notre univers familier. De même, nous pourrions vouloir élargir notre vie en faisant un geste qui en augmente la qualité.

En plantant un arbre ou en cultivant un jardin, nous pourrions avoir l'impression de transcender notre univers d'asphalte et de béton, de réveils et d'autoroutes, et de retrouver le contact avec la nature et les pulsations de la vie.

Notre désir de nous transcender se traduit également par une envie de modifier nos habitudes et nos réactions coutumières afin d'exprimer davantage l'essence de ce que nous sommes. C'est ce que nous faisons quand nous apprécions les bonnes choses qui nous entourent, que nous prêtons l'oreille aux voix des enfants dans le parc, observons les arabesques que la pluie dessine dans la fenêtre ou apprécions nos brèves rencontres de la journée avec différentes personnes. Nous pouvons aussi transcender l'ordinaire en gagnant un endroit calme et paisible. Une réflexion posée peut nous aider à surmonter notre tendance à voir la réalité en pièces détachées plutôt que comme un tout, et nous faire prendre conscience brusquement de l'unité de toutes choses.

Notre désir de nous transcender et de transcender notre environnement nous pousse sans cesse à dépasser nos barrières et nos limites réelles ou imaginaires. Souvent on prend conscience de ce désir d'une manière brusque et inattendue. En parcourant une artère achalandée de la ville ou en flânant au bord de l'eau, en conduisant sa voiture sur l'autoroute ou en regardant la télévision, il arrive que l'on prenne conscience des obstacles qui entravent nos efforts pour mener une vie heureuse et exercer un travail significatif. Tout en écoutant notre morceau de musique préféré ou en savourant un repas dans la solitude, on saisit soudain les aspects frustrants d'une relation et on aspire à les transcender. Cet éclair de conscience peut survenir au milieu d'une réunion ou en faisant l'épicerie et on se demande alors ce qu'on aimerait mieux faire à la place. Même en vacances ou malade et alité, on peut reconnaître les barrières qu'il faudra transcender pour s'exprimer plus complètement et éprouver un sentiment d'unité avec la vie.

La recherche d'unité

Se sentir entier, c'est se sentir un et non divisé; c'est éprouver, du moins pendant un instant, un sentiment d'unité et d'harmonie avec la vie. C'est être en paix avec soi-même et avec les autres, et percevoir la place que l'on occupe dans un schéma plus vaste. Cette expérience d'unité confirme que la vie vaut la peine d'être vécue et que l'on peut transcender la solitude, le chagrin et les autres maux de l'âme.

Notre époque est aux prises avec un sentiment de division qui entraîne une impression de fragmentation et d'isolement. Bien des gens se sentent bizarres, veulent «ceci», mais font «cela». Ou ils se sentent éparpillés et non focalisés, n'ont aucune orientation personnelle et suivent une voie pratique plutôt qu'une voie d'amour. Pourtant, au milieu de tout cela, ils aspirent aussi à s'éclaircir les idées et à connaître un sentiment de paix et de clarté.

Nous éprouvons aussi cette fragmentation dans les relations peu satisfaisantes qui mènent au conflit ou à l'isolement. Quand on est détaché de ses amis ou de sa famille, et des gens en général, on peut se sentir séparé, furieux, indifférent ou seul, et aspirer à franchir les ponts qui se dressent entre soi et les autres.

Le sentiment d'être séparé de l'univers peut aussi nous pousser à chercher un sentiment d'unité ou d'identité. Le fait d'être enfermé dans un bureau toute la journée sans soleil ni air frais oppresse l'esprit aussi bien que le corps. Ne pas passer suffisamment de temps dehors ou vivre en ville sans aucun contact avec la nature peut aussi engendrer un profond malaise.

Pour certains, être loin de Dieu ou de la dimension spirituelle de la vie est douloureux et ressemble à une «nuit obscure de l'âme» qui apporte peu de réconfort.

Le désir de surmonter toute forme de séparation ou d'isolement et de retrouver un sentiment d'identité personnelle ou interpersonnelle, d'unité avec le cosmos ou avec Dieu, est le principal motivateur de la recherche spirituelle d'unité. Cette recherche prend de nombreux visages. L'individu recherche l'unité intérieure. L'amoureux cherche à ne faire qu'un avec sa bien-aimée. L'amoureux de la nature cherche à se fondre dans le cosmos. La personne religieuse aspire à l'unité avec Dieu. Pour beaucoup, ces différentes quêtes se chevauchent. Quand on cherche l'unité et transcende les barrières réelles ou imaginaires qui nous séparent des autres, on découvre que tout est indissociable, que rien n'existe seul.

Ce principe est crucial dans la plupart des traditions religieuses. Les chrétiens, par exemple, emploient la métaphore du corps humain pour mettre cette croyance en relief: «Le corps est un, et pourtant il a plusieurs membres: mais tous les membres du corps, malgré leur nombre, ne forment qu'un seul corps. [...] Si un membre souffre, tous les membres partagent sa souffrance; si un membre est glorifié, tous les autres partagent sa joie[4].» Un vieux dicton hassidique exprime différemment cette notion: «Toutes les âmes ne font qu'une. Chacune est une étincelle de l'âme originale et cette âme est inhérente à toutes les âmes[5].»

Ce principe constitue également le fondement de l'hindouisme, qui met en lumière l'essence dont découle toute pluralité ou diversité apparente du monde et qui conduit à la compassion. On le retrouve également dans le taoïsme qui affirme que «toutes les choses sont une dans le Tao» et que l'on atteint un «point d'équilibre» quand il n'y a plus de séparation entre «ceci» et «cela»[6].

Ce caractère indissociable est ce que le philanthrope John Gardner appelle l'intégrité qui englobe la diversité. «Aujourd'hui, écrit-il, nous épousons de nombreuses croyances. Nous devons alimenter un ensemble de valeurs séculaires partagées (justice, respect de l'individu, tolérance, etc.) tout en laissant les gens libres d'honorer diverses croyances plus profondes qui sous-tendent ces valeurs[7].»

Ce caractère indissociable nous unit, puisque personne ne peut vivre tout à fait seul. Nous avons besoin de nos enfants comme ils ont besoin de nous en tant que parents. Que serait la vie sans notre famille, notre conjoint ou nos amis? Nous devons partager avec eux le long voyage de la vie. De même, nos collègues de travail sont dépendants de nos efforts et de notre collaboration et vice versa. De plus, l'économie globale nous a fait comprendre que nous sommes inextricablement liés aux autres et que, d'une certaine façon, nous appartenons les uns aux autres. C'est ce qu'exprimait Alexandre Soljenitsyne, récipiendaire du prix Nobel, quand, ayant survécu aux camps de l'archipel du Goulag, il décrivit sa longue recherche de l'unité d'une communauté mondiale. À son avis, cette unité était déjà réalisée puisque les peuples étaient de plus en plus unis dans l'espoir et le danger à travers la presse et la radio internationales. Cette unité, disait-il, est si tangible que «si une vague d'événements déferle sur nous, l'instant d'après, la moitié du monde entend le plouf[8]»!

Cette unité que nous partageons s'étend aussi à notre planète et à l'environnement. Les pluies acides, la déforestation, le réchauffement de la planète et les déversements de pétrole sont des calamités qui nous rappellent notre caractère indissociable et notre interdépendance. De la même manière, savoir que chaque créature terrestre se chauffe au même soleil et regarde la même Lune et les mêmes étoiles nous rappelle notre réalité commune. Les paroles du chef amérindien Seattle évoquent cette unité profonde que nous partageons avec tout ce qui vit:

> *Chaque aiguille de pin lustrée, chaque rivage sablonneux, le moindre brouillard dans la forêt obscure, chaque prairie, chaque insecte bourdonnant. Tout est sacré dans la mémoire et l'expérience de mon peuple. [...] Nous savons ceci: la terre n'appartient pas à l'homme, l'homme appartient à la terre. Toutes les choses sont reliées comme le sang qui nous unit tous. L'homme n'a pas tissé la toile de la vie, il en est simplement un fil*[9].

Sacré ou profane

Selon Mircea Eliade, professeur d'histoire des religions, apprécier l'unité de la vie est l'expérience religieuse la plus profonde qui soit. Ce sentiment découle de la conscience du fait que l'univers et la Terre sont sacrés et que le sacré se manifeste dans toute chose. Quand on voit le monde comme étant sacré, les lieux deviennent uniques — l'endroit où on est né, où l'on est tombé amoureux, où l'on a vécu une expérience sublime — et peuvent même nous paraître saints. L'arbre n'est plus simplement un arbre; c'est un monument vivant à la magnificence de la vie. La montagne n'est plus simplement une montagne; c'est un endroit spécial parce qu'on y a connu un moment d'illumination et de paix.

Le professeur Eliade croit qu'il y a deux façons existentielles d'entrer en relation avec l'univers: l'une est sacrée et l'autre profane[10]. Tout — depuis la nourriture et la danse à la musique et aux mots, aux animaux familiers et aux gens — peut être traité simplement comme un objet dont on se sert ou abuse, ou reconnu comme une manifestation du sacré.

Traiter quelqu'un ou quelque chose comme un objet profane, c'est lui témoigner de l'indifférence et du mépris. Traiter une personne — qu'elle soit riche ou pauvre, lettrée ou illettrée, professeur ou préposé d'une station-service, secrétaire ou cadre, conjoint, parent, enfant ou ami — comme si elle n'existait que pour remplir une fonction précise, c'est nier son caractère sacré fondamental et rater l'occasion de ne faire qu'un avec elle.

C'est ce qui se produit aussi quand on profane la terre en y jetant des détritus et en employant des matériaux non biodégradables ou non recyclables. Ne pas tenir compte de la violence faite aux animaux ni des espèces en voie d'extinction, c'est profaner une autre partie de la vie et perdre une partie de soi-même. Car, comme le conseille un vieux conte juif: «Ne vous dites pas au fond de votre cœur que vous êtes [...] plus admirable que le ver de terre, car celui-ci sert son Créateur avec tout son pouvoir et toute sa force[11].»

Par contre, traiter les gens, les endroits et les choses comme s'ils étaient sacrés, c'est leur témoigner honneur et respect, reconnaître qu'ils possèdent un potentiel que l'on peut faire ressortir et apprécier. Quand on agit ainsi, on donne un sens à sa vie et on éprouve un sentiment d'unité avec elle.

Les sphères d'unité

On peut se transcender soi-même et éprouver un sentiment du sacré dans cinq sphères différentes de l'existence: 1. dans le monde inanimé qui va des pierres aux étoiles; 2. dans le monde vivant des plantes et des animaux; 3. dans l'univers matériel créé par les humains: depuis les taudis jusqu'aux palais, depuis les outils primitifs jusqu'aux ordinateurs complexes; 4. dans les relations où l'on se rencontre de personne à personne; 5. dans le monde intérieur du soi[12].

Les moments d'unité surviennent dans la première sphère quand on établit un *rapport unique et silencieux avec les formes inanimées de la création:* avec toutes choses depuis les pierres jusqu'aux étoiles. La plupart du temps, on perçoit d'abord cette sphère par le biais de ses sens. On vit ce moment particulier quand on sent le sable glisser entre ses orteils en marchant sur la plage, qu'on entend le murmure d'un ruisseau qui coule sur les rochers ou qu'on sent la douce chaleur du soleil sur sa peau. Contempler un magnifique coucher de soleil, un vaste océan, une falaise abrupte, une nuit calme et étoilée, tout cela provoque en nous un sentiment d'émerveillement et de respect en vertu duquel l'univers entier nous paraît sacré.

Ces moments sont très différents de ceux où l'on chosifie le monde inanimé. Chosifier, c'est analyser, décrire et évaluer comme des scientifiques qui enregistrent des données. Souvent, on est obligé d'agir ainsi pour affronter le monde d'une manière pratique. Mais il y a des moments où l'on peut éprouver un profond sentiment d'unité avec la vie, où l'on sent que l'univers en apparence inanimé est vivant et où l'on est comme un poète ému au-delà des mots ou un adorateur rempli d'admiration et de respect. Mû par ce profond sentiment d'unité, le photographe John Pearson écrivait: «Une fois dans sa vie, si l'on a de la chance, on se fond dans le Soleil, l'air et l'eau qui coule au point que l'éternité tout entière [...] passe en un après-midi[13].»

On peut vivre des moments sublimes d'unité dans ses *relations avec les formes vivantes de la nature,* qui englobent tout depuis les plantes jusqu'aux animaux. Les gens qui aiment les plantes ou les animaux passent des moments particuliers avec eux. La plupart d'entre nous peuvent se rappeler des moments où ils se sont sentis unis à un animal, liés à lui d'une manière profonde qui défie toute description. Ou encore, ayant trouvé un animal blessé, nous avons ressenti sa blessure dans notre corps et éprouvé une sincère compassion pour l'animal.

À l'instar des botanistes et des zoologistes, nous pouvons nommer, analyser et utiliser les plantes et les animaux comme s'ils n'existaient que pour notre utilité et notre consommation. Mais à certains moments, nous pouvons nous sentir plus uni à eux, tel un enfant fasciné par une colonie de fourmis transportant leurs fardeaux ou un adulte contemplant une belle plante. C'est ce sentiment sans nul doute qui poussa l'agronome George Washington Carver à écrire: «Quand je touche cette fleur [...] c'est l'infini que je touche[14].»

Les *relations avec les autres à travers leurs «œuvres»* sont la troisième sphère à laquelle peuvent appartenir ces moments d'union. Ces œuvres nous émeuvent profondément, qu'il s'agisse de la peinture d'un grand artiste ou du simple dessin d'un enfant, d'une imposante statue ou d'une bibliothèque laborieusement fabriquée par un ébéniste en herbe. Le gâteau d'anniversaire confectionné avec amour, la réception organisée avec joie sont des œuvres créatives qui émanent de l'esprit intérieur à la recherche d'une unité avec autrui. Toute œuvre peut n'être qu'une simple œuvre ou l'expression profonde de l'esprit humain. C'est dans ce sens que l'artiste Corita Kent affirmait: «Une peinture est un symbole de l'univers. Chaque élément qui la compose est relié à l'autre [...] C'est pour cela que les gens écoutent de la musique ou regardent des peintures. Pour entrer en contact avec cette totalité[15].»

Les grandes idées produisent un effet similaire. En lisant les paroles d'un auteur, on peut rencontrer l'essence de cet auteur, encore que ce ne soit qu'à travers un livre. En écoutant une personne dire des mots d'espoir ou lancer un appel à l'action, on peut être profondément ému et réagir d'une manière positive et unifiée.

Cette union peut également se produire dans la sphère des *relations directes avec autrui,* quand nous rencontrons les autres tels qu'ils sont vraiment et permettons qu'ils le fassent de la même façon, sans comédie ni prétention. Cette sorte de rencontre ne connaît pas de limites d'âge, de sexe ou de culture. Elle peut se produire n'importe quand avec n'importe qui. Il est possible, par exemple, de rencontrer un inconnu et, au cours d'un bref échange, d'établir un lien vraiment personnel et ouvert. Toutefois, les moments transcendants d'union sont encore plus susceptibles de se produire avec les êtres dont on se sent proche, avec lesquels on est capable d'être soi-même et que l'on accepte tels qu'ils sont. Ces moments où deux âmes se rencontrent sont si profonds qu'ils créent des liens puissants. Voici le message sur l'amitié contenu dans le *I Ching*:

Quand deux êtres sont unis au plus profond de leur cœur,
Ils renversent même la force du fer ou du bronze.
Et quand deux êtres se comprennent au plus profond de
leur cœur,
Leurs mots sont doux et forts, comme le parfum des
orchidées[16].

On ne peut créer de force un sentiment d'unité et d'harmonie, mais on peut augmenter ses chances de se produire. Il s'agit pour cela de s'ouvrir aux autres sans jugement ni attentes et d'accepter de partager ce que l'on est honnêtement et humblement.

La cinquième sphère dans laquelle on peut éprouver un sentiment d'unité est la *relation de «Je» avec «Moi»* qui peut s'établir au
sein du soi. Quand on prend le temps d'écouter ses pensées et ses
sentiments, on comprend parfois qui l'on est et pourquoi on est
là. En se débattant avec ses idées et ses fantasmes, ses rêves et ses
doutes, on se rencontre soi-même d'une manière nouvelle. En découvrant une force auparavant inconnue en soi, on peut connaître
des moments d'exaltation ou de paix. On apprend ainsi à apprécier
les pouvoirs étonnants qui émanent de notre soi profond.

On peut aussi connaître des moments d'unité intérieure au
beau milieu d'une activité. Lorsque l'on s'absorbe dans une tâche,
comme de tailler la haie ou de passer l'aspirateur, il arrive parfois
que l'on oublie ses soucis et se sente heureux d'être en vie. En
observant les résultats d'un projet à long terme ou d'une longue
journée de travail, on peut éprouver un sentiment de fierté et de
satisfaction, et apprécier sa compétence et ses capacités. Être unifié
intérieurement, c'est apprécier ce que l'on est et fait. C'est éprouver une paix et une harmonie intérieures. Or comme on risque de
trop s'intéresser à soi-même et de pousser trop loin sa réflexion intérieure, mieux vaut garder à l'esprit le conseil du sage juif Hillel:
«Commencer par soi, mais non finir par soi, se prendre pour point
de départ, mais non pour but; se connaître, mais non se préoccuper de soi[17].»

Cette conscience de chacune des cinq dimensions spirituelles
n'est pas constante. Elle va et vient. Parfois on est touché par la magie des étoiles et parfois on reste insensible à leur mystère. Parfois,
on s'arrête pour humer les fleurs et parfois on ne fait qu'éternuer.

C'est quand nous prenons conscience que les fleurs nous manquent ou que nous restons insensible à la beauté des cieux, que
nous négligeons notre soi profond ou nous sentons isolé ou furieux
contre les autres que notre désir d'unité et d'identité peut croître.
Dans ce cas, nous pourrions chercher délibérément des occasions de
connaître, une fois de plus, l'esprit transcendant de la vie.

Moments opportuns

Ce désir universel de transcender ses restrictions et ses limites
fait que l'on cherche des occasions. Une occasion est un jeu pro-

metteur de circonstances ou une conjoncture favorable. On cherche des façons d'améliorer sa situation financière; des occasions de se faire de nouveaux amis; le moment propice pour prendre des vacances.

Les astronautes parlent d'un «créneau» qui réunit toutes les conditions nécessaires au lancement ou à l'atterrissage d'un vaisseau spatial. En utilisant ces créneaux, le programme spatial évolue grâce à des événements tant planifiés que fortuits. C'est ce que l'anthropologue Carlos Castaneda appelle le «centimètre cube de chance[18]». Il surgit de temps en temps ce moment où l'on peut atteindre un résultat visé, pour autant qu'on soit prêt, qu'on le veuille et en soit capable.

Certaines occasions se présentent brusquement et comme par hasard. «Un coup de veine» ou «un coup de pot» sont des expressions que l'on emploie souvent quand un événement positif et tout à fait imprévu se produit, par exemple, de trouver un montant d'argent sur le trottoir. Dans les bureaux, on entend sur cette forme de chance des commentaires comme: «Soudain, me voilà, assise dans l'avion, juste à côté du président de la compagnie...» ou «Un poste est devenu vacant alors qu'on ne s'y attendait pas et il s'est trouvé que j'avais présenté ma demande la veille». On ne crée pas ces occasions; elles sont tout à fait fortuites. Il suffit d'être alerte et prêt à les saisir au bon moment.

D'autres occasions sont créées. Une personne décidée à entrer en contact avec quelqu'un en particulier peut faire en sorte qu'on le lui présente. Un vendeur enthousiaste ayant un nouveau produit à vendre fera tout pour établir un marché d'acheteurs intéressés.

Certaines occasions sont créées par désespoir. Les vendeurs itinérants n'ont peut-être pas d'autre façon de gagner leur vie, de sorte qu'ils cherchent à se placer et à présenter leur marchandise de la manière la plus favorable possible. De même, la personne confinée à la maison peut créer une occasion de gagner sa vie en lançant une entreprise de télémarketing ou de traitement de texte.

Outre que nous créons certaines occasions, nous cherchons celles qui sont déjà là mais que nous n'avons pas encore trouvées. Si on est en quête d'un appartement, on lira les petites annonces; si on cherche un emploi, on ira au bureau de placement. Si on désire poursuivre ses études, on peut examiner la possibilité d'obtenir une bourse; si on élabore un projet communautaire, on sollicitera peut-être une subvention. L'appartement, l'emploi ou la subvention peuvent être là, tout près, attendant qu'on les trouve.

À un niveau encore plus significatif, quand on se trouve dans une situation périlleuse, on cherche une occasion de s'échapper. Si on est gravement malade, on cherche une occasion de guérir; si on désire aider les autres, on cherche des occasions de leur rendre service.

Certaines occasions sont toujours présentes, comme celle d'être gentil avec les autres ou de développer un nouvel intérêt, de se comprendre soi-même ou de comprendre les autres à un niveau plus profond. Nul besoin de se déplacer pour les trouver puisqu'elles sont là tout le temps. C'est là le sens du vieux dicton juif: «L'endroit où se trouve le trésor est l'endroit même où l'on se tient[19].» Les occasions foisonnent autour de nous, le défi consiste à y être ouvert.

Le besoin d'ouverture

Être ouvert à tout ce qui est et peut être est une qualité importante qui peut rendre possible la transcendance de soi. C'est la sensation merveilleuse d'être libre de toute limitation. *Être sincèrement ouvert, c'est avoir l'esprit et le cœur ouverts.* Les êtres ouverts ont une démarche légère qui exprime leur sentiment de liberté. Leur visage est illuminé et leurs yeux brillent parce qu'ils anticipent les possibilités à venir. Ils sont libres de réfléchir, de dire le fond de leur pensée et d'avancer ouvertement et sans peur. Ils ne se cachent pas ni ne prétendent être autres que ce qu'ils sont. Voici comment s'illustre ce processus:

Aspiration de l'esprit humain	But de la quête	Qualité requise
Se transcender	Unité	Ouverture

L'ouverture comporte deux aspects principaux: la réceptivité et l'expansivité. *Être réceptif, c'est avoir l'esprit ouvert et sans préjugé.* C'est demeurer ouvert à tout ce qui peut arriver sans conclure à l'avance: «Voilà ce qui se passera.» Quand on est réceptif, on n'est pas constamment absorbé par ses sentiments ni préoccupé par les

Le désir de se transcender

Un esprit d'ouverture

Un avec la vie

Transcender
les dures réalités

Transcender l'ordinaire

ntact
esprit

Évoluer en
tant qu'être humain

événements passés ou futurs. On n'est pas toujours en train de ressasser les mêmes choses; il y a de l'espace entre ses pensées. On fait confiance au potentiel positif du moment. Cette forme de réceptivité est souvent manifeste chez les personnes qui sont assises calmement et ont l'air détendues, et non pas harassées ou prêtes à courir faire autre chose.

Le second aspect de l'ouverture est l'expansivité. *L'expansivité témoigne d'une volonté d'accueillir les choses positives comme elles se présentent.* Être expansif, c'est aller au-devant des autres au lieu de se retenir. Martin Buber a écrit: «Il n'y a pas de personnes douées et d'autres non douées; il n'y a que des êtres qui donnent et d'autres qui se contiennent[20].» Être expansif, c'est être disposé à donner plutôt que se contenir.

Cette expansivité exige une volonté de risquer, d'être vulnérable tout en allant quand même au-devant des autres. Être expansif, c'est avoir le cœur et l'esprit ouverts et rechercher les occasions positives au lieu de s'attendre à des déceptions. Cette expansivité se manifeste souvent chez les personnes au grand cœur qui se donnent du mal pour aider ceux qui sont dans le besoin. Parce qu'elles sont ouvertes à l'humanité entière, elles n'ont pas de préjugés fondés sur la race, la nationalité ou le statut socio-économique. Pour la personne expansive, ces éléments ne constituent pas des barrières mais des ouvertures.

Un équilibre sain entre la réceptivité et l'expansivité est essentiel, car il rend possible la danse de la vie et le partage de cette expérience avec d'autres.

Plus on devient conscient de la nécessité de s'ouvrir aux autres, plus il faut se montrer réceptif et ouvert à soi-même. Il s'agit d'être attentif à soi-même et à ses désirs et de prendre conscience que l'on aspire à trouver des occasions de goûter et d'exprimer les aspirations de l'esprit humain sur une voie d'amour.

C'était le cas de Wilma Rudolph, qui transcenda les limites de la poliomyélite qui l'avait frappée dans l'enfance. «Vers l'âge de neuf ans, on m'enleva mon armature orthopédique, et aujourd'hui je ne me rappelle même plus quelle jambe portait cette armature. Quand j'ai découvert que je pouvais courir, j'ai passé tout mon temps libre à courir.» Wilma gagna trois médailles d'or en athlétisme lors des Jeux olympiques de 1960. Elle se souvient qu'elle avait l'habitude de demander à Dieu: «Pourquoi suis-je ici? Quel est mon but dans la vie? Ce n'est certainement pas de gagner trois médailles d'or[21].»

Chacun de nous est soit réceptif soit fermé à ses aspirations profondes selon un modèle unique. Certains écoutent attentivement les messages de leur corps; d'autres sont plus attentifs à leurs sentiments ou à leurs pensées. Or tôt ou tard, les diverses parties dont on ne tient pas compte attirent l'attention sur elles, supplient ou crient: «Regarde-moi. Je suis là. Je fais partie de toi.»

Quand on prête attention à la partie de soi que l'on a rejetée ou négligée, on peut décider consciemment quoi faire. Il est sain de chercher à s'ouvrir à toutes les parties de soi-même, à apprendre à se sentir unifié plutôt que fragmenté ou éparpillé.

Certains, toutefois, sont *trop* réceptifs et absorbent tout ce qui vient de l'extérieur ou de l'intérieur. Ils ne s'estiment pas assez pour filtrer les éléments positifs de ceux qui le sont moins et deviennent des miroirs émotionnels pour les autres.

Par contre, les personnes peu réceptives repoussent les occasions et se ferment à elles. Trop concentrées sur une tâche ou une relation, elles ratent ce qui se passe autour d'elles. Ou, trop sûres de leurs opinions, elles se ferment aux autres et à leur vision de la vie.

De même, être trop expansif n'est guère mieux. On peut tout donner et ne rien garder pour soi et se retrouver épuisé et malade. Ou on peut être si sensible aux émotions qu'on n'a plus d'énergie pour penser ou agir. Au contraire, la personne non sensible est froide et distante, elle semble indifférente aux autres. Un équilibre sain entre la réceptivité et la sensibilité à soi-même et aux autres engendre une ouverture qui devient un sol fertile pour la transcendance.

S'il faut être ouvert à soi-même et aux autres, il faut aussi être réceptif et sensible au processus de la vie. Cela est remarquable chez les gens qui ne désespèrent pas dans les moments difficiles. Tout en tentant de transcender leurs problèmes familiaux, ils demeurent ouverts les uns aux autres. S'ils affrontent des problèmes au travail, ils demeurent ouverts aux diverses options et interprétations possibles au lieu que de décider qui a raison et qui a tort.

En devenant plus réceptif et plus sensible à soi-même et aux autres, on s'ouvre à la possibilité de se transcender dans tous les aspects de sa vie. Un ancien proverbe bouddhiste parle de l'ouverture ainsi: «Si on couvre les yeux d'une mule, elle tournera sans cesse en rond pour actionner la roue du moulin, mais si ses yeux sont ouverts, elle cessera de faire des cercles.» En étant conscient, nous pouvons ouvrir les yeux sur les cercles que nous faisons et devenir libre de choisir de nouvelles voies.

L'évolution personnelle

La meilleure occasion que nous puissions saisir est celle d'évoluer. Quand nous créons une occasion ou en cherchons une qui existe déjà, c'est par désir de transcender quelque chose. Au cours du processus, nous évoluons vers quelque chose ou quelqu'un de nouveau. L'occasion mène à l'évolution.

Évoluer, c'est devenir, c'est passer de ce qui est à ce qui pourrait être. On n'a jamais fini d'évoluer. Il existe bien des formes d'évolution et toutes comportent un changement. Les trous noirs, les supernovæ et les explosions d'étoile seraient tous des symboles d'évolution cosmique. L'évolution des espèces, comme celle relativement rapide des virus ou celle, au cours des siècles, des plantes ou des animaux reflète aussi un changement biologique. L'évolution sociale se traduit par un changement d'attitude chez les citoyens d'un pays; l'évolution politique, par la transformation des gouvernements, des frontières ou des conditions internationales. De nouvelles communautés évoluent en fonction des changements démographiques ou économiques.

Les familles suivent également un processus d'évolution. Les couples alternent entre l'intimité et la distance. Les enfants naissent et tout change. Ils grandissent et finissent par suivre leur propre voie. Les maladies, les accidents et le vieillissement contribuent à cette évolution de même que les réussites et les échecs. Tous ces facteurs nous poussent à grandir. Et au fil des ans, la vie familiale continue avec ses moments de calme et de crise, de joie et de peine.

Les individus évoluent eux aussi. Évoluer, c'est opérer une série de changements progressifs dans une direction nouvelle et positive. L'évolution individuelle se produit sur plusieurs plans. On accroît son bien-être physique grâce à un programme d'exercice et à une saine alimentation de même que l'on développe ses capacités athlétiques grâce à l'entraînement et à l'expérience. On peut accroître sa lucidité en suivant une psychothérapie, approfondir ses aptitudes intellectuelles en étudiant et élargir sa compréhension spirituelle grâce à la prière.

En tant qu'individus, nous connaissons deux principaux types d'évolution: l'évolution graduelle et l'évolution délibérée. L'évolution graduelle s'effectue à travers une série d'intuitions spontanées ou d'apprentissages qui finissent par entraîner un changement précis. Un adulte peut se familiariser graduellement avec les subtilités inhérentes aux rapports humains et développer la finesse nécessaire pour régler avec doigté des situations épineuses. Ce processus prend la forme d'un épanouissement ou d'un éveil, un peu comme ce qui arrive à l'enfant qui prend peu à peu conscience de lui-même, des autres et de l'univers.

Notre évolution est délibérée quand elle est le fruit de nos efforts concertés pour atteindre un but précis. Parfois, comme nous ignorons au juste comment opérer les changement visés, nous piétinons un peu sur place. À d'autres moments, il est plus facile de se fixer des buts, de tirer des plans et de suivre de son plein gré une voie d'amour. Quoi qu'il en soit, tout en évoluant d'une façon délibérée, nous adhérons à de nouvelles idées et croyances, adoptons de nouvelles attitudes ou de nouveaux comportements.

John Corcoran, par exemple, connut une évolution personnelle dramatique. Il termina ses études secondaires et universitaires et devint professeur tout en cachant le fait qu'il ne savait pas lire. Enfant, Corcoran avait déménagé tellement souvent que ses professeurs n'avaient pas remarqué cette lacune. En recherchant la compagnie des personnes possédant un vocabulaire étendu, en écoutant la radio et en regardant des films, en étudiant les images dans les magazines et les galeries d'art, il devint un homme instruit quoique illettré[22]. À l'université, il persuada ses professeurs de le soumettre à des examens oraux et il mérita une bourse pour ses études de deuxième cycle. Devenu professeur, il jouissait d'une grande popularité, n'utilisait jamais le tableau noir et demandait souvent à ses élèves de lire tout haut en classe. Pour Corcoran, avouer qu'on ne savait pas lire, c'était reconnaître qu'on était stupide.

Plus tard, il devint promoteur immobilier et s'entoura de secrétaires, d'avocats et d'autres personnes qui s'occupaient de toutes les écritures. Enfin, à quarante-huit ans, sa curiosité le poussa à suivre un cours de quatorze mois dans le but d'apprendre à lire. Aujourd'hui, John Corcoran est un ardent défenseur de Project Literacy, un programme d'éducation destiné à combattre l'analphabétisme chez les adultes.

L'aventure héroïque

Il n'est pas facile d'évoluer et cela requiert souvent un voyage intérieur de proportion héroïque. Le mythologue Joseph Campbell définit l'aventure héroïque comme le désir de comprendre sa relation avec la vie[23]. C'est une réponse à l'appel qui nous invite à nous connaître et à comprendre notre rapport avec le sacré. Pendant ce voyage, Campbell croit que nous découvrons en nous des pouvoirs cachés ou ignorés jusque-là. Cette nouvelle compréhension de nous-même et du sacré devient la pierre angulaire de notre évolution personnelle future.

Notre motif le plus courant d'entreprendre ce voyage intérieur est la conscience graduelle que nous sommes las de nos vieilles façons de sentir, de penser et de nous conduire. Les croyances, idéaux, relations ou modèles émotionnels sur lesquels nous comptions depuis si longtemps ne concordent plus avec ce que nous voyons comme la réalité. Quelque chose en nous, un peu comme un gyroscope, nous dit que notre vie est déséquilibrée, et nous sentons le besoin de remédier à cette situation.

Il peut arriver aussi qu'une personne ou un événement nous sorte de l'hypnose de la routine quotidienne. Rencontrer un être généreux qui possède un but net et précis peut nous rendre conscient de notre pauvreté intérieure et susciter en nous des interrogations sur la source de sa force. Ou encore nous pouvons vivre une expérience qui, en nous révélant une beauté insoupçonnée de la vie, excite notre curiosité.

Quel que soit le catalyseur, le désir de transcender son vieux soi est à la fois nécessaire et perturbateur. Nous sommes naturellement porté à résister à cet appel et à nous cramponner à la sécurité et à la prévisibilité de notre situation courante. Cette tendance est renforcée par les autres qui veulent que nous restions comme avant. Campbell est d'avis que cette résistance est le premier «dragon à vaincre[24]».

Quand l'agitation et l'attrait que nous ressentons pour cet appel surpassent notre peur de l'inconnu, nous franchissons le seuil qui mène à l'aventure et quittons le confort de notre univers familier pour affronter cet inconnu.

Ce faisant, nous nous heurtons inévitablement à des frustrations, à des tentations et à des incertitudes incompréhensibles. Les choses peuvent empirer au lieu de s'améliorer. Nos peines et tribulations s'intensifient au lieu de se résoudre. On donne raison à ce dicton: «Un malheur n'arrive jamais seul.» En fait, les difficultés peuvent nous sembler tellement grandes que même le plus héroïque d'entre nous se demandera si le mieux n'est pas l'ennemi du bien.

Durant cette épreuve, Campbell croit qu'une sorte de gardien peut surgir et nous offrir son aide. Il peut s'agir d'un professeur, d'un thérapeute ou d'un ami qui nous indiquera le chemin. Ce peut être un guide spirituel ou même un guide imaginaire qui nous accompagnera tout au long de ce voyage intérieur.

Si nous sommes prêt à persévérer et à chercher les leçons qu'il nous faut apprendre, nous subissons une métamorphose. De même que la chrysalide émerge de son cocon sous forme de papillon, nous commençons à nous transformer d'une manière significative. Nous évoluons. Libéré de certaines attitudes rigides, nous voyons le monde et les autres avec un regard neuf, et ouvrons notre cœur et notre esprit avec compassion et gratitude.

Selon Campbell, le but de l'aventure héroïque est de découvrir que la vie est clémente et tolérable. Il entend par là que la vie comporte plus d'aspects positifs que de négatifs, que même la souffrance est un élément nécessaire de l'existence et que chaque personne a la capacité de tolérer et même d'apprécier l'aventure de la vie. Cela entraîne un sentiment de plénitude et d'identité avec Dieu et avec le caractère sacré de la vie.

Toutefois, l'évolution personnelle ne s'arrête pas là puisque le défi suivant consiste à trouver des façons d'intégrer ces intuitions nouvelles à nos relations avec les autres.

Dépasser les différences culturelles

L'aventure spirituelle nous met souvent en contact avec des personnes issues d'autres cultures ou de sous-cultures, qui possèdent

un héritage ethnique, un niveau d'instruction, un statut économique, des attentes sociales et des comportements différents des
nôtres. Quand on est réceptif et ouvert aux autres, on peut dépasser
ces différences culturelles et s'enrichir à leur contact.

En s'aventurant au-delà de frontières culturelles parfois réelles parfois imaginaires, on peut découvrir une famille mondiale.
Dans la plupart des métropoles, par exemple, il existe des enclaves
ethniques qui ont leurs propres restaurants et magasins. Des gens
dont la langue, l'alimentation et le mode de vie sont différents des
nôtres vivent dans ces quartiers. Certains s'assoient sur le sol,
d'autres sur des chaises. Certains mangent avec leurs doigts, d'autres avec des baguettes ou des couteaux et des fourchettes qu'ils
tiennent à leur façon.

Toutefois, certains n'apprécient pas ces différences. Ils s'iden-
tifient par «nous» et désignent les autres cultures ou sous-cultures
par «eux». Méfiants ou méprisants envers «ces gens-là», ils dressent des barrières et réduisent les possibilités d'entraide mutuelle.
Pis encore, ils entravent le courant naturel de l'esprit humain en
eux et chez «ces gens-là».

Ces préjugés contaminent toutes les sociétés. Trop souvent,
les Blancs dénigrent les «gens de couleur» et vice versa, ou les pauvres se méfient des riches, les hétérosexuels, des homosexuels, les
employés, de leurs patrons, et bien des citoyens, des politiciens et
des chefs militaires.

Trop souvent, ces préjugés culturels dégénèrent en conflits
physiques. Les catholiques et les protestants se battent en Irlande,
les musulmans et les juifs en Israël, les hindous et les sikhs en Inde
et ainsi de suite. Toutes ces croisades culturelles ou «guerres sain-
tes» résultent des tentatives d'une culture de l'emporter sur l'autre, de juger ce qui est bon ou mauvais et qui a tort ou raison. En
agissant ainsi, elle nie aux autres le droit d'exister et tente de les
exclure des postes de pouvoir.

Personne n'aime être exclu ni rabaissé. Albert Einstein a dû
passer par là quand il était enfant. Élevé comme un juif dans une
ville où on haïssait les juifs, il n'avait pas d'amis. Seul et timide, il
fit une dépression pendant ses études secondaires et échoua aux
examens d'entrée à l'université. Se sentant exclu, il dut se tourner
vers l'intérieur pour découvrir ses propres ressources, sa propre capacité de réfléchir malgré la douleur de l'exclusion.

Par contre, quand on est inclus dans un groupe, on se sent bienvenu malgré ses différences, et ce sentiment fait qu'on est prêt à dépasser ses distinctions individuelles et culturelles. Au lieu de se sentir anxieux, on a confiance en soi et on fait davantage confiance aux autres et à ses interactions avec eux. Au lieu de critiquer les autres cultures et coutumes, on s'y intéresse. Sa vie s'en trouve enrichie et on a envie, à son tour, de partager ses expériences.

En 1986, un grand pas vers la transcendance des différends fondés sur la religion fut effectué à Assise, en Italie, où cent cinquante-cinq chefs de toutes les grandes religions du monde se réunirent pour la première fois dans l'histoire. Le but de ce rassemblement était de prier pour la paix qui était beaucoup plus précieuse aux yeux de ces chefs que leurs différences.

Parmi eux se trouvaient le Pape et le Dalaï-Lama, ainsi que mère Teresa, deux chefs amérindiens, l'archevêque de Canterbury et le grand rabbin de Rome. Il y avait des saints hommes africains et sikhs, des mollahs musulmans et des prêtres shintoïstes ainsi que des chefs spirituels baha'is, hindous, jaïns et zoroastriens. S'y trouvaient aussi des quakers, des mennonites, des méthodistes, des baptistes, des luthériens et le secrétaire général du Conseil œcuménique des Églises ainsi que 20 000 pèlerins et 24 000 habitants qui se pressaient dans les chapelles colorées et les rues étroites de la petite ville d'Italie.

Le désir de dépasser ses différences se manifestait de multiples façons. Les musulmans récitaient le Coran, les Amérindiens fumaient un calumet pour la paix et des animistes africains parlaient de Dieu comme du «Seigneur omniprésent qui voit même les empreintes de l'antilope sur le rocher[25]». Une statue de Bouddha trônait sur un autel chrétien afin de symboliser cette transcendance des différences religieuses.

Après les cérémonies d'ouverture, chaque communauté tint ses propres rites religieux. Plus tard ce jour-là, les groupes se réunirent de nouveau et le pape Jean-Paul II résuma ainsi l'événement:

La forme et le contenu de nos prières sont très différents et il ne saurait être question de les réduire à une sorte de dénominateur commun. Mais nous sommes capables de laisser nos cœurs s'élever ensemble dans le même désir ardent[26].

Il est encourageant de voir que l'on peut s'élever au-dessus de différences religieuses et culturelles aussi profondes. D'autres manifestations d'ouverture provoquent à l'heure actuelle l'émergence d'une nouvelle culture mondiale. Cela se produit au sein des sociétés où la présence d'investisseurs étrangers et la mondialisation des marchés exigent un plus grand savoir-faire culturel. Comme la majorité de la main-d'œuvre moderne se compose de personnes issues de différents milieux culturels, bien des postes exigent de leur titulaire la capacité d'affronter efficacement ces différences culturelles. En outre, l'ouverture politique qui se dessine à l'échelle mondiale encourage les gens à dépasser leurs distinctions culturelles.

À un niveau quotidien, des émissions de télévision sont retransmises par satellite dans des milliers de foyers du monde entier, et même dans les jungles les plus reculées et les coins les plus désolés de la Terre. Le fait d'être assis chez soi et de regarder les événements qui surviennent sur un autre continent, de même que la diversité des canaux et la diffusion d'émissions en langues étrangères, nous familiarisent inévitablement avec les aspects multiculturels du monde d'aujourd'hui.

Non seulement l'amitié mondiale semble possible, mais elle apparaît même comme une évolution naturelle, même entre les espèces. Il y a quelque temps, en Inde, par exemple, un troupeau de vingt-cinq éléphants sollicita l'aide des humains quand un éléphanteau fut blessé par un tigre. Par une chaleur caniculaire, le troupeau poussa littéralement le petit sur près de cinq kilomètres vers un poste de gardes forestiers, dans le but, apparemment, d'obtenir de l'aide. Les gardes forestiers ne purent sauver la vie de l'éléphanteau bien que la mère vînt à plusieurs reprises asperger son bébé d'eau. Ils enterrèrent l'animal et, durant deux nuits d'affilée, le troupeau revint piétiner la terre comme pour empêcher que l'on viole la sépulture[27].

Nous ne pouvons plus nous permettre de violer la terre ni de nous blesser les uns les autres. Regardez dans un kaléidoscope et tournez le tube. Les mêmes fragments de verre se retrouvent dans chaque motif, mais chaque tour leur donne un agencement unique. Écoutez un morceau de musique. Chaque morceau est composé des mêmes notes, mais les notes sont assemblées de façon à former une variété infinie de mélodies. Il en va de même pour les humains. Quand nous sommes ouverts les uns aux autres, nous pouvons apprécier nos différences, espérer pour le présent et avoir foi en l'avenir.

La foi en crise

Avoir foi, c'est faire confiance à la loyauté ou à la véracité d'une personne, d'une idée ou d'une chose, même si cette confiance n'est pas fondée sur une preuve logique ou matérielle. En d'autres termes, *avoir foi, c'est croire en quelque chose même si on ne peut pas en prouver l'existence.* Prise dans ce sens, la foi est, selon le poète Rabindranath Tagore, «comme l'oiseau qui devine la lumière et chante quand l'aube est encore sombre[28]».

Dans un contexte religieux, avoir la foi signifie habituellement adhérer à une doctrine religieuse ou croire en Dieu. La foi religieuse provoque souvent de puissants sentiments en nous. Certains acceptent les enseignements reçus sans les mettre en doute et sont offensés de voir que d'autres ne croient pas comme eux. D'autres cherchent très fort à comprendre les croyances religieuses et aiment à l'occasion se poser des questions et explorer leur foi. D'autres encore ne croient pas en Dieu ni en un ordre universel bienveillant et parfois, ils le regrettent ou rejettent les croyants.

La foi imprègne toute notre vie, qu'on envisage celle-ci sous un angle religieux ou areligieux. Nous croyons que notre voiture ne tombera pas en panne sur l'autoroute ou que nos enfants reviendront sains et saufs de l'école. Nous croyons que nos amis nous soutiendront dans les moments difficiles et que quelqu'un sera là pour essuyer nos larmes ou nous encourager à prendre notre vie en main. Et, sauf en cas de désespoir profond, nous croyons en nos capacités d'espérer, d'exercer notre libre arbitre, de comprendre la vie, de créer une œuvre valable, d'établir des relations significatives avec les autres et en général, de jouir de la vie.

À un moment ou à un autre, toutefois, la plupart d'entre nous traversent une crise qui les incite à remettre en question leurs croyances ou à les rejeter. Peut-être avons-nous cru pouvoir vivre «heureux jusqu'à la fin de nos jours» pour découvrir que la vie était tout autre. Ou pouvoir déplacer des montagnes ou l'équivalent, pour nous heurter à notre insuffisance. Nous avons peut-être cru en quelqu'un qui nous a laissé tomber. Les événements sont parfois si énervants qu'ils nous poussent à mettre en doute une grande partie des principes qui gouvernaient notre vie. Dans ce cas, nous avons tendance à douter du bien-fondé de nos croyances et à nous demander si c'est bien ainsi que nous voulons vivre. Ou nous nous décourageons et ne savons plus que croire. Quand les vieilles explications ne conviennent plus et qu'on n'en a pas encore trouvé de nouvelles, on peut avoir l'impression de traverser une crise spirituelle.

La crise spirituelle de certains êtres engendra quatre types de foi. On raconte que Moïse connut une période tourmentée après avoir occis un Égyptien qui frappait un travailleur hébreu. Pour échapper à la vengeance, il se joignit à une tribu de bergers, se maria et eut des enfants. Puis un jour, il sentit que Dieu lui demandait de retourner en Égypte pour libérer les Hébreux. Il protesta car il ne se sentait pas à la hauteur de cette mission et doutait de la sagesse du choix de Dieu. Toutefois, il n'eut d'autre choix que de remplir la mission pour laquelle il s'était senti appelé.

Bouddha eut sa première crise lorsqu'il ressentit une profonde insatisfaction à l'égard de sa vie. Bien qu'il fût prince et fortuné, il prit conscience de la vacuité de la richesse et quitta son confort matériel pour mener la vie ascétique d'un mendiant. Ayant longuement médité et atteint l'illumination, Bouddha conclut que point n'était besoin d'être ascète, mais qu'il fallait faire le bien plutôt que le mal et maintenir une discipline mentale et un calme susceptibles de mener à la sagesse intuitive et à la paix.

Jésus traversa lui aussi de nombreuses crises spirituelles dont l'une survint à la fin de sa vie au moment de sa crucifixion. Selon le Nouveau Testament, il crut tout d'abord que Dieu l'avait abandonné, mais pendant son agonie, il transcenda ce doute et put affirmer sa foi en disant: «Père, entre tes mains je remets mon esprit[29].»

Quant à Mahomet, le conflit qu'il vivait au niveau spirituel le poussa à méditer pendant de longues périodes dans des grottes situées près de La Mecque. Orphelin issu d'une famille pauvre, il épousa une riche veuve qui lui donna sept enfants. C'est alors qu'il commença à croire à la bonté d'Allah et à la nécessité d'agir avec gratitude et humilité. Quand il se mit à prêcher, cependant, il devint une menace pour ceux qui vénéraient les anciens dieux. Il dut fuir et ne revint à La Mecque que des années plus tard pour la débarrasser de ses idoles.

Quand nous cherchons à transcender nos problèmes quotidiens ou nos perturbations, nous pouvons, tel Moïse, découvrir la nécessité d'affronter la vie courageusement même si nous ne nous sentons pas à la hauteur. Ou à l'instar de Bouddha, nous pouvons apprendre qu'un temps de réflexion est utile pour résoudre une crise spirituelle et trouver des réponses à nos questions sur le sens de la vie et la foi. Ou, comme Jésus, réaffirmer notre foi au milieu de la souffrance et face à la mort même. Peut-être découvrirons-nous alors, comme Mahomet, qu'il faut parfois bien des années pour atteindre son objectif spirituel et que les autres peuvent contrer nos efforts ou même y être hostiles, mais que le jeu en vaut la chandelle.

Les crises spirituelles nous forcent à clarifier nos croyances et nos engagements. Si nous relevons le défi et trouvons des voies d'amour, nous constaterons peut-être que notre foi en la vie s'est intensifiée et que notre passion de vivre s'est libérée. Nous entrerons alors en contact avec les pouvoirs incroyables de l'esprit humain: pouvoir de vivre avec espoir, courage, curiosité, imagination, enthousiasme, sollicitude et ouverture à ce qui est et au bien qui peut être.

❦ *Libérer son désir de se transcender*

Voici des exercices facultatifs destinés à vous assister dans votre recherche spirituelle d'unité et d'identité.

❦ *Méditer sur l'unité.* Prenez quelques moments pour réfléchir au sens de l'unité et de la foi dans votre vie grâce aux citations ci-dessous.

L'illumination doit se faire progressivement, sinon elle pourrait nous écraser.

IDRIES SHAH[30]

Acquérir le tempérament du guerrier n'est pas une petite affaire. C'est une révolution. Considérer le lion, les rats d'eau et nos semblables comme égaux: voilà l'acte magnifique de l'esprit du guerrier. Pour en arriver là, il faut du pouvoir.

CARLOS CASTANEDA[31]

Nous sommes peut-être moins que nos rêves, mais ce moins
ferait de nous plus que ce dont pourraient rêver certains
dieux.

CORITA KENT[32]

Plus nous allons loin, plus l'explication ultime s'éloigne de
nous, et tout ce qui nous reste, c'est la foi.

VACLAV HLAVATY[33]

De même que la tempête éteint le petit feu mais intensifie
le grand, les épreuves et les catastrophes affaiblissent une
foi chancelante mais renforcent une foi profonde.

VIKTOR FRANKL[34]

J'ai hâte au jour où tout le monde pourra encore parler de
Dieu sans embarras.

PAUL TILLICH[35]

❦ *Le sentiment d'être entier.* Chacun de nous recherche l'unité car elle nous confère un sentiment de plénitude. Vous avez sans doute connu bien des moments d'unité. Détendez-vous et fermez les yeux. Prenez quelques minutes pour revoir votre vie comme si vous regardiez un film. Revoyez-vous dans les moments particuliers où vous ne faisiez qu'un avec l'univers, les autres ou vous-même.

Concentrez-vous maintenant sur les cinq sphères de transcendance ci-dessous et retrouvez les moments dont vous gardez un souvenir particulièrement vif.

Des pierres jusqu'aux étoiles:

Avec les plantes et les animaux:

À travers les œuvres des autres:

Dans mes relations interpersonnelles:

Dans mon propre monde intérieur:

❦ *Transcendez vos limites personnelles.* Tout le monde cherche à transcender certaines limites personnelles. Quelles limites avez-vous déjà transcendées? Quelles limites voulez-vous transcender maintenant ou dans l'avenir?

❦ *Évolution personnelle.* Quand vous repensez à votre vie, vous discernez sans doute certaines époques ou phases. Quelles étaient-elles? Quels événements vous ont incité à changer et à passer à une autre phase de votre évolution personnelle?

❦ *Une crise spirituelle.* Avez-vous déjà traversé ce que vous appelleriez une crise spirituelle? Vous rappelez-vous à quoi cela ressemblait et comment vous en êtes sorti? Qu'avez-vous appris de ce voyage dans les ténèbres?

❦ *Regardez en avant.* Quand vous vous interrogez sur l'avenir, quelles questions vous posez-vous sur votre désir de vous transcender, votre recherche d'unité ou votre besoin d'ouverture?

CHAPITRE 11

La mission de l'esprit humain

*Nous ne devons pas cesser d'explorer et le but de toute no-
tre exploration est de revenir à notre point de départ et de
le voir comme si c'était la première fois.*

T. S. ELIOT[1]

Rentrer à la maison

Souvent, le fait de rentrer chez soi après des années d'éloi-
gnement ressemble à une exploration. L'environnement peut avoir
changé, les voisins, avoir déménagé. On peut ressentir une chaude
nostalgie, un froid ressentiment, une indifférence calme ou un
émerveillement curieux. Or le retour à la maison provoque habituellement des sentiments contradictoires. À quoi cela ressemble-
ra-t-il? Osons-nous espérer que ce sera mieux que dans notre souvenir? Sera-t-on déçu ou submergé par la joie? Est-il possible que
l'on puisse même vivre une sorte de moment spirituel et se sentir
profondément ému?

D'une certaine façon, entreprendre une quête spirituelle peut
être comme un merveilleux retour à la maison où l'on reprend
contact avec soi-même et avec l'essentiel. Pour aussi loin que l'on
soit allé, on peut éventuellement rentrer chez soi, revenir à son
point de départ, et explorer son être et son univers pour la première
fois.

Tout au long de ce livre, ce processus exploratoire est mis en relief par des expressions comme «une voie d'amour» et «la quête spirituelle». Bien que le mot *spirituel* englobe plusieurs acceptions, il se

272   LA PASSION DE GRANDIR

rapporte ici aux questions ultimes qui exigent qu'on libère les passions de son âme pour chercher des buts ayant un sens à ses yeux.

Les passions sont activées par la libération de sept aspirations fondamentales qui émanent des profondeurs de l'esprit humain et nous emportent au-delà des confins ordinaires de la vie vers la plénitude et la sainteté. Bien que certains problèmes puissent entraver l'expression de ces aspirations, on ne peut pas retenir ces pouvoirs indéfiniment. Les aspirations du soi profond sont comme des charbons ardents toujours prêts à flamber avec passion et elles peuvent être orientées positivement ou négativement selon nos valeurs personnelles.

Ces valeurs sont parfois des valeurs religieuses traditionnelles qui nous conduisent à chercher un Dieu personnel. À d'autres moments, elles nous poussent à sonder l'univers et les autres pour mieux les comprendre, à créer une œuvre artistique qui élève l'esprit ou à vivre avec intégrité d'une autre façon précise.

Il existe bien des sortes de quête spirituelle. Notre désir de vivre nous pousse à rechercher le sens de la vie et pour cela, nous avons besoin d'espérer. Le désir d'être libre nous incite à exercer notre libre arbitre et cela exige du courage. Quand nous cherchons à comprendre quelque chose, nous nous mettons en quête de connaissances, éperonné par notre curiosité innée. L'originalité découle du désir de créer, qui est alimenté par notre imagination. Parce que nous voulons jouir de la vie, nous recherchons le bonheur et cette quête exige de l'enthousiasme. Le désir de créer des liens avec les autres se reflète dans la recherche de l'amour et nous avons besoin de sollicitude pour y arriver. Pour réussir à nous transcender et à transcender notre environnement, nous recherchons des occasions uniques et les trouvons quand nous sommes ouvert et disposé tant à recevoir qu'à réagir.

Jetons un dernier regard aux aspirations qui nous poussent à trouver et à suivre une voie d'amour, voie que nous choisissons en fonction de notre vision de l'avenir et des missions que nous nous sommes données.

Une mission à accomplir

Le terme *mission* comporte plusieurs aspects. Il peut s'appliquer au fait de dépêcher dans d'autres pays des émissaires du gouvernement chargés de traiter de questions d'intérêt commun. Dans le domaine militaire, il désigne un objectif stratégique. En religion, une mission peut désigner le bâtiment où ont lieu des services religieux, la propagande évangélique ou des activités relatives à l'assistance sociale. Dans notre vie, une *mission personnelle est un désir passionné de réaliser une condition future possible et positive*. C'est une volonté de prendre des décisions, d'agir en conséquence et de persévérer jusqu'à ce qu'elles soient réalisées. Cet engagement doit émaner tant du cœur que de la tête car c'est seulement quand une chose nous tient à cœur que l'on transforme ses aspirations en passion de grandir.

On peut prendre en main toutes sortes de causes à titre de mission personnelle. Certains embrassent une cause globale, comme la paix mondiale ou la conservation des forêts tropicales. D'autres épousent une cause sociale, comme celle d'aider les handicapés mentaux ou de prévenir la délinquance. D'autres encore orientent leur énergie vers des buts plus personnels, comme d'élever une famille en santé ou d'aider un parent atteint d'une maladie incurable. Chacune de ces missions et toutes celles que nous nous donnons reflètent ce que Martin Buber appelle «le mystère d'une âme orientée vers un but[2]».

Malheureusement, il arrive que, loin de nous engager dans une mission significative, nous suivions une voie par devoir, ou nous engagions sur une voie égoïste ou pratique, éloignée de toute quête spirituelle. Nous pouvons atteindre notre but, mais restons aux prises avec un sentiment de vide. Notre enthousiasme s'évanouit quand nous découvrons que nous avons pris un mauvais chemin; pourtant, au plus profond de l'esprit humain, notre aspiration nous pousse à trouver une voie d'amour et à la suivre.

Par contre, quand on épouse une cause significative à ses yeux, on mobilise une grande quantité d'énergie créatrice. Le dicton «Quand on veut, on peut» est souvent vrai et il peut nous conduire à des résultats remarquables.

Un groupe de techniciens spatiaux avaient reçu pour mission de construire le module lunaire destiné à la première expédition humaine sur la Lune. Un changement remarquable s'opéra dans le groupe quand celui-ci se rendit compte qu'il participait à un projet destiné à réaliser l'un des plus vieux rêves de l'homme[3]. En effet, ce groupe de travail jadis léthargique se transforma en une équipe inspirée par sa mission. Le psychologue Charles Garfield signala que les participants, poussés par leur enthousiasme et leur fierté, mobilisèrent des pouvoirs cachés qu'ils ignoraient posséder et accomplirent des exploits extraordinaires.

Le respect de la vie

La plupart des personnes dotées d'une mission croient que la vie est précieuse. Bien qu'il y ait des moments où on puisse l'oublier, la beauté de la nature ou la joie d'une relation intime nous rappellent parfois que la vie est un don précieux et qu'il faut s'engager à la protéger.

C'est ce que fit Albert Schweitzer, un éminent philanthrope du XXᵉ siècle. Docteur en médecine, en musique, en philosophie et en théologie, Albert Schweitzer décida qu'au lieu de débattre des questions théologiques, il mettrait ses croyances en pratique:

> *J'ai décidé que ma vie serait un argument. Je préconiserais les choses auxquelles je croyais à travers ma vie et mes actions. Au lieu de formuler ma foi en l'existence de Dieu en chacun de nous, je tenterais de faire en sorte que ma vie et mon œuvre expriment mes croyances*[4].

Fort de cette vision, le Dʳ Schweitzer s'enfonça dans les jungles de l'Afrique équatoriale française et y fonda un hôpital et une colonie de lépreux où il traita plus de cent mille humains et animaux. Tout en soignant ses patients, il cherchait également une éthique universelle qui engloberait la nature et tous les peuples. Sans cette éthique, il avait l'impression de tourner en rond dans un épais taillis ou de se heurter à une porte d'acier qui refusait de céder.

Un jour, en descendant une rivière, le Dʳ Schweitzer connut un moment transcendant de clairvoyance pendant lequel la porte d'acier céda. Il naviguait au coucher du soleil à travers un troupeau d'hippopotames quand une expression lui revint plusieurs fois à l'esprit: «respect de la vie». Pour lui, cela signifiait que toute vie était sacrée et digne de respect. Cette expression devint son affirmation et son éthique. «La vie, dit-il, nous met en contact spirituel avec le monde […] et se renouvelle chaque fois que nous nous regardons et regardons la vie autour de nous d'une façon consciente[5].»

Pour lui, tuer même une fourmi était un crime. Aux yeux des Amérindiens, les animaux sont sacrés et ils ne les tuent que pour se nourrir, jamais pour en faire des trophées. Certains hindous refusent de consommer des œufs fertilisés ou toute autre nourriture vivante. Ils attendent que le fruit tombe de l'arbre et la graine de la glume parce qu'ils croient que toute forme de vie est sacrée.

Mère Teresa, qui éprouve un respect semblable envers la vie, s'est engagée à apporter la vie et l'amour aux plus malades des malades et aux plus pauvres d'entre les pauvres y compris les mal-aimés:

> *Il y a des gens qui n'ont personne. Ils ne meurent peut-être pas de faim, mais ils meurent de manque d'amour. [...] Souvent, dans les grandes villes, les grands pays, les gens meurent simplement de solitude, non désirés, sans amour, oubliés. Il existe une pauvreté beaucoup plus amère que celle qui consiste à n'avoir rien à manger[6].*

En 1990, alors même que sa santé faiblissait et que sa mort semblait imminente, sa passion de grandir en secourant les autres aida mère Teresa à poursuivre son œuvre.

Liberté et choix

L'engagement envers la liberté est étroitement lié au respect de la vie. La liberté est souvent prise pour une permission de faire ce que l'on veut sans contrainte ni crainte des conséquences. À la limite, cette interprétation peut être amorale, c'est pourquoi nos choix concernant l'usage que nous faisons de notre liberté sont cruciaux.

Les philosophes discutent de la liberté de choix depuis des milliers d'années et les psychologues leur ont emboîté le pas il y a cent cinquante ans. Le philosophe Thomas Hobbes croit que nous ne sommes pas vraiment libres parce que nos actes sont déterminés par notre personnalité, la nécessité, l'hérédité ou l'environnement.

Au contraire, le philosophe René Dubos tient notre liberté pour certaine, croyant que rien n'est prédéterminé en dépit du fait qu'il existe certains aspects de la vie et de l'environnement que nous ne pouvons pas contrôler. Il cite deux lauréats du prix Nobel en biologie qui ont déclaré conjointement:

> *Dans les conditions de laboratoire les plus parfaites et avec les procédés expérimentaux les mieux planifiés et contrôlés, les animaux n'en font strictement qu'à leur tête. [...] Peut-on demander plus de libre arbitre que cela[7]?*

La liberté humaine, selon le philosophe Mortimer Adler, est la liberté d'agir en fonction de certains choix. «La liberté de choix consiste à toujours pouvoir opérer un autre choix, peu importe celui qu'on a fait dans un cas particulier[8].» Autrement dit, Adler croit que nous sommes libres même de commettre des erreurs.

Les psychologues avancent des arguments semblables. B. F. Skinner, de l'Université Harvard, affichait un point de vue déterministe. Il soutenait que même si nous nous croyons libres, nous ne le sommes pas. À l'instar de Thomas Hobbes, il était convaincu que notre comportement était conditionné par des facteurs physiques, psychologiques et sociaux et que la liberté n'était qu'un mythe et une illusion[9].

Au contraire, le psychologue Carl Rogers croit en la liberté de décider pour soi-même. Sa thérapie centrée sur le client est fondée sur la croyance que les gens ont la liberté de choisir leurs propres objectifs, que les humains opèrent sans cesse des choix et qu'il est insensé de croire en un déterminisme biologique et comportemental absolu.

Le psychiatre Eric Berne, père de l'analyse transactionnelle, croit, lui aussi, que nous effectuons des choix importants que nous avons la liberté et le pouvoir de modifier. Il écrit:

> *Tout le monde crée sa propre vie. La liberté donne le pouvoir de poursuivre ses propres desseins, et le pouvoir donne la liberté d'intervenir dans les desseins d'autrui. Même si l'issue est déterminée par des hommes qu'il ne connaît pas ou des germes qu'il ne verra jamais, les dernières paroles de chacun, et l'inscription sur sa pierre tombale, diront son effort[10].*

Si nous croyons à la liberté de choix et au concept de la liberté pour tous, nous lutterons contre les quatre cavaliers de l'Apocalypse: la guerre, la peste, la famine et la mort. Nous combattrons l'apathie culturelle et personnelle pour ce qui a trait à la mortalité infantile, à la torture et à la violence. Nous œuvrerons à l'amélioration de la santé mondiale et secourrons ceux qui souffrent de la faim. Nous reconnaîtrons la nécessité d'une paix juste et chercherons des moyens de la promouvoir chez nous et dans tous les pays.

Nous pouvons vaincre ces quatre cavaliers. C'est ce que tentèrent de faire Jimmy Carter, président des États-Unis, Anouar al-Sadate, président d'Égypte et Menahem Begin, premier ministre d'Israël, réunis à Camp David en 1978. Pendant des jours, les trois hommes se rongèrent les sangs afin de trouver un moyen de mettre un terme à la guerre entre l'Égypte et Israël qui avait coûté tant de vies. Mais malgré leur désir de déclarer un cessez-le-feu et d'instaurer une paix équitable, ils ne parvenaient pas à s'entendre.

Les discussions aboutirent à une impasse. L'échec semblait inévitable jusqu'au moment où tous trois tirèrent de leur portefeuille des photos de leurs petits-enfants et, comme tous les grands-papas du monde, se mirent à en parler avec une profonde affection. De fil en aiguille, les trois hommes exprimèrent leurs inquiétudes face au monde dans lequel ils grandiraient, ce qui stimula leur détermination à poursuivre les pourparlers de paix. Ils reprirent leurs négociations et conclurent l'Accord de Camp David, qui instaura la paix entre Israël et l'Égypte[11].

La soif de liberté et le désir passionné d'exercer son libre arbitre et d'accorder aux autres le même privilège exigent souvent du courage, surtout dans le domaine des affaires internationales. Or comme la pionnière de l'aviation Amelia Earhart le soulignait: «Le courage est le tribut exigé par la vie en échange de la paix[12].»

De la compréhension à la sagesse

Notre désir de comprendre nous pousse à rechercher la connaissance, mais connaître, ce n'est pas comprendre ni être sage. Nous connaissons le tribut en vies humaines prélevé par la guerre et nous comprenons que la guerre est une piètre façon de régler ses différends; pourtant, nous n'avons pas la sagesse de l'éviter.

Nous connaissons l'importance des soins médicaux et possédons la technologie nécessaire pour les offrir; nous comprenons même qu'une grande partie de la population mondiale est incapable de payer ces soins, mais nous n'avons pas la sagesse de mettre notre technologie au service de tous.

Nous connaissons la valeur de certaines reliques pour une culture autochtone et comprenons la nécessité pour une culture d'avoir un héritage, mais souvent, nous n'avons pas la sagesse de respecter les sites sacrés qui revêtent de l'importance pour une tribu. Nous savons que des espèces d'animaux sont en voie d'extinction et comprenons qu'il faut préserver les forêts et les marécages pour leur survie, mais nous ne sommes pas assez sages pour les protéger suffisamment.

C'est ce type de sagesse que Rachel Carson tentait de promouvoir dans son œuvre à titre de biologiste et d'océanographe. Elle se sentait fortement appelée à remplir une mission parce qu'elle avait constaté les dangers liés à l'utilisation aveugle des pesticides.

Rachel était une personne timide qui adorait la terre et la mer, et son travail au sein du service américain de la pêche et des forêts. Son savoir professionnel lui fit prendre conscience des nouveaux dangers qui menaçaient la terre et la mer. En 1962, elle écrivit un livre sur les effets nocifs des pesticides synthétiques comme le DDT et le chlordane qui détruisent l'équilibre écologique de la nature. Dans son livre intitulé *Silent Spring* (Printemps silencieux), elle évoquait la possibilité qu'à long terme, les pesticides tuent le chant des oiseaux au printemps. Elle s'était donnée pour mission d'informer les gens de ce danger afin de les inciter à agir avec sagesse.

Le livre de Rachel Carson constituait une menace pour l'industrie chimique par ce qu'elle y présentait courageusement les faits sur les dangers des pesticides. Les fabricants de produits chimiques et les organisations scientifiques tournèrent ses recherches en dérision et menacèrent de la poursuivre en justice. Heureusement, le public s'intéressa à sa cause de même que le gouvernement fédéral. En 1970, l'Environmental Protection Agency fut créée en partie en raison de son livre.

Lentement, nous apprenons comment vivre d'une manière moins destructrice sur Terre à mesure que nous reconnaissons notre dépendance envers la couche d'ozone, un air salubre et l'eau. Certaines espèces d'animaux sauvages qui étaient autrefois en danger sont désormais en sécurité parce qu'une femme a affronté le monde industriel dans sa lutte spirituelle pour protéger la nature.

La sagesse est fondée sur la compréhension de la vie et de la façon de vivre en harmonie et en équilibre avec elle. C'est la capacité de distinguer ce qui est important de ce qui ne l'est pas, de séparer le bon grain de l'ivraie, et de progresser vers ce qui est le plus valable. C'est cette sorte de sagesse que nous, en tant qu'individus et nations, devons mettre à contribution si nous voulons préserver la vie sur notre planète pour nos enfants et nos petits-enfants. Il serait immoral et mal de s'en abstenir. Carl Jung exprimait ainsi cette croyance: «Comprendre ne guérit pas le mal, mais cela aide certainement[13].»

Des créations originales

Tout ce qui n'existe pas n'est pas encore né. Même avant qu'une œuvre créative voie le jour, notre imagination s'active. Nous imaginons à quoi ressemblera le nouveau bébé, comment sonnera une chanson, quel sera le goût d'une orange. L'imagination précède l'action créative. D'abord, nous imaginons une chose, puis nous l'élaborons, qu'il s'agisse d'une idée, d'un objet, d'une œuvre d'art ou de pacotille. Nous agissons ainsi parce que nous sommes unique et voulons créer quelque chose d'original.

L'une des innovations les plus spectaculaires des temps modernes est bien l'ordinateur dont l'usage est très répandu aujourd'hui. Pourtant, cet appareil a eu des prédécesseurs. Stonehenge, en Angleterre, était un ancien observatoire composé de quatre cercles concentriques de menhirs placés de manière à fournir des données astronomiques remarquablement précises. C'était l'équivalent de l'ordinateur à l'âge de pierre. Construit vers 3000 av. J.-C. et utilisé jusqu'au Ier siècle, Stonehenge fut partiellement détruit par les Romains[14]. Pourtant, ce qu'il en reste aujourd'hui nous rappelle le désir puissant de créer qui habite l'être humain et la nature impressionnante de l'originalité. En 1642, plus de quatre mille ans après la construction de Stonehenge, Blaise Pascal, philosophe et mathématicien de génie, inventa une autre sorte d'ordinateur.

Les missions de l'esprit humain

Travailler à réaliser une mission

Prendre position

Se rassembler dans l'harmonie

S'engager à
recycler

L'importance des
ressources naturelles

JANE SCHERR

JOHN JAMES

DAVID M. ALLEN

Que la paix règne!

JOHN JAMES

Sauvons les forêts!

En effet, il conçut un appareil capable d'additionner et de sous-traire au moyen de roues tournantes, mais les employés de banque le boudèrent car ils craignaient de perdre leurs emplois.

Le désir de créer poussa Gottfried Leibniz trente ans plus tard, à imaginer une machine à multiplier. Deux cents ans après, en 1882, Charles Babbage en inventait une encore plus compliquée, la «machine à différences». Faisant appel à son imagination, Ada Lovelace, une mathématicienne qui travaillait avec Babbage, conçut le premier programme informatique[15]. Depuis lors, la rapidité et l'efficacité des ordinateurs ont fait boule de neige à cause de personnes créatives comme celles-là.

Si bien des gens utilisent leurs facultés créatrices, certains ont pour mission d'aider les autres à devenir créatifs. Maria Montessori était l'une de ceux-là. En 1894, elle fut la première femme à obtenir un diplôme de médecine de l'Université de Rome et elle prit la tête du département de psychiatrie. Elle se prit de passion pour l'éducation des enfants et découvrit que les enfants sans références culturelles ou mentalement handicapés pouvaient être instruits à l'aide d'un matériel spécialement conçu à leur intention. Cette découverte l'intrigua tellement qu'elle se mit à observer les enfants moins désavantagés et finit par se sentir appelée à accomplir «une mission inconnue».

Petit à petit, Maria Montessori élabora une théorie et des techniques visant à libérer la créativité naturelle des enfants. Dans son école où on ne donnait ni notes ni récompenses ou punitions formelles, les enfants utilisaient leur créativité spontanément pour découvrir comment utiliser le matériel sans l'intervention ni les directives du professeur. Ils passaient ensuite à un apprentissage scolaire plus avancé. Aujourd'hui, les principes et méthodes Montessori sont appliqués dans les écoles du monde entier[16].

La créativité, qu'elle s'exprime dans l'instruction, l'art ou les inventions, reflète une recherche universelle d'originalité alimentée par le pouvoir de l'imagination. Le dramaturge George Bernard Shaw l'expliquait ainsi: «L'imagination est le commencement de la création. On imagine ce qu'on désire, on veut ce qu'on imagine, et enfin, on crée ce que l'on veut[17].»

Réjouissez-vous!

Le désir de s'amuser est une expression naturelle de l'esprit humain qui se manifeste à tout âge. Le bébé émerveillé qui tend les bras vers un rayon de lumière ou vers le mobile qui se balance au-dessus de son lit est heureux. L'adolescent qui sourit quand il finit ses devoirs, ou l'adulte qui chante dans la voiture en écoutant la radio ou arpente une galerie d'art et demeure bouche bée devant une peinture est heureux. De même que la personne qui, étant restée debout toute la journée, trempe ses pieds fatigués dans l'eau chaude ou se carre dans un fauteuil confortable pour se plonger dans un bon livre.

Il existe d'innombrables façons de jouir de la vie et chacun de nous a ses préférées. Vous aimez une émission de télévision et j'en aime une autre; vous aimez vous habiller et dîner au restaurant, et je préfère passer la soirée à la maison. Vous aimez une sorte de bonbon et j'en préfère une autre. Vous êtes plus heureux quand un enfant adopte telle conduite, je préfère telle autre.

Nos goûts sont souvent influencés par les normes familiales ou culturelles qui nous ont été inculquées, comme l'a prouvé l'anthropologue Margaret Mead. Ainsi, en 1931, deux cultures primitives de la Nouvelle-Guinée avaient des opinions très différentes quant au bonheur d'avoir des enfants. Chez la tribu très agressive et très compétitive des Mondugumors, l'infanticide par noyade était très répandu, les femmes jetant les fillettes dans la rivière et les hommes, les garçons. Par contre, les Arapeshs, qui vivaient non loin de là, pensaient tout le contraire puisque rien ne rendait les mères comme les pères plus heureux que de s'occuper de leurs enfants[18].

La plupart d'entre nous sont heureux quand ils jouissent de la vie et se sentent libres, qu'ils apprécient leurs efforts intellectuels et créatifs et les fruits de ces efforts, et ressentent un sentiment sublime d'unité avec l'univers. Dans ces moments-là, nous avons tendance à partager notre bonheur avec les autres en espérant qu'ils vivront des expériences similaires.

Bien que nous ayons nos propres façons de jouir de la vie, le plaisir naît aussi de nos rapports interpersonnels. Il est naturel de sourire aux autres et de recevoir un sourire en retour, d'aimer donner des présents comme en recevoir. Or le don le plus précieux que l'on puisse offrir, c'est donner de soi-même de manière que ce don répande des ondes de réconfort et de joie et fasse en sorte que la joie et le rire, plutôt que les larmes et la souffrance, soient notre destinée.

Le compositeur et chef d'orchestre Leonard Bernstein possédait ce don. Il trouvait le bonheur en concentrant son enthousiasme sur la musique et en partageant la musique classique et populaire avec des milliers de personnes. Il avait un énorme appétit de vivre et désirait partager ce qu'il appelait «la joie de la musique» avec les autres. Connu tant pour sa musique grave que sa musique légère, il adorait son travail, qu'il s'agisse de composer un opéra ou de diriger un concert pour enfants.

Chef de l'orchestre philharmonique de New York pendant de nombreuses années et soliste à l'occasion, il lui arrivait de diriger l'orchestre depuis le banc du piano. Il donna des concerts populaires en ex-Union soviétique, au Moyen-Orient, en Amérique latine, en Europe et au Japon. Ses concerts destinés aux jeunes étaient toujours de joyeux événements.

Ses compositions englobent des thèmes liturgiques juifs et chrétiens présentés sur une musique de jazz, ainsi qu'une messe composée en l'honneur de l'inauguration du John F. Kennedy Center for the Performing Arts, à Washington, D.C. Sa comédie musicale, *West Side Story,* est l'une des plus célèbres de tous les temps. Quiconque la voit sur scène ou sur film reconnaît le don que Bernstein nous a fait dans cette seule composition.

Bernstein a été comparé à un raz-de-marée qui passe à travers la vie avec une énergie incroyable et une exubérance ludique. En faisant un travail qu'il adorait, il renvoyait souvent son auditoire chez lui dans un état euphorique[19].

Dans cet état d'euphorie, nous oublions souvent nos soucis et rions avec joie. Pourtant la vie est un mélange précaire de joies et de peines, de sorte que la difficulté consiste à trouver des façons de concilier ces deux réalités. Quand on peut reconnaître la souffrance et choisir malgré tout d'être enthousiaste, la vie est tolérable et peut ouvrir sa porte à la joie.

Des liens plus étroits

Nous prenons conscience chaque jour des millions de façons dont nous entrons en rapport avec l'univers et avec les autres. Les voyages, les échanges d'étudiants, l'étude des langues, l'usage croissant de la télévision et des réseaux informatiques accélèrent ce processus. Les satellites transmettent désormais des symphonies d'un pays à l'autre ou permettent de démontrer de nouvelles techniques chirurgicales d'un hôpital à l'autre. Les échanges internationaux de troupes de danse et de chœurs, d'associations commerciales et professionnelles, d'organismes gouvernementaux et de groupes d'assistance, et même les efforts visant à contrôler le terrorisme et le trafic de drogue, tous ces éléments indiquent que les peuples du monde entier tendent à se rapprocher davantage.

Ces liens plus étroits rendent plus évident encore le fait que même si nous semblons séparés, nous ne le sommes pas. Nous sommes comme des arbres qui marchent. Notre humanité fait que nous sommes physiquement ancrés dans cette terre et que nos racines s'entremêlent. Nous respirons le même air et dépendons du même soleil. Nous vivons tous sur la même terre fragile et possédons bien plus en commun que nous sommes prêts à le reconnaître.

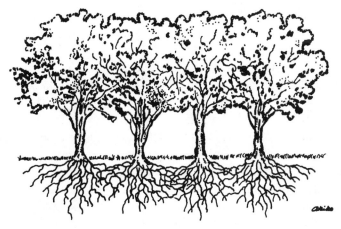

De la même façon, nous sommes interreliés à un niveau spirituel comme les branches d'un arbre. Nous nourrissons tous les mêmes aspirations spirituelles et le même désir de mener une vie significative. Nous avons tous le potentiel de nous rencontrer sur l'arête étroite de l'amour. Sur ces plans-là, nous ne sommes pas séparés.

Reconnaître nos liens est une chose, mais c'en est une autre que de les approfondir. L'écart entre Je et Tu est assez difficile à

franchir. Rapprocher des communautés ou des nations tout entiè-
res est une tâche encore plus ardue. Cela prend des gens qui ont
une vision de ce qui peut être et qui sont prêts à déployer beaucoup d'efforts pour la concrétiser. Plus encore, il faut des gens qui
épousent des causes qui dépassent leurs intérêts personnels. Ce
genre d'engagement personnel est de plus en plus important si
nous voulons aller au-delà des souffrances et des séparations si
fréquentes aujourd'hui.

De nombreuses traditions religieuses ont justement pour
objectif d'encourager ce rapprochement. Ainsi, un juif du nom de
Jésus de Nazareth fit à ses disciples, qui craignaient de ne pas le reconnaître s'il s'absentait pendant un certain temps, l'une des dé-
clarations les plus émouvantes qui soit. Il leur dit:

*Oh oui, vous me reconnaîtrez. Chaque fois que vous ac-
cueillerez un étranger, que vous soignerez les affamés et les
sans-abri, les malades et les personnes seules, ceux qui sont
pauvres et ceux qui sont en prison, je serai là. Car chaque
fois que vous le ferez à l'un de ces plus petits, c'est à moi
que vous le ferez*[20].

Dorothea Dix, une enseignante à demi invalide, prit cette re-
commandation au sérieux. En 1841, on lui demanda d'enseigner
dans une maison de correction du Massachusetts où des handicapés mentaux, sans égard à leur âge ou leur sexe, étaient enchaînés
nus dans des cages et des cellules, et battus jusqu'à en devenir in-
sensibles et soumis. Ayant mené pendant deux ans une enquête
sur les traitements réservés aux handicapés mentaux, Dorothea
Dix fit une bouleversante présentation aux législateurs du Massachusetts afin de protester contre ces traitements. Elle demandait
que les malades soient traités humainement, que l'on prélève des
impôts destinés à payer les soins qu'ils nécessitaient et que l'on
nomme des personnes intelligentes à la tête de l'institut.

Ayant obtenu gain de cause, elle continua d'enquêter et de
dresser des rapports d'État en État, puis au Canada et en Italie où
elle persuada le pape Pie IX de se pencher personnellement sur les
conditions des handicapés mentaux dans son pays[21]. Le juge
William O. Douglas de la Cour suprême des États-Unis la décrivait
comme une personne qui força le public à corriger ses préjugés.

Il existe une qualité spirituelle dans chaque être humain;
tout le monde peut être sauvé; souvent, ceux qui ont été re-
jetés dans les ténèbres extérieures de la «démence» peuvent
être récupérés et ramenés à la santé et au civisme[22].

À l'instar de Dorothea Dix, nous avons tous besoin d'exprimer le pouvoir de l'amour. Pour établir des rapports mutuels fondés sur un dialogue authentique, nous devons reconnaître nos si-
milarités et accepter nos différences. Comme l'expliquait J. Allen
Boone: «Toutes les créatures vivantes sont des instruments indivi-
duels. [...] Nous sommes les membres d'un vaste orchestre cosmique dans lequel chaque instrument vivant est essentiel à la com-
plémentarité et à l'harmonie de l'ensemble[23].»

Au-delà de nous-même

Outre ces liens étroits que nous tissons avec les autres, nous
avons le potentiel d'aller au-delà de nous-même pour nous bran-
cher sur d'autres formes de vie.

Nous sommes de plus en plus conscient de notre besoin de
prendre soin du cosmos, de respecter sa capacité de donner la vie
et de la prendre. Nous comprenons également que nous ne pouvons plus abuser de la Terre qui est notre seul foyer. Qui plus est,
la Terre et le cosmos nous offrent chaque jour des occasions de
nous dépasser, de connaître des moments de joie, d'être envoûté
par sa magnificence. Qui n'a pas ressenti la gloire d'un coucher de
soleil flamboyant ou respiré l'air vivifiant du matin? Quand on est
attentif, on découvre que le monde dans lequel on vit foisonne de
merveilles.

En outre, nous sommes de plus en plus conscients de la signification de nos liens avec les plantes et les animaux. Certains
d'entre nous ont le pouce vert et parlent à leurs plantes, s'inquiètent si elles manifestent des signes de stress, s'attristent quand elles
meurent et éprouvent un respect global pour tout ce qui a des racines. On a toujours cru que ces sentiments positifs à l'égard des
plantes étaient unilatéraux, que le jardinier se chargeait de tous les
soins tandis que les plantes se contentaient de recevoir. Or récemment, cette opinion s'est modifiée. En mesurant leurs réactions sur

un polygraphe, des chercheurs ont démontré que les plantes réagissent à différentes sortes de musique, à l'imminence d'un danger, aux humeurs physiques et émotionnelles des gens et des autres plantes, et même aux mots d'amour[24].

Candelaria Villanueva établit, quant à elle, un contact fort inhabituel. En 1974, lors d'un naufrage au large des Philippines dans lequel de nombreux passagers se noyèrent, Mme Villanueva demeura en mer pendant deux jours au cours desquels elle fut miraculeusement sauvée par une tortue marine géante. En temps normal, les tortues de mer ne restent pas longtemps à la surface de l'eau, mais celle-ci y demeura jusqu'à ce qu'on aperçût Mme Villanueva sur son dos, hagarde et hystérique. L'officier de marine qui la trouva confirma la chose: «Je ne l'aurais pas cru sur de simples ouï-dire. Mais mes compagnons de bord et moi-même l'avons vu. Après que la femme a été hissée à bord, la tortue a fait deux cercles avant de disparaître dans la mer comme pour s'assurer que sa passagère était entre bonnes mains[25].»

Transcender les frontières qui nous séparent des autres formes de vie est toujours possible. Nous sommes entourés d'un monde grouillant de vie et nous en faisons partie.

L'évolution de l'amour

Évolution implique changement, qu'il s'agisse d'une évolution des formes de vie ou des modes de vie, de la théologie ou de la technologie. Une évolution n'est jamais soudaine. Elle se produit graduellement et elle découle du hasard ou d'un choix.

Pierre Teilhard de Chardin croyait à l'évolution de l'amour. Il en arriva là après avoir trouvé le célèbre squelette préhistorique baptisé «Homme de Pékin». Paléontologue, théologien et philosophe, il soutenait qu'en dépit de l'ignorance et de la brutalité de notre espèce, la race humaine évolue naturellement vers la bonté, l'amour et l'amélioration de la société. Il attribuait cela à notre capacité de décider pour nous-même et à notre inventivité; il serait plus facile d'empêcher la Terre de tourner que la race humaine d'évoluer[26].

Selon Teilhard de Chardin, il y a des milliards d'années, il n'y avait que de la matière inanimée sur terre. Or l'amour en évolution

constante imbriquée dans cette matière et le jeu des forces molécu-
laires entraînèrent un changement majeur. Au lieu d'une interaction
chimique inanimée et constante, des formes de vie apparurent et
l'amour se mit à évoluer. Il se manifesta d'abord dans la reproduc-
tion et la prolifération des plantes, des poissons, des oiseaux et des
animaux.

L'apparition des humains marqua une nouvelle étape dans
l'évolution de l'amour. Des familles, des tribus et des communautés commencèrent à évoluer et continueront de le faire jusqu'à ce
que, «ayant maîtrisé les vents, les vagues, les marées et la gravité,
nous exploitions pour Dieu les énergies de l'amour et alors, pour
la seconde fois dans l'histoire du monde, l'homme découvrira le
feu[27]».

Peut-être le Petit Prince peut-il éclairer notre lanterne à ce
sujet. L'histoire d'Antoine de Saint-Exupéry met en vedette un
Petit Prince qui vit sur une petite planète sur laquelle le soleil se
couche quarante-quatre fois par jour et où il se sent très seul. La
rose qu'il aime est trop coquette et a trop d'épines. De désespoir,
le Petit Prince décide de visiter d'autres planètes. Sur l'une d'elles,
il trouve un roi qui ne tolère aucune désobéissance, sur une autre,
un vaniteux qui n'a d'autre souci que de se laisser admirer. Sur la
troisième vit un buveur qui boit beaucoup et sur la quatrième, un
businessman occupé à compter. Puis il y a un allumeur de réverbè-
res qui ne fait qu'obéir aux ordres et un savant qui écrit des livres
sur des sujets qu'il ne connaît pas.

Enfin, le Petit Prince arrive sur Terre où il y a des chasseurs
et un petit renard qu'il apprivoise. Un jour, toutefois, en voyant
d'autres roses, il décide de retourner vers sa propre rose. C'est un
triste départ, mais le Petit Prince donne au renard le secret de la
transcendance: «Tu regarderas, la nuit, les étoiles. [...] Elles seront
toutes tes amies [...] j'habiterai dans l'une d'elles, puisque je rirai
dans l'une d'elles, alors ce sera pour toi comme si riaient toutes les
étoiles[28].»

Reconnaître la joie potentielle qui nous entoure, c'est vivre
dans l'amour qui existait au début[29]. C'est établir un rapport dia-
logique avec les autres et avec l'existence tout entière. Vivre dans
l'amour, c'est connaître la plénitude. C'est faire confiance à l'esprit
éternel, écouter quand il parle, agir quand il appelle, ce qu'il fait à
chaque instant. Vivre dans l'amour, c'est être frappé par le miracle

de l'interrelation des choses: les océans qui se fracassent sur le rivage; les champs de moutarde qui fleurissent sous la première ondée printanière; le vent qui gronde dans les pins géants; un chien qui aboie pour protéger son maître; les yeux des êtres malades, blessés et solitaires qui appellent à l'aide; l'innocence d'un enfant qui tend les bras avec confiance; et la tendresse d'une main qui répond avec amour.

Notre mission consiste à nous rappeler que les frontières que nous imaginons entre nous n'existent pas vraiment. Nous sommes tous uniques et différents; mais nous sommes aussi tous un. La passion de grandir nous invite à suivre des voies d'amour encore et encore. Abraham Heschel parlait en notre nom à tous quand il disait: «Ce que je cherche surtout, ce n'est pas la façon de me maîtriser et de maîtriser ma vie, mais une façon de vivre qui mériterait et évoquerait un éternel Amen[30].»

Références

Introduction

1. Muriel James, *Born to Love: Transactional Analysis in the Church*. Voir aussi James, Muriel et Louis Savary, *A New Self*; Muriel James et Louis Savary, *The Power at the Bottom of the Well*; et Muriel James, «The Inner Core and the Human Spirit».

1. Une voie d'amour

1. Robert Fulghum, *All I Need to Know I Learned in Kindergarten*.
2. Carlos Castaneda, *Le voyage à Ixtlan: les leçons de Don Juan*.
3. Michael McRae, «Dilemma at Gombe».
4. Robert Short, *The Parables of Peanuts*.
5. David Baker, *The History of Manned Spaced Flight*.
6. Kevin Kelly, *The Home Planet*.
7. Dag Hammarskjöld, *Markings*.
8. Abraham Heschel, *The Wisdom of Heschel*.
9. Martin Buber, *Les récits hassidiques*.
10. Norman Cousins, «What Matters about Schweitzer».
11. Marian Anderson, *My Lord What a Morning*.

2. Voyez l'esprit humain!

1. Martin Buber, *Between Man and Man*.
2. Frances Mossiker, *Napoleon and Josephine*.
3. Sigmund Freud, «Femininity».
4. Carl Jung, *Ma vie: souvenirs, rêves et pensées*.
5. Alfred Adler, *Understanding Human Nature*.
6. Viktor Frankl, *The Unconscious God*.
7. Gordon Allport, *The Individual and His Religion*.
8. Muriel James et Dorothy Jongeward, *Naître gagnant*.
9. Muriel James, *Born to Love*.
10. Albert Einstein, *Ideas and Opinions*.

11. Heinz Pagels, *The Cosmic Code: Quantum Physics as the Language of Nature*.
12. Paul Tillich, *Biblical Religion and the Search for Ultimate Reality*.
13. John Muir, *My First Summer in the Sierra*.
14. Donald Sandner, *Navaho Symbols of Healing*.
15. Tsunetsugu Muraoka, *Studies in Shinto Thought*.
16. Michée 3,8.
17. Épître aux Corinthiens, 3,16.
18. Paul Tillich, *The Eternal Thou*.
19. Carl Jung, *L'homme à la découverte de son âme*.
20. Kevin Kelly, *The Home Planet*.
21. Eric Berne, *Principles of Group Treatment*.
22. Viktor Frankl, *Découvrir un sens à sa vie*.
23. Viktor Frankl, *The Doctor and the Soul*.
24. Paul Tillich, *The Eternal Thou*.
25. Anne Morrow Lindbergh, *Solitude face à la mer*.
26. Nikos Kazantzakis, *Saint Francis*.
27. Margot Astrov, *American Indian Prose and Poetry*.
28. Albert Schweitzer, *Souvenirs de mon enfance*.

3. Les passions de l'âme

1. Thomas Merton, *La sagesse du désert*.
2. Muriel James, «The Inner Core and the Human Spirit».
3. E. G. Valens, *The Other Side of the Mountain*.
4. Jacobo Timerman, *Prisoner Without a Name*.
5. *San Francisco Chronicle*, 16 décembre 1988.
6. Robert McHenry, *Famous American Women*.
7. Dan Goodgame, «I Do Believe in Control».
8. Carl Rogers, *Psychothérapie et relations humaines;* et Carl Rogers, *Le développement de la personne*.
9. James Forest, *Thomas Merton: A Pictorial Biography*. Voir aussi Thomas Merton, *No Man Is an Island*.
10. «U-Thant Passes Away», *New Age Journal* (février 1975).
11. Joseph Campbell, avec Bill Moyers, *The Power of Myth*.
12. Nikos Kazantzakis, *Report to Greco*.
13. Thomas Merton, *The Way of Chuang Tzu*.
14. Emma Sterne, *Mary McLeod Bethune*.
15. Robert Leslie, *Jesus and Logotherapy*.

4. Le désir de vivre

1. Margaret Applegarth, *Men as Trees Walking.*
2. Ted Kaptchuk, *The Web That Has No Weaver: Understanding Chinese Medicine.*
3. John Adams, *Dangling from the Golden Gate Bridge and Other Narrow Escapes.*
4. Viktor Frankl, *Découvrir un sens à sa vie.*
5. Margot Dougherty et Jacqueline Savaiano, «Though Tackled by Lou Gehrig's Disease, Coach Charlie Wedemeyer and Family Still Show How to Win».
6. Erik Erikson, *Enfance et société.*
7. Charles Garfield, *Peak Performers: The New Heroes of American Business.*
8. Charles Garfield, *Maxi-performance: les techniques d'entraînement mental des plus grands athlètes du monde.*
9. Richard Leaky, *One Life: An Autobiography.*
10. Jacqui Schiff, *Cathexis Reader.*
11. M. A. Melinsky, *Healing Miracles.*
12. D. Scott Rogo, *La parapsychologie dévoilée.*
13. *Ibid.*
14. Dolores Kreiger, «Therapeutic Touch: The Imprimatur of Nursing».
15. O. Carl Simonton, Stephanie Mathews-Simonton et James Creighton, *Guérir envers et contre tout.*
16. Bernie Siegel, *L'amour, la médecine et les miracles.*
17. Ashley Montagu, *Immortality, Religion and Morals.*
18. Raymond Moody, *La vie après la vie.*
19. Elisabeth Kübler-Ross, *La mort et l'enfant: souvenirs, lettres, témoignages.*
20. John Bartlett, *Familiar Quotations.*
21. Henry Van Dusen, «The Prayers of Dag Hammarskjold.»
22. Dag Hammarskjöld, *Markings.*
23. T. C. McLuhan, *Touch the Earth: A Self-Portrait of Indian Existence.*
24. Thomas Merton, *No Man Is an Island.*
25. Kahlil Gibran, *Sand and Foam.*
26. Chungliang Al Huang, *Quantum Soup.*
27. Rabindranath Tagore, *Collected Poems and Plays of Rabindranath Tagore.*
28. A. J. Ungersma, *The Search for Meaning.*

5. Le désir d'être libre

1. Phillip Berman, *The Courage of Conviction.*
2. Richard Schneider, *Freedom's Holy Light.*
3. Rollo May, *The Courage to Create.*

4. Abraham Heschel, *The Wisdom of Heschel.*
5. Ruthe Stein, «Whiz Kid Can't Forget Killing Fields».
6. Kevin Johnson, «On New Legs, New Life Starts Today».
7. Betty Ford, *The Times of My Life.*
8. Paroles de Lech Walesa tirées de *The Courage of Conviction,* de Phillip Berman.
9. Martin Buber, *Between Man and Man.*
10. Carl Jung, *Ma vie: souvenirs, rêves et pensées.*
11. Will Durant, *Lessons of History.*
12. Louis Fischer, *Gandhi: His Message and Life for the World.*
13. «King is the Man, Oh, Lord», *Newsweek,* 25 avril 1968.
14. Elsie Boulding, *The Underside of History.*
15. *Ibid.*
16. *Ibid.*
17. Abigail Adams, *Letters of Mrs. Adams.*
18. Eleanor Flexner, *Century of Struggle.*
19. Muriel James, *Hearts on Fire: Romance and Achievement in the Lives of Great Women.*
20. Caroline Bird, *Born Female.*
21. Hermann Buhl, *Lonely Challenge.*
22. O. Carl Simonton, Stephanie Mathews-Simonton et James Creighton, *Guérir envers et contre tout.*
23. Charles Garfield, *Peak Performers: The New Heroes of American Business.*
24. Martin Buber, *Between Man and Man.*
25. George Seldes, *The Great Thoughts.*
26. Eric Berne, *Que dites-vous après avoir dit bonjour?*
27. Rabindranath Tagore, *Fireflies.*
28. Sang Kyu Shin, *The Making of a Martial Artist.*
29. Dag Hammarskjöld, *Markings.*
30. Martin Luther King, *La force d'aimer.*
31. Joseph Lash, *Eleanor: The Years Alone.*

6. Le désir de comprendre

1. Phillip Berman, *The Courage of Conviction.*
2. Debbie Townsend, «Ida Beats Odds and the Breaks to Graduate», *Contra Costa Times,* 24 juin 1989.
3. Lin Yutang, *The Wisdom of China and India.*
4. Daniel Boorstin, *Les découvreurs.*
5. Jennifer Uglow, *The International Dictionary of Women's Biography.*
6. Charles Panati, *Extraordinary Origins of Everyday Things.*
7. Carl Sagan, *Les dragons de l'Éden: spéculations sur l'évolution de l'intelligence humaine et autre.*

8. Cela est également vrai des traditions qui n'emploient pas le mot *Dieu*. Par exemple, le taoïsme dit que le «sans nom» qui «vit le jour avant le ciel et la terre» ne peut être vu ni entendu et demeure «à jamais indéfinissable». Lao Tsu, *Tao Te Ching*. Voir aussi Alan Watts, *Tao: The Watercourse Way*.
9. Lynn Gilbert et Galen Moore, *Particular Passions*.
10. Jacques Barzun et Henry Graff, *The Modern Researcher*.
11. Howard Gardner, *Frames of Mind: The Theory of Multiple Intelligences*.
12. *Ibid*.
13. Victor et Mildred Goertzel, *Cradles of Eminence*.
14. Chuang Tsu, *Chuang Tsu: Inner Chapters;* Watts, *Tao: The Watercourse Way;* et Benjamin Hoff, *The Tao of Pooh*.
15. Inspiré des paroles de Martin Buber dans *Le chemin de l'homme d'après la doctrine hassidique*.
16. Sagan, *Les dragons de l'Éden*.
17. Ruth Bleir, *Science and Gender: A Critique of Biology and Its Theories on Women*.
18. Elsie Boulding, *The Underside of History*.
19. Barbara Ehrenreich et Deirdre English, *For Her Own Good*.
20. Ruth Abrams, *Send Us a Lady Physician*.
21. Alfred Tennyson, «Locksley's Hall», *Tennyson's Poetical Works*.
22. Bill Moyers, *A World of Ideas*.
23. Rackham Holt, *Mary McLeod Bethune*. Voir aussi Hope Stoddard, *Famous American Women*.
24. Muriel James, *The Better Boss in Multicultural Organizations*.
25. Moyers, *Ideas*.
26. Eleanor Roosevelt, *This Is My Story*.
27. James Christian, *Philosophy: An Introduction to the Art of Wondering*.
28. Paul Tillich, *The Eternal Thou*.
29. Chuang Tsu, *Inner Chapters*.
30. Pedro Calderon de la Barca, *La vie est un songe*.

7. Le désir de créer

1. Bergen Evans, *Dictionary of Quotations*.
2. Ladislao Reti, *The Unknown Leonardo*.
3. Robert Conat, *A Streak of Luck*.
4. Nikos Kazantzakis, *Report to Greco*.
5. Muriel James, *Hearts on Fire: Romance and Achievement in the Lives of Great Women*.
6. *Contra Costa Times*, 29 juillet 1988.
7. Muriel James et Louis Savary, *The Heart of Friendship*.
8. Louis Mertins, *Robert Frost: Life and Talks*.

9. Charles Panati, *Extraordinary Origins of Everyday Things.*
10. Idries Shah, *The Sufis.*
11. *San Francisco Chronicle,* 10 août 1988.
12. Mike et Nancy Samuels, *Seeing with the Mind's Eye.*
13. Silvano Arieti, *Creativity.*
14. Harold Anderson, *Creativity and Its Cultivation.*
15. Robert McKim, *Experiences in Visual Thinking.*
16. Patricia Garfield, *Creative Dreaming.*
17. Muriel James et Dorothy Jongeward, *Naître gagnant.*
18. Genèse 28,10-22.
19. Louis Savary, Patricia Berne et Stephen Williams, *Dreams and Spiritual Growth: A Christian Approach to Dreamwork.*
20. Carl Jung, *L'homme et ses symboles.*
21. John White, *Rejection.*
22. Teresa Amabile, *Growing Up Creative: Nurturing a Lifetime of Creativity.* Voir aussi Alfie Kohn, «Art for Art's Sake», *Psychology Today,* septembre 1987.
23. John White, *Rejection.*
24. Un sommaire d'un grand nombre de ces études figure dans Arieti, *Creativity.*
25. Havelock Ellis, *A Study of British Genius.*
26. Éva Curie, *Madame Curie.*
27. Eric Berne, *Que dites-vous après avoir dit bonjour?*
28. Muriel James, «The Inner Core and the Human Spirit», *Transactional Analysis Journal,* 11:1 (janvier 1981).
29. R. Buckminster Fuller, *Synergetics: Explorations in the Geometry of Thinking.*
30. Alden Hatch, *Buckminster Fuller: At Home in the Universe.*
31. Blanche Williams, *George Eliot: A Biography.*
32. Françoise Giroud, *Une femme honorable.*
33. Victor et Mildred Goertzel, *Cradles of Eminence.*
34. R. Buckminster Fuller, *Operating Manuel for Spaceship Earth.*

8. Le désir de s'amuser

1. Evan Esar, *20,000 Quips and Quotes.*
2. Clifton Fadiman, *The Little, Brown Book of Anecdotes.*
3. Dennis Wholey, *Are You Happy?*
4. Abraham Maslow, *The Further Reaches of Human Nature.*
5. Harry Stack Sullivan, *The Psychiatric Interview.*
6. Valerie Chang et Muriel James, «Anxiety and Projection as Related to Games and Scripts», *Transactional Analysis Journal,* 17:4 (octobre 1987).
7. Isaac Asimov, *Biographical Encyclopedia of Science and Technology.*

8. 1 Corinthiens 12.
9. René Dubos, *La leçon de Pasteur.*
10. Hans Selye, «On Stress», dans Nathaniel Lande, *Mindstyles, Lifestyles.*
11. Beverly Sills et Lawrence Linderman, *Beverly: An Autobiography.*
12. Warren Bennis et Burt Nanus, *Diriger.*
13. Bob Thomas, *Walt Disney, l'art du dessin animé.*
14. Alan Watts, *L'envers du néant.*
15. Harry Harlow, «Social Deprivation in Monkeys», *Scientific American,* 207 (1962).
16. Gregory Bateson, *Mind and Nature: A Necessary Unity.*
17. Erik Erikson, *Enfance et société.*
18. Chungliang Al Huang, *Quantum Soup.*
19. Genèse 17 et Exode 21.
20. Psaumes 2 et 126.
21. Luc 15, 11-32.
22. Norman Cousins, «Anatomy of an Illness (As perceived by the patient)», *New England Journal of Medicine* (23 décembre 1976).
23. Viktor Frankl, *The Doctor and the Soul.*
24. Martin Buber, *Les contes de Rabbi Nachman.*
25. M. Simmel, «Anatomy of a Mime Performer», *The Justice* (Brandeis University), 6 mai 1975, cité dans Howard Gardner, *Frames of Mind: The Theory of Multiple Intelligences.*
26. Rabindranath Tagore, *Fireflies.*
27. Harold Kushner, *Le désir infini de trouver un sens à la vie.*
28. Evan Esar, *20,000 Quips and Quotes.*
29. Simone Weil, *L'enracinement.*
30. Mary et Robert Goulding, *Not To Worry!*

9. Le désir de créer des liens

1. Martin Buber, *Pointing the Way.*
2. Henry David Thoreau, *Walden ou la vie dans les bois.*
3. Rene Spitz, «Hospitalism, Genesis of Psychiatric Conditions in Early Childhood», *Psychoanalytic Study of the Child,* 1 (1945).
4. Leon Jaroff, «Roaming the Cosmos», *Time,* 8 février 1988.
5. Stephen Hawking, *Une brève histoire du temps.*
6. «A Talk with Einstein», *The Listener,* septembre 1955, cité dans *Einstein: A Portrait,* par Corte Madera.
7. Dans «Games People Play at Christmas», *Transactional Analysis Journal,* 8:4 (octobre 1978). Eric Berne associait cela au fait d'échanger des souhaits et des présents à Noël.
8. John Adams, *Dangling from the Golden Gate Bridge and Other Narrow Escapes.*

9. Barbara Young, *This Man from Lebanon: A Study of Kahlil Gibran.*
10. Muriel James et Louis Savary, *The Heart of Friendship.*
11. Martin Buber, *Between Man and Man.*
12. Alexander Thomas, Stella Chess et Herbert Birch, *Temperament and Behavior Disorders in Children.*
13. Pour connaître d'autres décisions prises dans l'enfance, voir Muriel James, *Breaking Free.*
14. Pour en savoir davantage sur les relations adultes qui influencent les décisions vitales, voir John James et Ibis Schlesinger, *Are You the One for Me? How to Choose the Right Partner.*
15. Pour en savoir davantage sur la façon dont s'opère ce changement, voir Mary et Robert Goulding, *Changing Lives through Redecision Therapy*; Muriel James, *It's Never Too Late to Be Happy* et Eric Berne, *Que dites-vous après avoir dit bonjour?*
16. James et Schlesinger, *Are You the One for Me?*
17. W. H. Auden, *Vincent Van Gogh: A Self-Portrait.*
18. Willad Gaylin, *Caring.*
19. Norman Cousins, «The Point about Schweitzer», *Saturday Review* (2 octobre 1954).
20. Tiré d'une interview réalisée à «Sonya Live», CNN-TV, 24 juin 1988.
21. Samuel et Pearl Oliner, *The Altruistic Personality.*
22. Corrie Ten Boom, *The Hiding Place.*
23. Allan Luks, «Helper's High», *Psychology Today,* octobre 1988.
24. John Healy dans une lettre adressée au public américain par Amnistie internationale (É.-U.), septembre 1988.
25. Pitirim Sorokin, *The Ways and Power of Love.*
26. *San Francisco Examiner,* 10 janvier 1988.
27. Thomas Dooley, *The Edge of Tomorrow.*
28. Annette Winter, «Spotlight», *Modern Maturity,* octobre-novembre 1988.
29. Alan Burgess, *The Small Woman.*
30. «Special Report», *Life,* avril 1976.
31. Martin Buber, *Between Man and Man.*
32. Kevin Kelly, *The Home Planet.*
33. Albert Schweitzer, *Souvenirs de mon enfance.*
34. Matthew Fox, *Breakthrough: Meister Eckhart's Creation Spirituality in New Translation.*
35. Matthew Fox, *Meditations with Meister Eckhart.*
36. Matthew Fox, *Original Blessing: A Primer in Creation Spirituality.*
37. Simone Weil, *L'enracinement: prélude à une déclaration des devoirs envers l'être humain.*
38. Phillip Berman, *The Courage of Conviction.*
39. Rollo May, *Amour et volonté.*
40. Matthew Fox, *Meditations with Meister Eckhart.*

41. Chogyam Trungpa, *Cutting Through Spiritual Materialism*.
42. Martin Buber, *A Believing Humanism*.

10. Le désir de se transcender

1. Paul Tillich, *Biblical Religion and the Search for Ultimate Reality*.
2. Psaumes 8,3 et 147,4.
3. 2 Pierre 1,19; Apocalypse 22,16.
4. 1 Corinthiens 12,12-26.
5. Martin Buber, *La légende du Baal-Shem*.
6. Lao Tsu, *Tao Te Ching*; et Chuang Tsu, *Chuang Tsu: Inner Chapters*.
7. John W. Gardner, *On Leadership*.
8. Alexandre Soljenitsyne, *Nobel Lecture*.
9. Réplique du chef Seattle au président Fillmore en 1852.
10. Mircea Eliade, *Le sacré et le profane*.
11. Martin Buber, *Ten Rungs*.
12. Nous devons à Martin Buber d'avoir élaboré le concept de ces quatre premières sphères dans *Je et Tu*. En nous inspirant de notre expérience clinique, nous avons ajouté la cinquième sphère.
13. John Pearson, *The Sun's Birthday*.
14. Peter Tompkins et Christopher Bird, *La vie secrète des plantes*.
15. M. Bruno, «Portrait of an Artist», *Newsweek*, 17 décembre 1984.
16. Sam Reifler, *I Ching: A New Interpretation for Modern Times*.
17. Martin Buber, *Le chemin de l'homme*.
18. Carlos Castaneda, *Le voyage à Ixtlan: les leçons de Don Juan*.
19. Martin Buber, *Hasidism and Modern Man*.
20. Martin Buber, *Between Man and Man*.
21. Brian Lanker, «I Dream a World», *National Geographic*, août 1989.
22. Gary Libman, «The Millionaire Learns to Read», *San Francisco Chronicle*, 14 juin 1988.
23. Bill Moyers, «The Hero's Adventure — Part 5 of 6», *Joseph Campbell and the Power of Myth with Bill Moyers*, production de la Public Affairs Television, 1988.
24. Joseph Campbell, *Le héros aux mille et un visages*.
25. Roberto Suro, «Twelve Faiths Join Pope to Pray for Peace», *New York Times*, 28 octobre 1986; et Paul Crow, «Assisi's Day of Prayer for Peace», *Christian Century*, 103 (3 décembre 1986).
26. Pape Jean-Paul II, «The Challenge and the Possibility of Peace», *Origins*, 17:370.
27. *San Francisco Chronicle*, 10 décembre 1988.
28. Rabindranath Tagore, *Fireflies*.
29. Luc 23,46.
30. Idries Shah, *The Sufis*.

31. Carlos Castaneda, *Le voyage à Ixtlan*.
32. Corita Kent et John Pintauro, *To Believe in Man*.
33. William O. Douglas, *An Almanac of Liberty*.
34. Viktor Frankl, *The Unconscious God*.
35. Paul Tillich, *The Eternal Thou*.

11. La mission de l'esprit humain

1. T. S. Eliot, «Little Gidding», *The Complete Poems and Plays of T. S. Eliot*.
2. Martin Buber, *La légende du Baal-Shem*.
3. Charles Garfield, *Maxi-performance*.
4. Norman Cousins, *Albert Schweitzer's Mission*.
5. Albert Schweitzer, *Ma vie et ma pensée*.
6. Courtney Tower, «Mother Teresa's Work of Grace», *Reader's Digest*, décembre 1987.
7. René Dubos, *Les célébrations de la vie*.
8. Mortimer Adler, *Ten Philosophical Mistakes*. Voir aussi Mortimer Adler, *The Idea of Freedom*.
9. James Christian, *Philosophy: An Introduction to the Art of Wondering*.
10. Eric Berne, *Que dites-vous après avoir dit bonjour?*
11. Jimmy Carter, *Keeping Faith*.
12. Elaine Partnow, *The Quotable Woman*.
13. Carl Jung, *Psyche and Symbol*.
14. Colin Ronan, *Lost Discoveries*.
15. Charles Panati, *Browser's Book of Beginnings*.
16. Rita Kramer, *Maria Montessori*.
17. James Simpson, *Simpson's Contemporary Quotations*.
18. Margaret Mead, *Du givre sur les ronces*.
19. Mark Steinbrink, «Bernstein at Seventy», *Life*, septembre 1988.
20. Inspiré de Matthieu 25,34-40.
21. Robert McHenry, *Famous American Women*.
22. William O. Douglas, *An Almanac of Liberty*.
23. J. Allen Boone, *Kinship with All Life*.
24. Peter Tompkins et Christopher Bird, *La vie secrète des plantes*.
25. Agence France-Presse, *San Francisco Chronicle*, 22 juin 1974.
26. Pierre Teilhard de Chardin, *Le phénomène humain*.
27. James Simpson, *Simpson's Contemporary Quotations*.
28. Antoine de Saint-Exupéry, *Le Petit Prince*.
29. Muriel James, *Born to Love: Transactional Analysis in the Church*.
30. Abraham Heschel, *The Wisdom of Heschel*.

Bibliographie

ABRAMS, Ruth. *Send Us a Lady Physician,* New York, W.W. Norton and Co., 1985.

ADAMS, Abigail. *Letters of Mrs. Adams,* 3e édition, Boston, Little, Brown and Company, 1941.

ADAMS, Ansel. *Yosemite and the Range of Light,* Boston, Little, Brown and Company, 1982.

ADAMS, John. *Dangling from the Golden Bridge and Other Narrow Escapes,* New York, Ballantine Books, 1988.

ADLER, Alfred. *Understanding Human Nature,* New York: Fawcett Premier, 1954.

ADLER, Mortimer. *Ten Philosophical Mistakes,* New York, Macmillan, 1985.

————. *The Idea of Freedom,* vol. 2, Garden City, New York: Doubleday, 1961.

ALLPORT, Gordon. *The Individual and His Religion,* New York, Macmillan and Co., 1950.

AMABILE, Teresa. «The Personality of Creativity», *Brandeis Review,* 5 (automne 1985).

ANDERSON, Harold, éd. *Creativity and Its Cultivation,* New York, Harper and Brothers, 1959.

ANDERSON, Marian. *My Lord What a Morning,* New York, Viking Press, 1956.

APPLEGARTH, Margaret. *Men as Trees Walking,* New York, Harper and Brothers, 1952.

ARIETI, Silvano. *Creativity,* New York, Basic Books, 1976.

ASIMOV, Isaac. *Biographical Encyclopedia of Science and Technology,* 2e édition, New York, Doubleday and Co., 1982.

ASTROV, Margot. *American Indian Prose and Poetry,* New York, Capricorn Books, 1962.

AUDEN, W. H., éd. *Vincent Van Gogh: A Self-Portrait,* Greenwich, Conn., New York Graphic Society, 1961.

BAINTON, Roland. *Here I Stand: A Life of Martin Luther.* New York, Abingdon Cokesbury, 1950.

BAKER, David. *The History of Manned Space Flight*, New York, Crown Publishing, 1982.

BARTLETT, John. *Familiar Quotations*, Boston, Little, Brown and Company, 1955.

BARZUN, Jacques et Henry GRAFF. *The Modern Researcher*, New York, Harcourt Brace Jovanovich, 1977.

BATESON, Gregory. *Mind and Nature: A Necessary Unity*, New York, Bantam Books, 1988.

BENNIS, Warren et Burt NANUS. *Diriger*, Paris, InterÉditions, 1985.

BERMAN, Phillip, éd. *The Courage of Conviction*, New York, Dodd, Mead and Co., 1985.

BERNE, Eric. *Analyse transactionnelle et psychothérapie*, Paris, Payot, 1981.

——————. «Games People Play at Christmas», *Transactional Analysis Journal*, 8 (octobre 1978).

——————. *Principles of Group Treatment*, New York, Oxford University Press, 1966.

——————. *Que dites-vous après avoir dit bonjour?*, Evreux, Tchou, 1977.

BIRD, Caroline. *Born Female*, New York, David McKay, 1968.

BLEIR, Ruth. *Science and Gender: A Critique of Biology and Its Theories on Women*, New York, Pergamon Press, 1984.

BOONE, J. Allen. *Kinship with All Life*, New York, Harper and Row, 1954.

BOORSTIN, Daniel. *Les découvreurs*, Paris, Seghers, 1987, 1986.

BOULDING, Elsie. *The Underside of History*, Boulder, Colorado, Westview Press, 1976.

BRUNO, M. «Portrait of an Artist», *Newsweek* (17 décembre 1984).

——————. *A Believing Humanism*, trad. par Maurice Friedman, New York, Simon and Schuster, 1967.

BUBER, Martin. *Between Man and Man*, trad. par Roger Smith, London, Kegan Paul, 1947. New York, Macmillan, 1965, 1986 avec Maurice Friedman.

——————. *Hasidism and Modern Man*, trad. par Maurice Friedman, New York, Horizon Press, 1958.

——————. *Je et tu*, Paris, Éd. Montaigne, 1930.

——————. *Hasidism and Modern Man*, trad. par Maurice Friedman, New York, Horizon Press, 1958.

——————. *La légende du Baal-Shem*, Paris, Rocher, 1984.

——————. *Le chemin de l'homme d'après la doctrine hassidique*, Monaco,

——————. *Les contes de Rabbi Nachman*, Paris, Stock, 1981.

——————. *Les récits hassidiques*, Monaco, Du Rocher, 1978.

——————. *Pointing the Way*, New York, Harper and Row, 1957.

——————. *Ten Rungs*, New York, Schocken Books, 1962.

BUHL, Hermann. *Lonely Challenge*, trad. par Hugh Merrick, New York, E. P. Dutton, 1956.
BURGESS, Alan. *The Small Woman*, London, Evans Bros., 1957.
BURKE, Thomas F. éd. *Einstein: A Portrait*, Corte Madera, Californie, Pomegranate Artbooks, 1984.

CALDERON DE LA BARCA, Pedro. *La vie est un songe*, Paris, Aubier-Flammarion, 1976.
CAMPBELL, Joseph. *Le héros aux mille et un visages*, Paris, Laffont, 1978.
————. *The Power of Myth*, avec Bill Moyers, New York, Doubleday, 1988.
CARTER, Jimmy. *Mémoires d'un président*, Paris, Plon, 1984.
CASTANEDA, Carlos. *Le voyage à Ixtlan: les leçons de Don Juan*, Paris, Gallimard, 1974.
————. *The Teachings of Don Juan: A Yaqui Way of Knowledge*, New York, Simon and Schuster, 1973.
CHANG, Valerie, et Muriel JAMES. «Anxiety and Projection as Related to Games and Scripts», *Transactional Analysis Journal*, 17 (octobre 1987).
CHRISTIAN, James. *Philosophy: An Introduction to the Art of Wondering*, New York, Holt, Rinehart and Winston, 1977.
CHUANG TZU. *Chuang Tsu, Inner Chapters*, trad. par Gia-Fu Feng et Jane English, New York, Vintage Books, 1974.
CORNELL, William, et Karen OLIO. «Risks of Bodywork for Incest Survivors», *Association of Humanistic Psychology Perspective* (octobre 1990).
COUSINS, Norman. *Albert Schweitzer's Mission*, New York, W.W. Norton, 1985.
————. «Anatomy of an Illness (As perceived by the patient)», *New England Journal of Medicine* (23 décembre 1976).
————. *Head First: The Biology of Hope*, New York, E.P. Dutton, 1989.
————. «The Point about Schweitzer», *Saturday Review* (2 octobre 1954).
————. «What Matters about Schweitzer», *Saturday Review* (25 septembre 1965).
Crow, Paul. «Assisi's Day of Prayer for Peace», *Christian Century*, 103 (3 décembre 1986).

DOUGHERTY, Margot, et Jacqueline SAVIANO. «Though Tackled by Lou Gehrig's Disease, Coach Charlie Wedemeyer and Family Still Show How to Win», *People Weekly* (18 décembre 1988).
DOUGLAS, William O. *An Almanac of Liberty*, Garden City, N.Y., Doubleday and Company, 1954.
————. *La leçon de Pasteur*, Paris, Albin Michel, 1988.

DUBOS, René. *Les célébrations de la vie,* Paris, Stock, 1982.
DURANT, Will. *Lessons of History,* New York, Simon and Schuster, 1968.

EHRENREICH, Barbara, et Deirdre ENGLISH. *Des experts et des femmes,* Montréal, éd. du Remue-Ménage, 1982.
EINSTEIN, Albert. *Ideas and Opinions,* New York, Crown Publishers, 1982.
ELIADE, Mircea. *Le sacré et le profane,* Paris, Gallimard, 1987.
ELIOT, T. S. «Little Gidding», *The Complete Poems and Plays of T. S. Eliot,* New York, Harcourt and Brace, 1952.
ELLIS, Havelock. *A Study of British Genius,* London, Hurst and Blackett, 1904.
ERIKSON, Erik. *Enfance et société,* Montréal, Liaisons, 1974.
ESAR, Evan. *20,000 Quips and Quotes,* New York, Doubleday, 1968.
EVANS, Bergen. *Dictionary of Quotations,* New York, Avenal Books, 1978.

FADIMAN, Clifton. éd. *The Little, Brown Book of Anecdotes,* Boston, Litlle, Brown and Company, 1985.
FISCHER, Louis. *Gandhi: His Message and Life for the World,* New York, New American Library, 1954.
FLEXNER, Eleanor. *Century of Struggle,* Cambridge, Harvard University Press, 1968.
FORD, Betty. *The Times of My Life,* New York, Ballantine Books, 1979.
FOREST, James. *Thomas Merton: A Pictorial Biography,* New York, Paulist Press, 1980.
FOX, Matthew. *Breakthrough: Meister Eckhart's Creation Spirituality in New Translation,* New York, Doubleday, 1980.
—————. *Meditations with Meister Eckhart,* Santa Fe, Bear and Company, 1983.
—————. *Original Blessing: A Primer in Creation Spirituality,* Santa Fe, Bear and Company, 1983.
FRANKL, Viktor. *Découvrir un sens à sa vie,* Montréal, Actualisation, éd. de l'Homme, 1988.
—————. *The Doctor and the Soul,* New York, Bantam Books, 1967.
—————. *The Unconscious God,* New York, Simon and Schuster, 1975.
FREUD, Sigmund. *Nouvelles conférences d'introduction à la psychanalyse,* Paris, Gallimard, 1989.
FROMM, Erich. *The Fear of Freedom,* London, Routledge and Kegan Paul Ltd., 1942.
FULGHUM, Robert. *All I Need to Know I Learned in Kindergarten,* New York, Villard Books, 1988.

FULLER, R. Buckminster. *Operating Manual for Spaceship Earth*, New York, E.P. Dutton, 1978,
————. *Synergetics: Explorations in the Geometry of Thinking*, New York, Macmillan, 1975.

GARDNER, Howard. *Frames of Mind: The Theory of Multiple Intelligences*, New York, Basic Books, 1983.
GARDNER, John W. *On Leadership*, New York, The Free Press, 1990.
GARFIELD, Charles. *Maxi-performance: les techniques d'entraînement mental des plus grands athlètes du monde*, Montréal, le Jour éd., 1987.
————. *Peak Performers: The New Heroes of American Business*, New York, William Morrow and Company, 1986.
GARFIELD, Patricia. *La créativité onirique*, Paris, La Table Ronde, 1983.
GAYLIN, Willard. *Caring*, New York, Alfred Knopf, 1976.
GIBRAN, Kahlil. *Sand and Foam*, New York, Alfred Knopf, 1926.
GILBERT, Lynn et Galen MOORE. *Particular Passions*, New York, Clarkson Potter Publications, 1981.
GIROUD, Françoise. *Une femme honorable*, Paris, Fayard, 1981.
GOERTZEL, Victor, et Mildred GOERTZEL. *Cradles of Eminence*, Boston, Little, Brown and Co., 1962.
GOODGAME, Dan. «I Do Believe in Control», *Time* (28 septembre 1987).
GOULDING, Mary, et Robert GOULDING. *Changing Lives Through Redecision Therapy*, New York, Brunner/Mazel, 1979.
————. *Not To Worry!*, New York, William Morrow, 1989.
GREER, K. «Are American Families Finding New Strength in Spirituality?», *Better Homes and Gardens* (janvier 1988).

HAMMARSKJÖLD, Dag. *Markings*, trad. par W. H. Auden et L. Sjoberg, New York, Ballantine Books, 1964.
HARLOW, Harry. «Social Deprivation in Monkeys», *Scientific American*, 207 (1962).
HATCH, Alden. *Buckminster Fuller: At Home in the Universe*, New York, Crown Books, 1974.
HAWKING, Stephen. *Une brève histoire du temps*, Paris, Flammarion, 1989.
HEALY, John. «To the American Public», Lettre d'Amnistie Internationale É.-U., septembre 1988.
HESCHEL, Abraham. *The Wisdom of Heschel*, New York, Farrar, Straus and Giroux, 1975.
HOFF, Benjamin. *The Tao of Pooh*, New York, Penguin Books, 1982.
HOLT, Rackham. *Marty McLeod Bethune*, New York, Doubleday, 1964.
HUANG, Chungliang Al. *Quantum Soup*, New York, E.P. Dutton, 1983.

JAMES, John. «Cultural Consciousness: The Challenge to TA», *Transactional Analysis Journal*, 13 (octobre 1983).

―――. «Grandparents and the Family Script Parade», *Transactional Analysis Journal*, 14 (janvier 1984).

JAMES, John, et Ibis SCHLESINGER. *Are You the One for Me? How to Choose the Right Partner*, Reading, Mass., Addison-Wesley, 1988.

JAMES, Muriel. *Born to Love: Transactional Analysis in the Church*, Reading, Mass., Addison-Wesley, 1973.

―――. *Breaking Free: Self-Reparenting for a New Life*, Reading, Mass., Addison-Wesley, 1981.

―――. «Cultural Scripts: Historical Events vs. Historical Interpretation», *Transactional Analysis Journal*, 13 (octobre 1983).

―――. «Diagnosis and Treatment of Ego State Boundary Problems», *Transactional Analysis Journal*, 16 (juillet 1986).

―――. *Hearts on Fire: Romance and Achievement in the Lives of Great Women*, Los Angeles, Jeremy Tarcher, 1991.

―――. *It's Never Too Late To Be Happy: The Psychology of Self-Reparenting*, Reading, Mass., Addison-Wesley, 1985.

―――. «Laugh Therapy: Theory, Procedures, Results in Clinical and Special Fields», *Transactional Analysis Journal*, 9 (octobre 1979).

―――. *The Better Boss in Multicultural Organizations*, Walnut Creek, Californie, Marshall Publishing, 1991.

―――. «The Down-Scripting of Women for 115 Generations: A Historic Kaleidoscope», *Transactional Analysis Journal*, 3 (janvier 1973).

―――. «The Inner Core and the Human Spirit», *Transactional Analysis Journal*, 11 (janvier 1981)

JAMES, Muriel, et Valerie CHANG. «Anxiety and Projection as Related to Games and Scripts», *Transactional Analysis Journal*, 17 (octobre 1987).

JAMES, Muriel, et Dorothy JONGEWARD. *Naître gagnant: l'analyse transactionnelle dans la vie quotidienne*, InterÉditions, 1978.

JAMES, Muriel, et Louis SAVARY. *The Heart of Friendship*, New York, Harper and Row, 1976.

―――. *The Power of the Bottom of the Well: Transactional Analysis with a Biblical Perspective*, Study Guide Edition, New York, Harper and Row, 1976.

JAROFF, Leon. «Roaming the Cosmos», *Time*, 8 février 1988.

JOHNSIN, Kevin. «On New Legs, New Life Starts Today», *Usa Today*, 19 avril 1988.

JUNG, Carl. *L'homme à la découverte de son âme*, Paris, Payot, 1975

―――. *L'homme et ses symboles*, Paris, Laffont, c1964.

―――. *Ma vie: souvenirs, rêves et pensées*, Paris, Gallimard, 1973.

―――. *Psyche and Symbol*, New York, Doubleday, 1958.

KAPTCHUK, Ted. *The Web That Has No Weaver: Understanding Chinese Medicine*, New York, Congdon & Weed, 1983.

KAZANTZAKIS, Nikos. *Report to El Greco*, trad. par P. A. Bien, New York, Simon and Schuster, 1965.

——————. *Report to Greco*, New York, Bantam Books, 1966.

——————. *St. Francis*, trad. par P. A. Bien, New York, Simon and Schuster, 1965.

KELLER, Helen. *The Open Door*, New York, Doubleday, 1957.

KELLY, Kevin. éd. *The Home Planet*, Reading, Mass., Addison-Wesley, 1988.

KENT, Corita, et John PINTAURO. *To Believe in Man*, New York, Harper and Row, 1970.

KING, Martin Luther. *La force d'aimer*, Paris, Casterman.

KOHN, Alfie. «Art for Art's Sake», *Psychology Today* (septembre 1987).

KRAMER, Rita. *Maria Montessori*, Reading, Mass., Addison-Wesley, 1988.

KREIGER, Dolores. «Therapeutic Touch: The Imprimatur of Nursing», *American Journal of Nursing*, 75 (mai 1975).

KÜBLER-ROSS, Elisabeth. *La mort et l'enfant: souvenirs, lettres, témoignages*, Tricorne, 1986.

KUSHNER, Harold. Le désir infini de trouver un sens à la vie, Montréal, Du Roseau, 1986.

LANDE, Nathaniel. *Mindstyles, Lifestyles*, Los Angeles, Price, Stern, Sloan Publishers, 1976.

LANKER, Brian. «I Dream a World», *National Geographic* (août 1989).

LAO Tsu. *Tao Te Ching*, trad. par D. C. Lau, New York, Penguin Books, 1963. Trad. par Gia-Fu Feng et Jane English, New York, Vintage Books, 1972.

LASH, Joseph. *Eleanor: The Years Alone*, New York, New American Library, 1972.

LEAKEY, Richard. *One Life: An Autobiography*, Salem, New Hampshire, Salem House, 1984.

LESLIE, Robert. *Jesus and Logotherapy*, Knoxville, Abingdon Press, 1965.

Life Magazine (avril 1976)

LINDBERGH, Anne Morrow. *Solitude face à la mer*, Paris, Livre contemporain, 1956.

LUKS, Allan. «Helper's High», *Psychology Today* (octobre 1988).

MASLOW, Abraham. *The Further Reaches of Human Nature*, New York, Viking, 1971.

MAY, Rollo. *Amour et volonté*, Paris, Stock, 1971.

——————. *The Courage to Create*, New York, W. W. Norton and Company, 1975.

McDONNELL, Colleen et Bernhard LANG. *Heaven, a History*, Princeton, N.J., Yale University Press, 1988.

McHENRY, Robert, éd. *Famous American Women*, New York, Dover Publications, 1980.

McKIM, Robert, *Experiences in Visual Thinking*, Monterey, Californie, Brooks and Cole Publishing, 1980.

McLUHAN, Teri C. *Touch the Earth: A Self-Portrait of Indian Existence*, New York, Promontory Press, 1971.

MEAD, Margaret. *Du givre sur les ronces*, Paris, Seuil, 1977.

MELINSKY, M. A. *Healing Miracles*, London, A. R. Mobray and Company, 1968.

MERTINS, Louis. *Robert Frost: Life and Talks*, Norman, Oklahoma, University of Oklahoma Press, 1965.

MERTON, Thomas. *La sagesse du désert*, Paris, Michel, 1967.

—————. *No Man Is An Island*, New York, Harcourt Brace Jovanovich, 1955.

—————. *The Way of Chuang Tzu*, New York, New Directions, 1965.

MONTAGU, Ashley. *Immortality, Religion and Morals*, New York, Hawthorne Books, 1971.

MOODY, Raymond. *La vie après la vie*, Paris, Laffont, 1977.

MOSSIKER, Frances. *Napoleon and Josephine*, New York, Simon and Schuster, 1964.

MOYERS, Bill. *A World of Ideas*, New York, Doubleday, 1989.

—————. «The Hero's Adventure», 5e de 6. *Joseph Campbell and the Power of Myth with Bill Moyers*, New York, Public Affairs Television production, 1988.

MUGGERIDGE, Malcolm. *Something Beautiful for God*, San Francisco, Harper and Row, 1971.

MUIR, John. *My First Summer in the Sierra*, Boston, Houghton Mifflin, 1911.

MURAOKA, Tsunetsugu. *Studies in Shinto Thought*, trad. par D. Brown et J. Araki, Tokyo, Japanese Commission for UNESCO, 1964.

New Age Journal, 1 (février 1975).
Newsweek, 25 avril 1968.

OLINER, Samuel, et Pearl OLINER. *The Altruistic Personality*, New York, Free Press, 1988.

PAGELS, Heinz. *The Cosmic Code: Quantum Physics as the Language of Nature*, New York, Bantam Books, 1982.

PANATI, Charles. *Browser's Book of Beginnings*, Boston, Houghton Mifflin, 1984.

――――. *Extraordinary Origins of Everyday Things*, New York, Harper and Row, 1987.

PAPE JEAN-PAUL II. «The Challenge and the Possibility of Peace», *Origins*, 17 (6 novembre 1986).

PARKS, Gordon. *Gordon Parks: A Poet and His Camera*, New York, Viking Press, 1968.

PARTNOW, Elaine. *The Quotable Woman*, Los Angeles, Corwin Books, 1977.

PATTERSON, Francine, et Eugene LINDEN. *The Education of Koko*, New York, Holt, Rinehart and Winston, 1981.

PAZ, Octavio. *Sor Juana*, Cambridge, Mass., Harvard University Press, 1988.

PEARSON, John. *Begin Sweet World*, Garden City, New York, Doubleday and Co., 1976.

――――. *The Sun's Birthday*, Garden City, New York, Doubleday and Company, 1973.

PEYSER, Joan. *Bernstein*, New York, Ballantine Books, 1987.

ROBBINS, Jhan. *Front Page Marriage*, New York, G. P. Putnam's Sons, 1982.

ROGERS, Carl. *Le développement de la personne*, Montréal, Dunod, 1976.

――――. *Psychothérapie et relations humaines*, Paris, Béatrice Nauwelaerts, 1971.

ROGO, D. Scott. *La parapsychologie dévoilée*, Paris, Tchou, 1976.

RONAN, Colin. *Lost Discoveries*, New York, McGraw-Hill, 1973.

ROOSEVELT, Eleanor. *This Is My Story*, New York, Harper and Brothers, 1937.

RUSSELL, Jeffrey, *The Devil: Perceptions of Evil from Antiquity to Primitive Christianity*, Ithaca, N.Y., Cornell University Press, 1977.

SAGAN, Carl. *Les dragons de l'Éden: spéculations sur l'évolution de l'intelligence humaine et autre*, Paris, Seuil, 1980.

SAINT-EXUPÉRY, Antoine de. *Le Petit Prince*, Paris, Gallimard, 1946.

SAMUELS, Mike, et Nancy SAMUELS. *Seeing with the Mind's Eye*, New York, Random House, 1975.

SANDNER, Donald. *Navaho Symbols of Healing*, New York, Harcourt Brace Jovanovich, 1979.

SAVARY, Louis, Patricia BERNE et Strephon WILLIAMS. *Dreams and Spiritual Growth: A Christian Approach to Dreamwork*, New York, Paulist Press, 1984.

SCHIFF, Jacqui. *Cathexis Reader*, New York, Harper & Row, 1975.

SCHNEIDER, Richard. *Freedom's Holy Light*, New York, Thomas Nelson, 1985.

SCHWEITZER, Albert. *Ma vie et ma pensée*. Paris, Albin Michel, 1986.

—————. *Souvenirs de mon enfance*, Paris, Albin Michel, 1984.

SELDES, George. *The Great Thoughts*, New York, Ballantine Books, 1985.

SHAH, Idries. *The Sufis*, London, W. H. Allen and Co., 1964.

SHIN, Sang Kyu. *The Making of a Martial Artist*, Detroit, Michigan, San Kyu Shin, 1980.

SHORT, Robert. *The Parables of Peanuts*, New York, Harper and Row, 1968.

SIEGEL, Bernie. *L'amour, la médecine et les miracles*, Paris, Laffont, 1989.

SILLS, Beverly, et Lawrence LINDERMAN. *Beverly: An Autobiography*, New York, Bantam Books, 1988.

SIMONTON, O. Carl, Stephanie MATHEWS-SIMONTON et James CREIGHTON. *Guérir envers et contre tout*, Paris, Éditions de l'Épi, 1990.

SIMPSON, James. *Simpson's Contemporary Quotations*, Boston, Houghton Mifflin Co., 1988.

SOLZHENITSYN, Alexander. *Nobel Lecture*, trad. par R. D. Reeve, New York, Farrar, Straus and Giroux, 1972.

SOROKIN, Pitirim. *The Ways and Power of Love*, Chicago, Henley Regnery, 1967.

SPITZ, Rene. «Hospitalism, Genesis of Psychiatric Conditions in Early Childhood», *Psychoanalytic Study of the Child*, I (1945).

STEIN, Ruth. «Whiz Kid Can't Forget Killing Fields», *San Francisco Chronicle*, 7 décembre 1987.

STEINBRINK, Mark. «Bernstein at Seventy», *Life* Magazine (septembre 1988).

STEINEM, Gloria. *Outrageous Act and Everyday Rebellions*, New York, Holt, Rinehart and Winston, 1983.

STERNE, Emma. *Mary McLeod Bethune*, New York, Alfred Knopf, 1957.

STODDARD, Hope. *Famous American Women*, New York, Thomas Crowell, 1970.

SULLIVAN, Harry Stack. *Interpersonal Theory of Psychiatry*, New York, W. W. Norton, 1953.

—————. *The Psychiatric Interview*, New York, Norton & Co., 1970.

TAGORE, Rabindranath. *Collected Poems and Plays of Rabindranath Tagore*, New York, Macmillan, 1974.

—————. *Fireflies*, New York, Collier Books, 1975.

TEILHARD DE CHARDIN, Pierre. *Le phénomène humain*, Paris, Seuil, 1955.

TEN BOOM, Corrie. *The Hiding Place*, avec John et Elizabeth Sherrill, New York, Bantam Books, 1985.

TENNYSON, Alfred. «Locksley's Hall», *Tennyson's Poetical Works*, Boston, Houghton, Mifflin and Co., 1899.

THOMAS, Alexander, Stella CHESS et Herbert BIRCH. *Temperament and Behavior Disorders in Children*, New York, New York University Press, 1969.

THOMAS, Bob. *Walt Disney, l'art du dessin animé*, Paris, Hachette.

THOREAU, Henry David. *Walden ou la vie dans les bois*, Paris, Gallimard, 1990.

TILLICH, Paul. *Biblical Religion and the Search For Ultimate Reality*, Chicago, University of Chicago Press, 1955.

————. *The Eternal Thou*, New York, Charles Scribner's Sons, 1956.

TIMERMAN, Jacobo. *Prisoner without a Name, Cell without a Number*, trad. par Tony Talbot, New York, Random House, 1981.

TOMPKINS, Peter, et Christopher BIRD. *La vie secrète des plantes*, Paris, Laffont, 1975.

TOWER, Courtney. «Mother Teresa's Work of Grace», *Readers Digest* (décembre 1987).

TOWNSEND, Debbie. «Ida Beats Odds and the Breaks to Graduate», *Contra Costa Times*, 24 juin 1989.

TRUNGPA, Chogyam. *Pratique de la voie tibétaine: au-delà du matérialisme spirituel*, Paris, Seuil, 1976.

————. *The Myth of Freedom*, Boston, Shambhala, 1988.

UGLOW, Jennifer. *The International Dictionary of Women's Biography*, New York, Continuum, 1985.

UNGERSMA, Aaron J. *The Search of Meaning*, Philadelphia, Westminster Press, 1961.

VALENS, E. G. *The Other Side of the Mountain*, New York, Warner Books, 1975.

VAN DUSEN, Henry. «The Prayers of Dag Hammarskjold», *Presbyterian Life* (15 janvier 1967).

WATTS, Alan. *L'envers du néant*, Paris, Denoël-Gonthier, 1978.

————. *Tao: The Watercourse Way*, New York, Pantheon Books, 1975.

WEATHERHEAD, Leslie. *Prescriptions for Anxiety*, Nashville, Abingdon Press, 1956.

WEIL, Simone. *L'enracinement: prélude à une déclaration des devoirs envers l'être humain*, Paris, Gallimard, 1949.

WHITE, John. *Rejection*, Reading, Mass., Addison-Wesley, 1982.

WHOLEY, Dennis, éd. *Are You Happy?*, Boston, Houghton Mifflin, 1986.

WILLIAMS, Blanche. *George Eliot: A Biography*, New York, Macmillan, 1936.

WINTER, Annette. «Spotlight», *Modern Maturity* (octobre-novembre 1988).
WOODWARD, Kenneth. «Heaven», *Newsweek* (27 mars 1989).

YOUNG, Barbara. *This Man From Lebanon: A Study of Kahlil Gibran*, New York, Knopf, 1950.
YUTANG, Lin. *The Wisdom of China and India*, New York, Random House, 1942.

Index

Table des matières

Ouvrages parus aux
Éditions de l'Homme

Affaires et vie pratique

* 1001 prénoms, leur origine, leur signification, Jeanne Grisé-Allard
* Acheter et vendre sa maison ou son condominium, Lucille Brisebois
* Acheter une franchise, Pierre Levasseur
* Les assemblées délibérantes, Francine Girard
* La bourse, Mark C. Brown
* Le chasse-insectes dans la maison, Odile Michaud
* Le chasse-insectes pour jardins, Odile Michaud
  Le chasse-taches, Jack Cassimatis
* Choix de carrières — Après le collégial professionnel, Guy Milot
* Choix de carrières — Après le secondaire V, Guy Milot
* Choix de carrières — Après l'université, Guy Milot
* Comment cultiver un jardin potager, Jean-Claude Trait
  Comment rédiger son curriculum vitæ, Julie Brazeau
* Comprendre le marketing, Pierre Levasseur
* La couture de A à Z, Rita Simard
  Des pierres à faire rêver, Lucie Larose
* Des souhaits à la carte, Clément Fontaine
* Devenir exportateur, Pierre Levasseur
* L'entretien de votre maison, Consumer Reports Books
  L'étiquette des affaires, Elena Jankovic
* Faire son testament soi-même, Me Gérald Poirier et Martine Nadeau Lescault
  Les finances, Laurie H. Hutzler
  Gérer ses ressources humaines, Pierre Levasseur
  La graphologie, Claude Santoy
* Le guide complet du jardinage, Charles L. Wilson
* Le guide de l'auto 93, D. Duquet, M. Lachapelle et J. Duval
* Le guide des bars de Montréal 93, Lili Gulliver
* Le guide des bons restaurants de Montréal et d'ailleurs 93, Josée Blanchette
* Le guide des plantes d'intérieur, Coen Gelein
* Guide du jardinage et de l'aménagement paysager au Québec, Benoit Prieur
* Le guide du vin 93, Michel Phaneuf
* Le guide floral du Québec, Florian Bernard
  Guide pratique des vins de France, Jacques Orhon
  J'aime les azalées, Josée Deschênes
* J'aime les bulbes d'été, Sylvie Regimbal
  J'aime les cactées, Claude Lamarche
* J'aime les conifères, Jacques Lafrenière
* J'aime les petits fruits rouges, Victor Berti
  J'aime les rosiers, René Pronovost
  J'aime les tomates, Victor Berti
  J'aime les violettes africaines, Robert Davidson
  J'apprends l'anglais..., Gino Silicani et Jeanne Grisé-Allard
  Le jardin d'herbes, John Prenis
* Lancer son entreprise, Pierre Levasseur
  Le leadership, James J. Cribbin
* La loi et vos droits, Me Paul-Émile Marchand
  Le meeting, Gary Holland
  Mieux comprendre sa vie de travail, Claude Poirier et Nicole Gravel
* Mon automobile, Gouvernement du Québec et Collège Marie-Victorin

Cuisine et nutrition

Le guide de l'alpinisme, Massimo Cappon
* Le guide de la pêche au Québec, Jean Pagé
* Le guide des auberges et relais de campagne du Québec, François Trépanier
* Le guide des 52 week-ends au Québec 93, André Bergeron
Le guide des destinations soleil 93, André Bergeron
Guide des jeux scouts, Association des Scouts du Canada
Le guide de survie de l'armée américaine, Collectif
* Guide de survie en forêt canadienne, Jean-Georges Desheneaux
La guitare, Peter Collins
La guitare électrique sans professeur, Robert Rioux
La guitare sans professeur, Roger Evans
* J'apprends à nager, Régent la Coursière
* Je me débrouille à la chasse, Gilles Richard
* Je me débrouille à la pêche, Serge Vincent
Jeux pour rire et s'amuser en société, Claudette Contant
* Jouez gagnant au golf, Luc Brien et Jacques Barrette
Jouons au scrabble, Philippe Guérin
Le karaté Koshiki, Collectif
Le karaté Kyokushin, André Gilbert
Le livre des patiences, Maria Bezanovska et Paul Kitchevats
* Maîtriser son doigté sur un clavier, Jean-Paul Lemire
Manuel de pilotage, Transport Canada
Le manuel du monteur de mouches, Mike Dawes
Le marathon pour tous, Pierre Anctil, Daniel Bégin et Patrick Montuoro
La médecine sportive, Dr Gabe Mirkin et Marshall Hoffman
La musculation pour tous, Serge Laferrière
* La nature en hiver, Donald W. Stokes
* Nos oiseaux en péril, André Dion
* Les papillons du Québec, Christian Veilleux et Bernard Prévost
* Partons en camping!, Archie Satterfield et Eddie Bauer
Les passes au hockey, Claude Chapleau, Pierre Frigon et Gaston Marcotte
Le piano jazz sans professeur, Bob Kail
Le piano sans professeur, Roger Evans
La planche à voile, Gérald Maillefer
La plongée sous-marine, Richard Charron
Le programme 5BX, pour être en forme,
* Racquetball, Jean Corbeil
* Racquetball plus, Jean Corbeil
Les règles du golf, Yves Bergeron
* Rivières et lacs canotables du Québec, Fédération québécoise du canot-camping
S'améliorer au tennis, Richard Chevalier
Le saumon, Jean-Paul Dubé
Le saxophone sans professeur, John Robert Brown
* Le scrabble, Daniel Gallez
Les secrets du baseball, Jacques Doucet et Claude Raymond
Le solfège sans professeur, Roger Evans
La technique du ski alpin, Stu Campbell et Max Lundberg
Techniques du billard, Robert Pouliot
Le tennis, Denis Roch
* Le tissage, Germaine Galerneau et Jeanne Grisé-Allard
Tous les secrets du golf selon Arnold Palmer, Arnold Palmer
La trompette sans professeur, Digby Fairweather
* Les vacances en famille: comment s'en sortir vivant, Erma Bombeck
Le violon sans professeur, Max Jaffa
* Le vitrail, Claude Bettinger
Voir plus clair aux échecs, Henri Tranquille et Louis Morin
Le volley-ball, Fédération de volley-ball

Psychologie, vie affective, vie professionnelle, sexualité

Santé, beauté

le jour, éditeur

Ouvrages parus au Jour

Affaires, loisirs, vie pratique

L'affrontement, Henri Lamoureux
Les bains flottants, Michael Hutchison
Le cœur de la baleine bleue, Jacques Poulin
Conte pour buveurs attardés, Michel Tremblay
* La France à la québécoise, André Bergeron et Émile Roberge
* Le guide du répondeur bien branché, Robert Blondin et Lucie Dumoulin
J'avais oublié que l'amour fût si beau, Évette Doré-Joyal
Jean-Paul ou les hasards de la vie, Marcel Bellier
Oslovik fait la bombe, Oslovik

Ésotérisme, santé, spiritualité

L'astrologie pratique, Wofgang Reinicke
Couper du bois, porter de l'eau — Comment donner une dimension spirituelle à la vie de tous les jours, Collectif
De l'autre côté du miroir, Johanne Hamel
Le grand livre de la cartomancie, Gerhard von Lentner
Grand livre des horoscopes chinois, Theodora Lau
Grossesses à risque et infertilité — Les solutions possibles, Diana Raab
Les hormones dans la vie des femmes, Dr Lois Javanovic et Genell J. Subak-Sharpe
Les maladies mentales, John M. Cleghorn et Betty Lou Lee
Pour en finir avec l'hystérectomie, Dr Vicki Hufnagel et Susan K. Golant
Pouvoir analyser ses rêves, Robert Bosnak
Le pouvoir de l'auto-hypnose, Stanley Fisher
Traité d'astrologie, Huguette Hirsig

Essais et documents

* 1759 La bataille du Canada, Laurier L. LaPierre
17 tableaux d'enfant, Pierre Vadeboncoeur
* L'accord, Georges Mathews
L'administration et le développement coopératif, Marcel Laflamme et André Roy
À la recherche d'un monde oublié, N. Laurin, D. Juteau et L. Duchesne
* Les années Trudeau — La recherche d'une société juste, T. S. Axworthy et P. E. Trudeau
* Le Canada aux enchères, Linda McQuaid
Carmen Quintana te parle de liberté, André Jacob
Le Dragon d'eau, R. F. Holland
* Elle sera poète, elle aussi! Liliane Blanc
En première ligne, Jocelyn Coulon
* Femmes de parole, Yolande Cohen
* Femmes et politique, Yolande Cohen, Andrée Yanacopoulo et Nicole Brossard
* Les femmes sont-elles allées trop loin?, Francine Burnonville
Le français, langue du Québec, Camille Laurin
* Goodbye... et bonne chance!, David J. Bercuson et Barry Cooper
* Hans Selye ou la cathédrale du stress, Andrée Yanacopoulo

Hiérarchie ethnique dans la grande entreprise, Jean-Marie Rainville
L'histoire des femmes au Québec, Le collectif Clio
Jacques Cartier - L'odyssée intime, Georges Cartier
La maison de mon père, Sylvia Fraser
Les mythes à travers les âges, Joseph Campbell

Psychologie, vie affective, vie professionnelle, sexualité

L'accompagnement au soir de la vie, Andrée Gauvin et Roger Régnier
Adieu, Dr Howard M. Halpern
Adieu la rancune, James L. Creighton
L'agressivité créatrice, Dr George R. Bach et Dr Herb Goldberg
Aimer, c'est choisir d'être heureux, Barry Neil Kaufman
Aimer son prochain comme soi-même, Joseph Murphy
L'amour lucide, Gay Hendricks et Kathlyn Hendricks
L'amour obsession, Dr Susan Foward
Apprendre à vivre et à aimer, Léo Buscaglia
Arrête! tu m'exaspères — Protéger son territoire, Dr George Bach et Ronald Deutsch
L'art d'engager la conversation et de se faire des amis, Don Gabor
L'art de vivre heureux, Josef Kirschner
Au centre de soi, Dr Eugene T. Gendlin
Augmentez la puissance de votre cerveau, A. Winter et R. Winter
L'autosabotage, Michel Kuc
Bien vivre ensemble, Dr William Nagler et Anne Androff
Le bonheur, c'est un choix, Barry Neil Kaufman
Le burnout, Collectif
La célébration sexuelle, Ma Premo et M. Geet Éthier
Ces hommes qui ne communiquent pas, Steven Naifeh et Gregory White Smith
C'est pas la faute des mère!, Paula J. Caplan
Ces vérités vont changer votre vie, Joseph Murphy
Comment aimer vivre seul, Lynn Shanan
Comment apprendre l'autodiscipline aux enfants, Thomas Gordon
Comment décrocher, Barbara Mackoff
Comment faire l'amour à la même personne pour le reste de votre vie,
    Dagmar O'Connor
Comment faire l'amour à une femme, Michael Morgenstern
Comment faire l'amour à un homme, Alexandra Penney
Comment faire l'amour ensemble, Alexandra Penney
Communication efficace, Linda Adams
Contacts en or avec votre clientèle, Carol Sapin Gold
Dire oui à l'amour, Léo Buscaglia
Dominez les émotions qui vous détruisent, Dr Robert Langs
La dynamique mentale, Christian H. Godefroy
Les enfants hyperactifs et lunatiques, Dr Guy Falardeau
L'éveil de votre puissance intérieure, Anthony Robins
Exit final — Pour une mort dans la dignité, Derek Humphry
Faites la paix avec votre belle-famille, P. Bilofsky et F. Sacharow
La famille moderne et son avenir, Lyn Richards
La fille de son père, Linda Schierse Leonard
La Gestalt, Erving et Miriam Polster
Le grand voyage, Tom Harpur
L'héritage spirituel d'une enfance difficile, Josef Kirschner
L'homme sans masque, Herb Goldberg
L'influence de la couleur, Betty Wood
Jouer le tout pour le tout, Carl Frederick
Maîtriser son destin, Josef Kirschner
*Les manipulateurs, E. L. Shostrom et D. Montgomery
Le miracle de votre esprit, Dr Joseph Murphy

Née pour se taire, Dana Crowley Jack
Négocier — entre vaincre et convaincre, Dr Tessa Albert Warschaw
Nos crimes imaginaires, Lewis Engel et Tom Ferguson
Nouvelles relations entre hommes et femmes, Herb Goldberg
Option vérité, Will Schutz
L'oracle de votre subconscient, Dr Joseph Murphy
Parent au pouvoir, John Rosemond
Parlez pour qu'on vous écoute, Michèle Brien
Paroles de jeunes, Barry Neil Kaufman
* La personnalité, Léo Buscaglia
Le pouvoir de la motivation intérieure, Shad Helmstetter
Le pouvoir de votre cerveau, Barbara B. Brown
La puissance de la pensée positive, Norman Vincent Peale
La puissance de votre subconscient, Dr Joseph Murphy
* La rage au cœur, Martine Langelier
Réfléchissez et devenez riche, Napoleon Hill
Retrouver l'enfant en soi, John Bradshaw
S'affirmer — Savoir prendre sa place, R. E. Alberti et M. L. Emmons
S'affranchir de la honte, John Bradshaw
La sagesse du cœur, Karen A. Signell
S'aimer ou le défi des relations humaines, Léo Buscaglia
Savoir quand quitter, Jack Barranger
Secrets de famille, Harriet Webster
Les secrets de la communication, Richard Bandler et John Grinder
Seuls ensemble, Dan Kiley
Le succès par la pensée constructive, Napoleon Hill
La survie du couple, John Wright
Tous les hommes le font, Michel Dorais
Triomphez de vous-même et des autres, Dr Joseph Murphy
* Trop peu de sexe... trop peu d'amour, Jonathan Kramer et Diane Dunaway
Un homme au dessert, Sonya Friedman
Uniques au monde!, Jeanette Biondi
Vivre avec les imperfections de l'autre, Dr Louis H. Janda
Vivre avec passion, David Gershon et Gail Straub
Volez de vos propres ailes, Howard M. Halpern
Votre corps vous parle, écoutez-le, Henry G. Tietze
Votre talon d'Achille, Dr Harold Bloomfield

---

* Pour l'Amérique du Nord seulement. (0607)

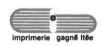

imprimerie gagné ltée

IMPRIMÉ AU CANADA